HEYNE <

Das Buch

In letzter Minute wird die zehnjährige Fanny von der mutigen Anna vor der Deportation gerettet. Ihre Großmutter Betsy überlebt Theresienstadt, verliert Mann, Tochter und Enkelsohn und stellt sich doch dem Leben - zwei Wunder aus einer Zeit, in der Tragödie und Hoffnung, Trauer und Freude in Deutschland so dicht beieinanderlagen wie nie zuvor. Im dritten Band der Familienchronik schildert Stefanie Zweig die Zeit von 1941 bis 1948. Mit ihrer bilderreichen Sprache verwebt sie die privaten Geschehnisse der Familie Sternberg mit den politischen Ereignissen und dem schreckensvollen Alltag im Nachkriegsdeutschland. Hunger und Verlust bestimmen die Zeit ebenso wie ein eiserner Überlebenswille, der die Menschen in den Trümmern der zerbombten Städte eine Zukunft erahnen lässt. In dieser Zeit der großen Entbehrungen trifft eines Tages ein Paket bei Betsy Sternberg ein: Der Absender ist ihr Schwiegersohn Dr. Fritz Feuereisen, der in Holland überlebt hat und als Dolmetscher bei den Nürnberger Prozessen arbeitet. Seine Tochter Fanny kann das Unglaubliche kaum fassen, doch das Leben hält noch weitere Überraschungen bereit.

»Große Literatur« *Frankfurter Neue Presse*

Die Autorin

Stefanie Zweig wurde 1932 in Leobschütz (Oberschlesien) geboren. Im Jahr 1938 zwang die Verfolgung der Nationalsozialisten die jüdische Familie zur Flucht nach Kenia. Dort wurde der Vater, ein Jurist, der schlecht bezahlte Angestellte auf einer Farm im Hochland. Seine Tochter hat Kenia nie vergessen können. Ihre Romane *Nirgendwo in Afrika* und *Nur die Liebe* bleibt schildern diese Zeit. Nach der Rückkehr 1947 nach Frankfurt, die Stefanie Zweig in dem Roman *Irgendwo in Deutschland* schildert, zog ihre Familie schon bald in das Haus in der Rothschildallee. Stefanie Zweigs Bücher stehen wochenlang auf den Bestsellerlisten, erreichen eine Gesamtauflage von über sieben Millionen Exemplaren und wurden in fünfzehn Sprachen übersetzt.

Mehr über Stefanie Zweigs Romane finden Sie am Ende des Buches.

STEFANIE ZWEIG

Heimkehr in die Rothschildallee

Roman

WILHELM HEYNE VERLAG
MÜNCHEN

*Im Andenken an meinen geliebten Vater,
der mich früh gelehrt hat, beide Seiten
einer Medaille zu betrachten.*

Verlagsgruppe Random FSC® N001967
Das für dieses Buch verwendete
FSC®-zertifizierte Papier *Holmen Book Cream*
liefert Holmen Paper, Hallstavik, Schweden.

2. Auflage

Printed in Germany 2013
Umschlaggestaltung: Nele Schütz Design, München
unter Verwendung eines Fotos von © akg-images
Satz: Buch-Werkstatt GmbH, Bad Aibling
Druck und Bindung: GGP Media GmbH, Pößneck
ISBN: 978-3-453-40916 -3

www.heyne.de

Verwandtschaft bedeutete den Halt und den Funken Hoffnung, den der ins Leben Zurückgestoßene brauchte, um sich nicht aufzugeben. Nur die eigenen Leute wussten, wer man gewesen war; sie waren die Brücke von der Vergangenheit in die Gegenwart.

1
Schau dich nicht um!
19. Oktober 1941

Morgennebel umhüllte die Häuser im Frankfurter Ostend. Herbstschwer lag er auf den welkenden Blumen in den kleinen Vorgärten und auf den dichten Hecken, die vor fremden Blicken zu schützen hatten. Im Dunst des beginnenden Tages waren noch nicht einmal die stämmigen alten Eichen und die mächtigen Kastanienbäume am Straßenrand auszumachen, die der Straße ihren beruhigenden, dörflich-behäbigen Charakter gaben. Dann, so plötzlich wie unerwartet, tauchte aus dem erstickenden Nebelgrau die Großmarkthalle auf. Einen Moment schien der Anblick des imposanten Gebäudes die verängstigten und zu Tode erschöpften Menschen, die dorthin getrieben wurden wie das Vieh zum Schlachthaus, zu beruhigen. Ein paar erleichterte Seufzer, ein vereinzeltes »Ach«, sogar das Händeklatschen zweier Kinder, die von nichts wussten, waren zu vernehmen, doch die Gnade, die Wirklichkeit nicht mehr einordnen zu können, währte nicht länger als einen Herzschlag.

»Los, ihr verdammtes Judenpack!«, brüllte die Stimme des Entsetzens.

Die Großmarkthalle, der Stolz der Frankfurter, war in den Jahren 1926 bis 1929 gebaut worden; in den Zwanzigern galt ihre Technik als einmalig und wegweisend. Der Bau machte im ganzen Reichsgebiet Furore und wurde als Sinn-

bild für eine neue, freie Zeit gefeiert, doch im Herbst 1941 hätten es auch die Mutigsten nicht mehr gewagt, in der Öffentlichkeit an die Zeit von Hoffnung und Aufbruch zu erinnern.
Für die jüdischen Bürger, denen es nicht gelungen war, die Stadt rechtzeitig zu verlassen und Rettung im Ausland zu suchen, war die einst mit Ehrfurcht bestaunte Großmarkthalle zur Endstation aller Hoffnung auf Leben geworden. Obwohl niemand offiziell von den sogenannten »Judenaktionen« und Deportationen wissen durfte, war doch bekannt geworden, was die Unglücklichen dort erwartete. Zunächst wurden sie in den Keller getrieben, zum wiederholten Mal auf Wertsachen untersucht, immer wieder aufs Neue gedemütigt und schikaniert, weder mit Essen noch mit Wasser versorgt, körperlich bestialisch gequält und schließlich in Eisenbahnwaggons nach Osten abtransportiert. Keiner wusste, wohin die Reise ging. Es gab täglich neue Gerüchte, die sich alle widersprachen und die die Menschen nicht glaubten, weil ihnen das Unglaubliche noch nicht begegnet war, und doch spürte ein jeder, dass es von der Großmarkthalle aus keine Rückkehr mehr geben würde. Frankfurt, die heiß geliebte Vaterstadt, hatte das letzte Band zu seinen Juden zerschnitten, hatte sie endgültig aus der Gemeinschaft seiner Bürger gestoßen und sie für vogelfrei erklärt.
Die Großmarkthalle mit ihrer breiten Front und den vielen Fenstern machte den Verzweifelten für einen wunderbaren Moment den Mut, den sie brauchten, um nicht zusammenzubrechen und auf der Straße liegen zu bleiben. Das vertraute Haus zu sehen brachte den Trost, den die Verzweifelten immer noch zuließen. Jenen, die sich trotz allen Leides, das ihnen bereits widerfahren war, nicht vorzustel-

len vermochten, wie das letzte Kapitel ihres Lebens ausfallen würde, erzählte dieser falsche Trost Geschichten aus der Zeit ohne Demütigung und Verfolgung. Bildhafte Geschichten waren es, die die Seele beruhigten und Ängste linderten.

Das Lauftempo der Geschundenen veränderte sich; die Schritte der Starken wurden länger und selbst die der Schwachen kräftiger und beherzter. Kinder an der Hand ihrer Mütter hoben den Kopf und zeigten ihr Gesicht. Am Ende des Weges wagten sie die Fragen, für die es keine Antworten mehr gab. Eine Frau, obwohl schon grauhaarig und mit altersschwerem Körper, trug mit einem Mal ihren großen Koffer, ohne zu keuchen oder ein einziges Mal stehen zu bleiben. Jeder konnte sehen, dass der Koffer mit mehr als den zugelassenen fünfzig Kilo bepackt war, doch die Grauhaarige hielt das mit einer dünnen Schnur umwickelte Gepäckstück, als wäre es eine kleine, leichte Reisetasche; sie schwenkte den schweren Koffer wie die sorglos reisenden Damen der Gesellschaft in der Vorkriegszeit ihre federleichten Hutschachteln. Einmal lachte die drängelnde Grauhaarige laut auf. Es war ein hysterisches Lachen aus einem weit aufgerissenen Schreckensmund. Die Frau begann zu rennen, sie rempelte einen alten Mann mit Rucksack an, überholte zwei Frauen mit drei kleinen Kindern, zog an einer humpelnden Greisin in abgetragenen orthopädischen Stiefeln vorbei, die ihre Habe in einem alten Kinderwagen schob, und lief eine Zeit lang neben vier bärtigen Männern her, die, ohne ihre Lippen zu bewegen, Gebete an den richteten, an den sie immer noch glaubten. Schließlich erreichte die berauschte Dränglerin die Spitze der Kolonne. Jetzt, am Ziel, schaute sie sich nach den desperaten Menschen um, die hinter ihr waren. Die Frau winkte mit der Linken, von der eine weiße Sommerhandtasche baumelte; sie machte den Eindruck, als wollte sie ihre Leidensgenossen ermutigen, ihrem Beispiel zu folgen. In diesem Augenblick brüllte die peitschende Stimme des Mannes in SA-Uniform: »Los, ihr stinkendes Pack! Oder soll ich euch Beine machen, ihr Itzigs!«

Es war – das wussten schon die Kinder – die Stimme des Teufels. Sie stand für Panik und Todesangst und die Unfähigkeit einst wohlgelittener, selbstbewusster Bürger, zu begreifen, dass für sie nur noch die Hölle offen stand. Mit den Verdammten aus Frankfurt wurden auch die jüdischen Menschen aus dem hessischen Umland abtransportiert; die hatten geglaubt, in der anonymen Großstadt würden sie sicherer vor Verfolgung sein als in ihren Heimatdörfern, wo sie ein jeder kannte. Nach dem Brand der Synagogen am 9. November 1938 waren die Juden aus Kleinstädten und Dörfern nach Frankfurt gezogen. Auch diese Unglücklichen, deren Geschick nun von der Willkür machtbesessener SA-Männer abhing, die den Zug begleiteten, waren vor Morgengrauen in ihren letzten Refugien abgeholt worden. Es waren verheerende Zwangswohnstätten gewesen, in die die Juden vor Kriegsausbruch von den Frankfurter Behörden eingewiesen worden waren. Von Monat zu Monat war die Existenznot dort größer geworden, die Hoffnung auf Entkommen starb täglich ihre tausend Tode. In diesen erbärmlichen Unterkünften, von der offiziellen Sprachregelung als »Judenhäuser« bezeichnet, hatten Polizei und Gestapomänner am 19. Oktober 1941 den Juden das letzte Geld, sämtliche ihnen noch verbliebenen Wertsachen, Kleidung, Geschirr, Besteck, selbst Kochtöpfe und Bettzeug abgenommen – zuletzt die Hausschlüssel. So wurde den Ausgestoßenen das letzte Stück ihrer vermeintlichen Sicherheit

entrissen. Sie hatten keine Adresse mehr und keine Identität.
Schon lange wurden die Personalausweise der Juden in Deutschland mit dem Buchstaben J für jüdisch gestempelt. Am 19. September 1941 war dann eine Verordnung in Kraft getreten, die den letzten Akt der Tragödie einleiten sollte. Ab sechs Jahren hatte Juden den »gelben Stern« zu tragen und wurden fortan in der Terminologie der Unmenschen als »Sternträger« bezeichnet. Das schwarz umrandete Stoffstück mit der Aufschrift »Jude« war so auf die Kleidung zu nähen, dass der »Sternträger« auf der Straße sofort und von jedermann als Jude zu erkennen war. So war aus dem sechseckigen Davidstern, jahrhundertelang das Symbol des Judentums, in Deutschland ein Brandzeichen geworden: Es stand für Erniedrigung, Ausgrenzung, Verfolgung und Tod.
Vor einer Telefonzelle mit zersplitterter Tür befahl der SA-Mann: »Marschschritt!« Seine Stimme war Donnerwort und Höllenklang. Die Sklaven hielten den Atem an und starrten auf das Straßenpflaster. Sie spürten, wie ihr Körper starb und dass ihr Kopf leer wurde, doch keiner der Gepeinigten versuchte, sich gegen das Sterben zu wehren. Wem nichts geblieben war als der Koffer in der Hand, der schaute nicht mehr zum Himmel, der erwartete von Gott weder Gehör noch Beistand.
Allein die Stimme des Satans, das Geräusch seiner Stiefel, die Flüche, obszönen Verwünschungen und die Drohungen, die jene, denen sie galten, noch nicht in voller Tragweite verstanden, gaben den bedrängten Menschen die Gewissheit, dass der Tod sie noch nicht erlöst hatte. Der Funke Leben, schon nicht kräftiger als ein glimmendes Kartoffelfeuer, begann zu verlöschen. Es regte sich keine einzige Hand, um den Wehrlosen zu helfen, niemand bot

dem Teufel Einhalt, keiner schämte sich, ein Mensch zu sein. Der Satan massierte seine Stirn, weil ihn der Kopf schmerzte, und er dachte dabei an seine Mutter. Für den Sonntagabend hatte sie ihm Wurstgulasch und Kartoffelklöße versprochen.

Ein Säugling wimmerte. Seine Klage war zu dünn, um auf Erden Aufmerksamkeit zu erregen, und zu schwach, um den himmlischen Beschützer der Kinder zu erreichen. Ein alter Mann, der bis dahin das Baby an seine Schulter gedrückt hatte, stopfte es erschrocken unter seinen dicken schwarzen Mantel und bewegte seine Lippen. Die Frau zu seiner Rechten streckte die Hand nach dem weinenden Enkelkind aus, doch ihr Mann, die Augen schon tot und das Herz versteinert, rückte entschlossen von der Gefährtin seines Lebens ab. Er machte seine Ohren taub für ihre Seele, obwohl er sie schreien hörte, und die Augen verschloss er vor ihrer Not, denn ihn hielt immer noch die Hoffnung aufrecht, er und das Kind würden ihrem Schicksal entkommen.

Die Frau begann zu jammern. Zunächst waren nur leise Klagelaute zu hören. Noch kamen sie aus der Welt, in der die Menschen ihre Qual in die Welt der Starken hinausschreien durften. Plötzlich, als sie fast schon verstummt war, wurde die Frauenstimme schrill und hoch. Ihr verhärmtes, blasses Gesicht löste sich auf; es war wie ein Stück weißes Papier, das in einem stillen Wasser treibt. Stirn, Augen und Nase hatten weder Kontur noch Farbe, doch der Mund war vom Schreien übergroß geworden, war ein Loch in einem schäumenden Meer, eine teerschwarze, Angst einflößende Höhle.

Die Greisin flehte in der Sprache ihrer Kindheit um Erbarmen. Mit beiden Händen umfasste sie ihren dürren Hals;

sie keuchte, bis kein Atem mehr in ihrem Körper war. Der Knoten ihres grauen Kopftuchs löste sich. Einen Augenblick sah das zu Boden segelnde Tuch wie eine Fahne aus. Es glich einem gleitenden Papierdrachen, der sanft zur Erde zurückkehrt. Das flatternde Tuch fiel in eine Pfütze. Die Alte stellte ihren Koffer ab. Trotz der Schmerzen in ihrem Rücken bückte sie sich, um das kostbare Stück Wärme zu sich zu ziehen. Schon berührte die Hand, die den Koffer gehalten hatte, das nasse Straßenpflaster, doch die alte Frau rutschte aus, ehe sie ihr Tuch zu fassen bekam. Einen Augenblick schwankte sie, als könnte sich ihr Körper nicht entscheiden, wohin er fallen würde. Dann stürzte sie wie ein gefällter Baum zu Boden und konnte nicht mehr aufstehen.

»Das würde dir so passen!«, brüllte der SA-Mann. Sein breites Gesicht war feuerrot. Als er seinen Zorn und den Hass, der jeden Nerv zerfraß, aus dem Körper schleuderte, färbte sich die lange Narbe über seinem rechten Auge violett. Sein gestiefelter Fuß trat auf die Hand am Boden. Weit ausholend versetzte er der Frau zwei Tritte in den Rücken. Sie heulte wie ein Hund auf, der mit einer eisernen Kette geschlagen wird, und konnte sich nicht umdrehen. Ihr Mann, das Baby immer noch unter dem Mantel, versuchte nun doch, seiner Frau beizustehen. Er machte einen kleinen Schritt in ihre Richtung, streckte den linken Arm aus, der Gestiefelte stieß ihn jedoch zur Seite. »Das machst du nicht noch einmal, du verdammte Schlampe«, kreischte er. »Nicht mit mir.«

Er schlug mit einer ledernen Peitsche zu, die er unter seiner Jacke herauszog. Ein einziger Hieb reichte. Die alte Frau, die mit letzter Kraft versucht hatte, wieder auf die Füße zu kommen, fiel endgültig um. Wie ein Stein lag sie

auf der Straße, das Gesicht auf das Straßenpflaster gedrückt. Keiner machte eine Bewegung, um zu ihr zu gehen, und keiner wusste, ob sie noch lebte.
»Na also«, sagte der Teufelsjünger. Seine Stimme war ruhig und fest. Sie klang zufrieden und beherrscht; in den Ohren derer, die ihm gleich waren, klang diese Stimme wie die Stimme eines Menschen.
Die Stunden, die vergangen waren, seitdem er begonnen hatte, die Wehrlosen und Verzweifelten in die Hölle zu hetzen, waren ihm lang geworden. Noch am Abend zuvor hatte der Schinder seinem Kumpel aus der Frühzeit der Bewegung erklärt, es müsste »zur Grundausbildung eines jeden deutschen Mannes gehören, den Judde Mores zu lehren«. Jedoch stellte sich die Befriedigung, die der bei seinen Vorgesetzten angesehene SA-Mann beim Kujonieren und Misshandeln erwartet hatte, nicht ein – weder auf den ersten Kilometern des endlosen Marsches noch auf den letzten. Dem willfährigen Verwalter der Unmenschlichkeit machte es viel mehr Mühe als beim erregenden ersten Mal, erschöpfte Frauen, verängstigte Kinder, die stolpernden Greise und die vielen Elendsgestalten, die seine Augen beleidigten, wie Schlachtvieh vor sich herzutreiben. Nicht nur in Nächten, da der Schlaf ihn nicht rechtzeitig erlöste, kam dem SA-Mann der Gedanke, dass Juden aus der Stadt zu prügeln eine Aufgabe wäre, die jeder Dorftrottel und erst recht die Drückeberger aus den Amtsstuben ebenso gut hätten verrichten können wie er. Es empfand es als Zumutung und Hohn, dass ein Mann in SA-Uniform sich mit den Juden abzugeben hatte, »die nicht den Grips gehabt haben, sich rechtzeitig aus dem Staub zu machen. Die«, beklagte er sich bei seinem Weggenossen, nachdem er den ersten Transport begleitet hatte, »fallen ja schon um, wenn man sie

nur anpustet. Auch wenn einer seine Soldatenpflicht nicht mehr so gut erfüllen kann wie ein Mann mit gesunden Gliedern, hat er doch den moralischen Anspruch, dass seine Verdienste um die Sache geehrt werden.«
Der SA-Mann hatte ausgerechnet am ersten Tag des Krieges die Disziplin vergessen, die er Führer und Vaterland schuldete; in seiner Euphorie, dass Deutschland endlich auf dem Kampffeld den Mut und die Kraft der Furchtlosen beweisen durfte, hatte er erst vier Flaschen Bier getrunken und danach eine halbe Flasche Heidelbeerschnaps, die er in die Wirtschaft mitgebracht hatte. Abends um zehn, in dem Moment, da er – aus voller Kehle die alten Kampflieder schmetternd – von der Brücke in den Main pinkeln wollte, war er sämtliche Treppen des Eisernen Stegs hinuntergestürzt. Beide Beine hatte der Siegesberauschte gebrochen und das Jochbein dazu. Nun war das rechte Bein kürzer als das linke, und bei jedem Wetterwechsel pochte es im Schädel.
»Wird's bald?«, schrie der Kampfesdurstige. »Ihr verlaustes Pack.« Er schubste ein etwa vierjähriges Mädchen, schlug mit der Peitsche auf den Boden und spuckte angewidert aus. Sein Speichel schäumte auf den Lippen. Er spürte einen gallenbitteren Geschmack im Mund und unmittelbar danach ein kaum zu unterdrückendes Bedürfnis, abermals eine Frau zusammenzutreten. »Diesmal eine junge«, schrie die Stimme des Grauens in den nebelschweren Tag.
Er hieß Georg Maria Griesinger. Wenn er morgens in den Spiegel schaute, wich er seinem Blick nicht aus. Es machte ihn immer wieder aufs Neue stolz, dass er nach dem beschämenden Unfall überhaupt noch in der Lage war, seinen Mann zu stehen, und das wahrhaftig nicht schlechter als die glücklichen Leute mit zwei gesunden Beinen. »Dein Sohn

braucht keine Front, um seine Soldatenpflicht zu tun«, pflegte Georg seiner Mutter klarzumachen, wenn sein Magen gut gefüllt war und sie wieder einmal von ihrem Onkel in Fischbach eine selbst gebrannte Flasche Kartoffelschnaps hatte ergattern können. »Es ist viel schwerer, zu Hause den Kampf um Deutschlands Zukunft zu führen als im Osten. Das kannst du mir glauben.«

Die Mutter war nicht gewohnt, einem Mann zu widersprechen. Ihrem Jüngsten gab sie meistens aus Überzeugung recht. Nur im Stillen fragte sie sich, weshalb seine Brüder nicht die gleiche Chance bekommen hatten, sich auf sicherem Posten zu bewähren. Herbert, dem keiner widerstehen konnte, hatte es in Polen getroffen. Günther mit den guten Schulzeugnissen und der frisch bestandenen Prüfung als Malergeselle war in Frankreich gefallen. Nun dankte die Mutter jeden Abend und selbstverständlich sonntags in der Kirche, dass der Chirurg, der die gebrochenen Beine ihres Jüngsten versorgt hatte, sich nicht so bewährt hatte, wie man das von einem deutschen Arzt in einem deutschen Krankenhaus hätte erwarten können.

Trotz seines schwerfälligen Ganges und seiner Asthmaanfälle, die ihn schon in der Jugend zu einem Außenseiter gemacht hatten, hatte Georg Griesinger die Körperkraft und die Stimmgewalt, die ein Mann brauchte, um mit Juden umzugehen. »Parasiten und Volksfeinde«, pflegte er der Mutter zu erläutern, »wittere ich wie ein Hund den Hasen. Einen Juden kann ich kilometerweit riechen.«

»Das hast du schon als Kind gekonnt«, bestätigte die Mutter, »ich hab mich immer gewundert.«

Die Vorgesetzten waren sich einig, dass auf Georg Maria Griesinger nach dem Unfall, dessen genaue Umstände nie bekannt wurden, ebenso Verlass war wie zuvor. Für Griesin-

ger legten auch die Kumpel die Hand ins Feuer. Ein jeder von ihnen war bereit zu schwören, dass der »Schorschi« keine weiche Stelle hatte. »Und schon gar nicht, wie so mancher, der sich an der Heimatfront herumdrückt und vom Heldentum schwadroniert wie Münchhausen nach dem fünften Schnaps, hat er eine weiche Birne.«
Dennoch war Griesinger an manchen Tagen, vor allem, wenn ein Gewitter in der Luft lag und die alten Narben brannten, als wären sie frische Wunden, nicht mehr der Mann, der sich das wirklich Große zutraute. In der Dunkelheit konnte er nicht mehr gut sehen, und neuerdings schienen die Bäume bereits in der Dämmerung zu schwanken. Auch dichtes Gebüsch narrte seine Sinne, und manchmal hörte er in der Stille Flugzeuge, die dann nie am Himmel erschienen. In seinen nächtlichen Albträumen war die Welt noch ungebärdiger. Da sah Griesinger Wälder aus Trauerweiden und schwarze Schwäne mit Ketten um den Hals, und immer wieder sah er sich selbst von Brücken ohne Geländer in schwarze Gewässer springen.
Die Menschen, die Griesinger von der Innenstadt zur Großmarkthalle zu treiben und dabei – das war ihm schon bei dem zur allgemeinen Zufriedenheit verlaufenen ersten »Transport« von zwei Vorgesetzten eingetrichtert worden – so wenig Aufsehen wie möglich bei der Bevölkerung zu erregen hatte, erschienen ihm wie die Kühe und Schafe vom Bauern. Mit seinen Tieren konnte ein Bauer ja machen, was er wollte. Die lebten nur so lange, wie er sie am Leben lassen wollte, und ebenso konnte der SA-Mann Griesinger mit den Menschen verfahren, die ihm überlassen wurden. Er durfte sie drangsalieren, bis sie zusammenbrachen, und sich an ihrer Todesangst weiden, er war Sonne und Mond, König und Herrscher der Welt. Ein Mann, den

er zusammentrat, eine besinnungslose Frau auf der Straße, ein Kind mit Augen, die den Schrecken nicht fassen konnten, sie alle bereiteten dem SA-Mann Griesinger weniger Unbehagen als eine Nuss, die in den Zähnen steckte. Sein Blut geriet nicht wegen ein paar Juden in Wallung, die er in der Großmarkthalle abzuliefern hatte. Wenn sein Auftrag erfüllt war, wenn er seine Pflicht getan hatte, schmeckte ihm das Essen nicht besser als an den Tagen, da von ihm keine Bewährung verlangt wurde. Wenn er zum Himmel sah, nachdem er die Juden abgeliefert hatte, strahlten die Sterne nicht heller, doch beim Ausziehen seiner Stiefel verfluchte er die Treppen, von denen er gestürzt war. Abends, wenn er im Bett die Decke anstarrte, sah er körperlose Gespenster, die bei Lebzeiten schon tot waren, aber die lange Arme hatten, mit denen sie nach Männern griffen, wie Griesinger einer war, Männer der Pflicht, die keine Fragen stellten und die in Abgründe schauen konnten, ohne zu schaudern.

Der 19. Oktober 1941 war ein Tag wie viele andere – ein Tag mit grauen Gespenstern im grauen Nebel. Für ein paar Sekunden übernahm allerdings eine lähmende Benommenheit die Regie im Leben von SA-Mann Griesinger. Morgens um halb sieben starrte er betäubt die Großmarkthalle an. Ihm war es, als hätte er das mächtige Haus noch nie gesehen. Im Augenblick einer Panik, die seinen Körper steif werden ließ, erschien ihm die Menschenschlange, die er ins Ziel zu treiben hatte, wie ein Ungeheuer mit zwei Köpfen. »Anhalten«, kreischte der Satanische, ehe er die Orientierung endgültig verlor. Er keuchte, weil er wähnte, ein Mann würde Rache nehmen und ihn würgen. »Halt«, brüllte er und fasste sich wie ein Erstickender an den Hals, doch er hörte sich atmen und merkte, dass der Atem seinen

Körper erwärmte. Seine Augen wurden von den Bildern erlöst, die einem deutschen Helden nicht zu kommen hatten. Griesinger, der Mann mit dem zu kurzen Bein, wurde wieder der, der er zu sein hatte. Eine Frau lag am Boden. Sie war nur noch ein Bündel aus schäbigem schwarzem Stoff; er wusste nicht, ob es die Greisin war, die er getreten hatte, und spannte sein Knie. Noch traf sein Stiefel nicht wieder, aber Manneskraft und die Lust am Leben kehrten zu ihm zurück. »Deinen Gott«, schrie er einen alten Mann an, der nach dem Retter im Himmel gerufen hatte, »gibt es nicht mehr. Merk dir das, Itzig. Er ist Adresse unbekannt verzogen.«

Erst als er von Gott sprach, fiel Griesinger ein, dass es Sonntag war. Bei der Vorstellung, dass es in der gleichen Welt, in der er lebte, Menschen gab, die am Sonntag ihre Sünden bekannten und um Gnade flehten, lachte er so laut, dass die Narbe über seinem Ohr explodierte und Funken spie. Ein Junge von etwa fünf Jahren starrte ihn an. Der Gottlose machte die gleiche drohende Bewegung, die Vater Griesinger immer gemacht hatte, ehe er den Rohrstock vom Haken genommen und aus Leibeskräften auf seine Söhne eingeschlagen hatte. Das totenbleiche Kind trug eine zu große Schildmütze. Sie rutschte dem Kleinen bei jedem Schritt über die Augen, wurde aber in kurzen Abständen von seiner Mutter nach hinten geschoben.

Die Glocke einer nahen Kirche schlug sieben Mal. Sie verkündete Frieden, Vertrauen, Hoffnung und Zuversicht. Die Luft war feucht und herbstschwer. Die Eichhörnchen schliefen noch in den Bäumen, Tauben hockten auf den Dächern. Die Straßenlaternen brannten nicht. Die erschöpften Menschen, die zur Großmarkthalle getrieben wurden, wussten alle, dass dies der letzte Tag in ihrer Heimatstadt war. Sie wussten auch, dass die Hölle sie erwartete, aber sie gingen vorwärts, als hätten sie eine Zukunft, für die es sich zu gehen lohnte. Den Gott, der sie verlassen hatte, baten sie nur noch um die eine Gnade: Die Kinder, die sie aus dem Leben führten, sollten nicht merken, was mit ihnen geschah. Die Kinder liefen mit gesenktem Kopf. Sie sahen weder Baum noch Haus, noch Strauch, nur Füße und Schuhe, die glänzten, als gingen sie in ihren Festkleidern zur Synagoge.

»Warum?«, hatte die zehnjährige Fanny bemängelt, »warum soll ich denn mitten in der Nacht meine Schuhe putzen? Das hab ich doch noch nie gemusst.«

»Weil man nicht mit ungeputzten Schuhen auf eine Reise geht«, hatte ihre Großmutter Betsy geantwortet, »das hast du doch noch nie gedurft.«

Nun liefen Großmutter und Enkelin mit denen, die nicht mehr an das Leben dachten. Wenn Griesinger und seine Kumpane die Schwächsten der Wehrlosen quälten, weil sie das Tempo nicht halten konnten, drückte sich Betsy Sternberg wie früher an ihren Mann. Jedoch, anders als in den Tagen der Sicherheit, war sie es, die nun tröstete. »Sie wird kommen«, sagte sie leise. »Ich spüre es. Unsere Anna hat immer Wort gehalten.«

»Sie hat es nicht mehr in der Hand, ihr Wort zu halten«, flüsterte Johann Isidor zurück. »Ich hätte nicht zulassen dürfen, dass sie überhaupt daran denkt. Nicht in ihrem Zustand.«

Vor ihm und Betsy lief Victoria, einst die schönste und schwierigste seiner vier Töchter. Victoria Feuereisen, geborene Sternberg, war dreiunddreißig Jahre alt, nun nicht mehr schön und nicht mehr schwierig; sie war eine Frau ohne Illusionen und ohne Kraft, die seit dem ersten sogenannten »Judentransport« nicht mehr an Rettung glaubte.

Trotzdem hatte Victoria für den letzten Tag in ihrer Vaterstadt den schwarzen Mantel mit dem Fuchspelzkragen angezogen. Der Mantel, Anfang der Dreißigerjahre auf einer Reise mit ihrer Schwester Clara in einem bekannten Berliner Modehaus gekauft, spendete keinen Trost und keine Wärme. Er war in Brusthöhe mit dem gelben Stern gekennzeichnet und erzählte nicht mehr vorstellbare Geschichten von einer jungen Träumerin, die zum Himmel hatte fliegen wollen und mit verbrannten Flügeln heimgekehrt war. Nun erbat auch Victoria, die zu eigensinnig, zu töricht gewesen war, die Handschrift an der Wand zu deuten, von Gott nur noch die eine Gnade – ihr Sohn möge auf seinem letzten Weg nicht begreifen, was geschah.
»Zieh ihm die Mütze tiefer ins Gesicht«, flüsterte Betsy, »da sieht er nicht, was hier geschieht.«
Der achtjährige Salo hatte seit dem Aufbruch aus dem Zwangsquartier die Hand der Mutter nicht losgelassen. Er war klein für sein Alter, hatte starkes Untergewicht, hustete seit Monaten und litt seit dem Sommer an Fieberanfällen. Schon immer war er schüchtern und ängstlich gewesen: Er sprach wenig und fragte selten etwas, bekam aber trotzdem mehr vom Geschehen mit, als ein Achtjähriger verkraften konnte. Seit dem Aufbruch war Salo zwei Mal hingefallen, nun stolperte er immer öfter. In dem Flüsterton, den er sich im Zwangsquartier angewöhnt hatte, klagte er über Schmerzen in den Beinen.
»Wir sind bald da«, sagte Victoria, »dann kannst du dich ausruhen. Ganz lange.« Sie schaute aus nach Anna, ihrer verlässlichen, furchtlosen, immer zum Helfen bereiten Halbschwester, doch sie sah nur ihre Leidensgenossen, die ohne Gesicht waren, und sie sah die glühenden Gesichter der SA-Leute, die das Leid der Getriebenen von Kilometer zu

Kilometer größer machten. Wie lange noch, fragte sich Victoria, würde sie den Weg aushalten, ohne sich aufzugeben?
Fanny lief hinter Mutter und Bruder her – ohne eine Hand, die ihre wärmte, und schon ohne Kontakt zu den Menschen, die ihrem Leben Wärme gegeben hatten. Sie war zehn Jahre alt und seit drei Jahren, seitdem die Synagogen gebrannt hatten, kein Kind mehr. Niemand brauchte Fanny zu sagen, was sie zu tun hatte, worüber sie reden durfte und dass Schweigen Überleben hieß. Nie erwähnte das Mädchen den geliebten Vater, der die Familie im Schutz der Dunkelheit verlassen hatte, nach Holland entkommen war und bis zum Kriegsausbruch seine Frau erfolglos beschworen hatte, mit den Kindern zu ihm zu kommen.
In der Nacht vor dem Entsetzen hatte es keinen Luftalarm für Frankfurt gegeben. Für die Menschen, die eine Wohnung hatten, ein Bett und Kochtöpfe, die ihren Kindern Märchen vom Glück vorlasen und die kein gelber Stern auf der Kleidung brandmarkte, war es ein Sonntag wie im Frieden. Die Hausfrauen hatten aus Mehl und Haferflocken und einer Sonderzuteilung von Eiern einen Kuchen gebacken. Die Bürgersteige waren ordentlich gefegt, die Haustürklinken blank gewienert, die Hecken geschnitten. Lediglich die verdunkelten Wohnungsfenster und eine Telefonzelle mit einem Aufkleber »Feind hört mit« an der Tür zeigten an, dass Krieg war. In einem Vorgarten tropfte Nebelnässe von einem mächtigen Apfelbaum. An seinen Ästen hingen noch Früchte, rot und prall. Ein Kinderdreirad mit blauem Sattel und ein bunt gestreifter Ball lagen auf einem Rasen, der sich gegen den Winter wehrte.
SA-Mann Griesinger, rot gebrüllt, doch immer noch gut bei Stimme, drängte die erschöpften Menschen, die er sich

untertan gemacht hatte, zum schnellen Schritt. »Ihr sollt marschieren, ihr Itzigs, nicht beten«, höhnte er. »Beten hilft nicht mehr. In Deutschland sind die Züge pünktlich.«
»Es soll nach Polen gehen«, murmelte ein alter Mann. »Das sagen alle.«
»Ich hab gehört, nach Theresienstadt«, widersprach die Frau, die neben ihm lief. »Meine Tante haben sie auch dorthin gebracht. Sie hat uns ein Mal geschrieben.«
»Theresienstadt ist nur für Privilegierte«, sagte der Mann, »das hat mir der Mann erzählt, der auf dem Friedhof arbeitet.«
»Ich bin privilegiert. Mein seliger Mann hat im Krieg das Eiserne Kreuz Erster Klasse bekommen. Schwer verwundet worden ist er.«
»Tote Ehepartner nutzen nichts.«
»Keine Volksreden«, brüllte der Herrscher mit Peitsche. »Wir sind hier nicht in der Juddeschul. Hier spricht nur einer, und das bin ich. Verstanden?«
In der Parterrewohnung vom Haus mit dem Apfelbaum wurde der Rollladen hochgezogen. Eine Frau mit einem großmaschigen Haarnetz, das ihr bis zur Stirn reichte, stieß das Fenster auf. Sie fächerte sich mit offenem Mund Luft zu, schaute sich um und verschwand in dem Moment, da sie die Kolonne erblickte, hinter einer Tüllgardine, kam jedoch sofort wieder zurück und lehnte sich dann so weit zum Fenster hinaus, wie es ihr massiger Körper zuließ. Seit die Deportation der Frankfurter Juden begonnen hatte, war die Frau am Fenster zur regelmäßigen Beobachterin des Grauens geworden. Zwar galt sie in ihrer Familie als gutmütig und sehr sensibel, doch wenn sie sah, wie die Menschen mit dem gelben Stern gedemütigt und gequält wurden, tat es ihr gut, genau hinzusehen. Trotzdem keuchte sie, als würde

auch sie gehetzt werden, sie legte ihre Hand auf die linke Brust und schüttelte den Kopf.

»Wo die nur alle herkommen in aller Herrgottsfrüh?«, wunderte sie sich. Der Spitz zu ihren Füßen, mit dem sie trotz der immer schlechter werdenden Versorgungslage ihr Leben teilte, bellte zwei Mal hintereinander.

»Psst«, sagte die Frau. Sie zog ihr Haarnetz tiefer in die Stirn und schlurfte in ihren Filzpantoffeln zurück ins dunkle Wohnzimmer, kam mit einem Sofakissen aus weinrotem Samt zurück, schüttelte es auf, als wäre es ein Federbett, und legte es auf die Fensterbank. Gern hätte die Frau in Lauerstellung gewusst, wohin die Juden von der Großmarkthalle aus gebracht wurden. Von ihrer Nichte Luise, die dort arbeitete, hatte sie gehört, die Leute würden in Waggons geprügelt und auf Nimmerwiedersehen verschwinden. Allerdings bezweifelte die Tante, dass Luise, von der alle sagten, sie hätte eine blühende Fantasie, das wissen konnte. Was geschah wohl mit den Wohnungen, die leer wurden? »Wahrscheinlich sind die in bester Lage«, sagte die Frau zu ihrem Hund. Er wimmerte auf dem Sofa im Wohnzimmer, weil er es gewohnt war, mit der Frau im Fenster zu liegen.

»Du bleibst, wo du bist«, befahl sie. »Das hier ist nichts für einen Hund.« Die Frau war zu sehr mit ihrer Nichte und mit den Juden in der Großmarkthalle beschäftigt, dass sie laut sprach. Erschrocken legte sie ihre Hand auf den Mund. Anna Dietz, die sich Schutz suchend an den Gartenzaun der unverdrossenen Späherin gedrückt hatte, hörte die Frau reden und erschrak so sehr, dass ihr schlecht wurde. Sie fühlte, während sie das Würgen in die Kehle zurückzudrängen versuchte, dass ihre Knie nachgaben. Stirn, Wangen und Kinn begannen zu gefrieren. Sie wagte kaum zu atmen, fürchtete, der Hund würde sie riechen, die Frau die Aufmerksamkeit auf sie lenken. Vor allem fürchtete sie um ihre Kraft, um ihren Mut und um ihr ungeborenes Kind.

Anna, die uneheliche Tochter von Johann Isidor Sternberg, nach dem Tod ihrer Mutter aufgewachsen in seinem Haus in der Rothschildallee 9 und auch von seiner Frau Betsy bald ebenso wie die leiblichen Kinder geliebt, war im siebten Monat schwanger. Nach Tagen ohne Ruhe und einer durchwachten Nacht, trotz Anspannung und Todesangst und trotz des Versprechens, das sie ihrem Mann gegeben hatte, war sie noch immer entschlossen zu dem lebensbedrohenden Versuch, wenigstens ein Leben zu retten, dem der Tod bestimmt war.

Anna konnte die Frau auf dem dunkelroten Kissen und den weißen Spitz, der nun doch mit ihr auf der Fensterbank hockte, mit einem Mal so gut sehen, als würden die beiden auf einer Bühne stehen und von Scheinwerfern angestrahlt werden. Anna hatte die Frau bereits am Dienstag und dann wieder am Freitag am Fenster entdeckt, einmal am frühen Morgen, Freitag spätnachmittags. Anna vermutete, die lauernde Frau würde ebenso wie sie darauf warten, die Juden auf dem Weg zur Großmarkthalle zu sehen. Der Gedanke war ihr schrecklich, die sensationslüsterne Gafferin, deren Reaktionen ja nicht berechenbar waren, könnte sie in dem Moment entdecken, in dem sie zum Handeln gezwungen war. Ihr schienen die langen Stunden des Wartens vertan, die Hoffnung, die sie angetrieben hatte, kindisch und unloyal gegenüber ihrem Mann.

Dann, im schrecklichen Moment der Reue und tiefsten Verzweiflung, wurde ihr bewusst, dass die ersten Unglückseligen an der Großmarkthalle angekommen waren. Ihr Herz raste, sie hatte das Gefühl, ihr schwerer Körper würde sich auflösen, und für einen Moment, den sie ihrer Lebtag nicht vergessen sollte, war sie sich sicher, sie würde umfallen, bewusstlos am Boden liegen bleiben und die SA-Leute würden sie wie einen Lumpensack fortschleifen und in einen der Vorgärten werfen. Für den Bruchteil einer Sekunde erlebte sie ihren eigenen Tod. Sie nahm sich vor, nicht zu schreien, ganz ruhig zu atmen und ihrem Kind das Sterben leicht zu machen; sie hielt sich beide Ohren fest zu, um bei Sinnen zu bleiben, doch die Angst in ihr schrie so laut, dass der Himmel schwarz wurde und die Wolken herabstürzten.

Die Verzweifelte hörte Georg Maria Griesinger, den seine Mutter Schorschi nannte und für den sie das Frühstücksbrot schmierte, brüllen und fluchen. Er bedrohte jene, für die Anna bereit war, durch die Hölle zu gehen, mit dem Tod. Und doch war es Griesingers Feuerstimme, die Anna zurückholte aus der Welt, in der Kinder in den Tod geführt wurden und Mord mit Orden belohnt wurde. Die schreckliche Stimme löschte bei Anna jedes Bedürfnis aus, wegzulaufen und in ein Loch am Ende der Welt zu kriechen. Sie spürte, dass sie Hände hatte, die greifen konnten, und den Mut derer, die nicht fragen, ob Helfen Sinn macht; sie stand da, ohne sich zu rühren, sie verdrängte, dass sie schwanger war und dass sie dabei war, ihr Leben und das ihres Kindes für das Leben eines anderen Kindes zu riskieren – ein Kind, das sie zur Welt hatte kommen sehen und das sie im Arm gehalten hatte, ein Kind, mit dem sie gelacht hatte und das nicht mehr weinte.

Anna hatte am Sonntag vor einer Woche von ihrem Mann Hans erfahren, dass abermals eine Deportation von Frankfurter Juden anstand. »Mehr hat Karl nicht gewusst«, hatte Hans gesagt, »kein genaues Datum und schon gar nicht, wer

auf der Liste steht. Man rechnet damit, dass es die Alten und die Kinder sind, die sie diesmal wegschaffen. Ich wollt's dir erst gar nicht erzählen, aber ich kann es nicht für mich behalten. Wenn ich nur an Vickys Kinder denke und mit wie viel Würde der alte Sternberg alle Demütigungen ertragen hat und dass von seiner Frau noch nicht das erste Wort der Klage gekommen ist, möchte ich mich auf der Stelle aufhängen. Was nutzt mir meine ganze verdammte Anständigkeit? Vor allem wem nutzt es, dass ich mich nicht abfinden kann mit dem, was geschieht?«
Anna hatte umgehend in die Bockenheimer Landstraße 73 gehen wollen, wo die Sternbergs und Victoria mit den beiden Kindern lebten, seit sie das eigene Haus in der Rothschildallee hatten verlassen müssen. Seit über zwei Jahren hungerten und froren sie in der primitiven Unterkunft, die Hoffnung auf Davonkommen hatten sie aufgegeben. Hans und Anna diskutierten die halbe Nacht, ob Anna zum vielleicht letzten Mal den langen Weg zu den Sternbergs wagen sollte.
»Die Gestapo lässt die Judenhäuser nicht aus den Augen«, hatte Hans gewarnt. Schließlich war es ihm doch gelungen, seine schwangere Frau zu überreden, auf den Abschied von ihrer Familie zu verzichten.
»Wenn die Sternbergs wirklich auf der Liste zur Deportation stehen, dann erspar deinem Vater das Letzte, Anna.«
»Und wenn ich ihn nie wiedersehe, habe ich ihm und Betsy und der armen Vicky noch nicht mal mehr Lebewohl gesagt. Ich würde mich mein ganzes Leben schämen.«
»Es ist trotzdem richtig so. Johann Isidor wird es verstehen, glaube mir. Er hat immer nur an seine Familie gedacht. Und wir müssen jetzt an unsere kleine Sophie denken. Wir sind nicht mehr frei, unserem Gewissen zu folgen. Wir können

es uns nicht mehr leisten, anständig zu sein und Mut zu haben.«
Noch stand nicht fest, ob das erste Kind der Eheleute Dietz nicht ein Junge sein würde. Hans und Anna, die seit den brennenden Synagogen und der brutalen Behandlung der Juden, die sie an dem Abend von Hass und Entfesselung erlebt hatten, nicht mehr an die Wirkung von Gebeten glaubten, flehten seit Monaten Gott um eine Tochter an – eine Tochter, der niemand ein Gewehr in die Hand drücken würde, die im Feindesland keine Häuser und Höfe brandschatzte und die Müttern nicht ihre schreienden Babys vom Arm riss.
Hans Dietz, der für seine Überzeugung schon 1934 im Konzentrationslager Dachau hatte büßen müssen, wusste, wovon er redete. Im Polenfeldzug, der Deutschland in einen Rausch versetzte wie kein Sieg mehr seit der Schlacht von Tannenberg im Ersten Weltkrieg, hatte der Gefreite Dietz sein linkes Bein verloren. Bis zum Sommer 1940 hatte er in einem Lazarett in Krakau gelegen, hatte Anna lange, sehnsüchtige Briefe geschrieben und nicht mehr geglaubt, dass er sie je wiedersehen würde. Schließlich war er doch nach Frankfurt verlegt und bald danach aus der Wehrmacht entlassen worden.
»Irgendwer, der es endlich gut mit mir meint, hat das letzte Wort behalten«, pflegte er zu sagen, wenn er nun mit Anna im Frankfurter Ostpark spazieren humpelte. Dort konnten sich die beiden vorgaukeln, es sei Frieden und alle, die sie liebten, wären davongekommen. Sie saßen auf Bänken, auf denen nun nicht mehr stand »Für Juden verboten«, weil es kaum noch Juden gab und die verbliebenen nicht in öffentliche Parks durften. Sie fütterten Eichhörnchen und Vögel und träumten von Wohnungen, in denen kein Blockwart

in die Töpfe schaute und darauf lauerte, die Mieter wegen kritischer Äußerungen anzuzeigen.
Hans war mit überquellendem Herzen zu seiner Anna zurückgekehrt und mit ebensolcher Dankbarkeit zu den Druckmaschinen des Frankfurter Generalanzeigers. Wegen Annas nicht zu beschaffendem »Ariernachweis« hatte das Paar sich erst in den Wirren des Krieges zu heiraten getraut. Als »Anerkennung für die Verdienste des Antragstellers um das Wohl des Vaterlands« war den Jungverheirateten eine Zweieinhalbzimmerwohnung in der Thüringer Straße zugewiesen worden, wo Anna einst mit ihrer ersten Liebe zu flanieren pflegte. Als ihre Schwangerschaft endgültig feststand, hatten sie und Hans einander feierlich versprochen, sich nie mehr wissend in Gefahr zu bringen und einander nie zu belügen.
Sie waren beide wortbrüchig geworden, doch der Wortbruch war ihnen weder infam noch unloyal, sondern zwingend notwendig erschienen. Für die Lüge aus Barmherzigkeit hatten sie von Anfang an einen Platz in ihrem Leben reserviert. Hans Dietz, der Mann, der sich nicht beugen ließ, hielt weiter Verbindung zu den Genossen der Vorkriegszeit, und die gehörten ausnahmslos dem Widerstand an. In ihren Kellern lagen unter den Kartoffelkisten und Kohlenhaufen die Kampfschriften gegen die Nazis, die sie nachts zu verteilen versuchten. Die Mutigsten von ihnen versteckten auch Menschen, denen die Deportation und der Tod im Konzentrationslager bestimmt waren.
Anna hatte ihrem Mann versprochen, die Sternbergs nicht mehr so regelmäßig in der Bockenheimer Landstraße aufzusuchen, wie sie es während seiner Soldatenzeit und seines Lazarettaufenthalts getan hatte. Trotzdem ging sie so oft hin, wie es ihr nur möglich war. Sie versorgte ihre be-

drängte Familie regelmäßig mit Lebensmitteln, Kleidung und Medikamenten. Betsy, die sich mit ihren neunundsechzig Jahren nur langsam von einer Lungenentzündung erholte, verschaffte sie Stärkungsmittel, die sie bei einer Apothekerin gegen Schreibpapier eintauschte, das Hans gelegentlich vom »Generalanzeiger« mitbringen konnte.
Als ihr Mann von der anstehenden Deportation der Frankfurter Juden berichtete, weihte Anna ihren Vater in ihren todesmutigen Plan ein. Johann Isidor war außer sich. Er lehnte schockiert ab und redete den ganzen Abend nicht mehr mit ihr, doch beim Abschied liefen ihm Tränen übers Gesicht und er drückte die Tochter seines Herzens besonders lange an sich.
Am Tag der Entscheidung fiel Anna auf, wie viel Mühe Betsy sich gab, mit ihrem Mann Schritt zu halten und Fanny ständig zu beobachten. Ihr war sofort klar, dass Betsy Bescheid wusste. Ein paarmal schaute sich Betsy um. Sie sagte etwas zu ihrem Mann; Anna schien es, als hätte Johann Isidor seiner Frau zugenickt. Die ging zu Fanny und fasste sie an die Schulter. Fanny, dürr, bleich und schreckensstarr, hatte den Abstand zu ihrer Mutter und dem Bruder immer größer werden lassen. Die Großmutter flüsterte dem Kind etwas zu, ohne sich hinabzubeugen. So unauffällig, dass die SA-Männer nichts bemerkten, schob sie Fanny zur Außenseite der Kolonne hin. Es war das erste Mal, dass Anna die Kleine deutlich sah. Fanny war am Ende ihrer Kraft. Die Zehnjährige stolperte in kurzen Abständen, setzte die Stofftasche mit ihren Habseligkeiten immer wieder ab, schwankte, streckte ihre Arme ins Leere, richtete sich wieder auf und lief doch weiter.
Eine Frau, die die Großmarkthalle schon erreicht hatte, schrie gellend »Feuer« und »Hilfe«. Stöhnend fiel sie um.

Noch im Liegen umklammerte sie ihren Koffer mit dem Aufkleber »Europa Hotel, Bad Gastein«. Die, die nicht fallen durften, gerieten aus dem Tritt. Zwei bewaffnete SA-Männer hetzten schreiend nach vorn. SA-Mann Griesinger brüllte so laut, dass sich seine Stimme überschlug. Er trat nach einem Mann, den der »Feuer«-Schrei gelähmt hatte. Ein Junge von etwa sechzehn Jahren bückte sich über die gestürzte Frau. Es war offensichtlich, dass sie Epileptikerin war und einen Anfall hatte.
»Das würde dir so passen«, schrie Griesinger.
In den Fenstern lungerten die Gaffer und wähnten, sie wären Menschen. Um gut sehen zu können, lief eine Frau auf das Haus mit dem Apfelbaum zu. Sie zeigte mit ihrem Finger auf die Verzweifelten und fragte sie im gemütlichen Hessisch, wohin ihre Reise ging. Die Frau mit dem weißen Spitz spuckte die Elenden aus ihrem Wohnzimmer an und brüllte »Pfui«. Ihr Hund bellte und wedelte mit dem Schwanz.
Anna war nun ganz dicht an der Kolonne. Sie wurde noch gewahr, dass ihr schwerer Leib leicht wie der Körper eines jungen Mädchens wurde und dass ein Engel auf sie zuflog. Der Kopf war betäubt vom Willen, der sie trieb. Ihre Schritte waren lang und kraftvoll. Mit einer Hand, die vereiste und doch nicht zitterte, ging sie auf die Sternträgerin Fanny Feuereisen zu, für die der Eisenbahnwaggon in den Osten bereitstand. Anna Dietz, die in ihrem Leben nie ungehorsam gewesen war und der keiner je erklärt hatte, was Menschlichkeit und Herzenspflicht bedeuten, griff nach Fanny. »Schau dich nicht um«, flehte sie.
In einer Seitenstraße, in der die Bewohner ihrem Sonntag entgegenschliefen, zerrte Anna dem schocksteifen Kind den Mantel vom Körper. Den Mantel mit dem gelben

Stern, der Retterin und Gerettete dem Tod in die Arme getrieben hätte, stopfte sie in ihre Einkaufstasche. Sie hüllte Fanny in eine braune Strickjacke, die sie von zu Hause mitgebracht hatte. Hand in Hand und ohne ein Wort zu reden, gingen sie den Weg zurück, den sie gekommen waren.

2
Bedrohung und Erlösung
März bis April 1944

»Schlimmer kann es weiß Gott nicht mehr kommen«, sagte die noch im fünften Kriegsjahr wohlgenährte Frau Schmand. Sie zeigte mit ihrer Stricknadel in Richtung Kellerdecke, zählte namentlich die Mitbewohner auf, die mit ihr zwischen Kartoffelkisten, Kohlen, Weckgläsern und ausrangierten Decken auf Schemeln, Küchenstühlen und Matratzen hockten, und betonte: »Schlimmer wahrhaftig nicht.« Allerdings lagen zwei Knäuel dunkelblauer Wolle in Frau Schmands Schoß, und die waren ein eindeutiger Hinweis dafür, dass sie mit einem Luftangriff von längerer Dauer rechnete. Um an so schöne Wolle in Vorkriegsqualität zu kommen, hatte sie einen Pullover ihres jüngsten Sohns auftrennen müssen. Hans-Dieter war vor zehn Monaten in Russland gefallen. Nun strickte Frau Schmand warme Socken für ihren Ältesten. Obwohl von Eberhardt, dem fleißigen und mitteilsamen Briefeschreiber, seit vier Monaten keine Nachricht mehr eingetroffen war, glaubte die Mutter ihn wohlauf an der Ostfront. Kleingläubigkeit wäre für sie Verrat an der deutschen Sache gewesen. Sie versäumte keine Gelegenheit, ihrem Lebensmotto zu dienen. In der NS-Frauenschaft und auch in der Gemeinschaft ihrer Kirchenschwestern, zu denen sie weiter Kontakt hielt, wenn auch einen sehr losen, galten ihr Optimismus und ihre Energie

als vorbildlich und beispielhaft für die Gemeinschaft. Auch ihr Mann fand es aufbauend, dass seine Gudrun selbst zu Hause, wo sie keiner hörte, nie am glücklichen Ausgang des Kriegs zweifelte.
Die baumstarke Gudrun Schmand mit dem dicht geflochtenen Zopf um den Kopf und einer Vorliebe für Trachtenblusen war die Frau des Blockwarts im Haus Thüringer Straße 11; bei Luftalarm ging sie grundsätzlich mit fünf Scheiben Brot, einem Gläschen Schweineschmalz, Paketschnur, einem kleinen Küchenmesser und Strickzeug in den Luftschutzkeller.
Hinter den eingeweckten grünen Bohnen, die Frau Schmand für Eberhardts Rückkehr von der Ostfront aufbewahrte, denn sie hatte ihm Bohnensuppe mit Speck für den ersten Tag in der Heimat versprochen, hatte sie einen kleinen Schreibblock und einen Bleistiftstumpf deponiert. Es war Frau Schmand viel daran gelegen, Äußerungen von Mietern, die ihr defätistisch und somit staatsgefährdend erschienen, umgehend zu notieren. »Belastende Bemerkungen müssen sofort aufgeschrieben werden, auf das Gedächtnis ist kein Verlass«, hatte sie von ihrem Mann Willibald gelernt. Er war im Ersten Weltkrieg schwer verwundet worden, auf dem linken Ohr taub und hatte nur zwei Finger an der rechten Hand. Seine Pflicht für Führer und Vaterland vermochte er also nur an der Heimatfront zu tun, aber dort stand er seinen Mann wie ein germanischer Recke. Willibald Schmand war ein aufmerksamer, zuverlässiger und harter Streiter für die deutsche Sache. Seine Frau folgte seinem Beispiel.
Bis Kriegsausbruch war sie Verkäuferin in einem renommierten Hutgeschäft in der Töngesgasse gewesen. Die Chefin, die wählerischen Herren, die in den Laden kamen,

und die eleganten Damen schätzten ihre Hilfsbereitschaft und ihren Geschmack. Das Leben an der Seite eines Mannes, der lange Zeit arbeitslos gewesen war und dem die Nazis nicht nur zu einer Stellung bei der Frankfurter Stadtverwaltung, sondern auch zu neuem Stolz und Selbstbewusstsein verholfen hatten, hatte auch Gudrun Schmand verändert. Schon in den frühen Dreißigern wurde sie eine loyale Dienerin des Führers. Im Krieg und selbst dann, als die alliierten Bomber Nacht für Nacht über Deutschland flogen und auch Frankfurt eine Geisterstadt war, glaubte sie fest an Hitlers Wunderwaffe. Sie berauschte sich am Gedanken, Frauen wie sie wären dazu berufen, die Fackel hochzuhalten.

Im Jahr 1937 hatten die Behörden dem Ehepaar Schmand und seinen beiden Söhnen eine Wohnung im Parterre des Mietshauses Thüringer Straße 11 zugeteilt. Ursprünglich hatte dort die jüdische Familie Wolfsohn gewohnt, die buchstäblich über Nacht Wohnung und Heimat hatte verlassen müssen. Frau Schmand benutzte das schöne Rosenthalservice, das den Wolfsohns gehört hatte, und deren Tafelsilber nur an Festtagen. Das kostbare Biedermeierbüfett rieb sie regelmäßig mit Möbelpolitur ein. Die vielen Bücher hatte sie einer Buchhandlung überlassen, die Bilder einem Antiquar, der sich äußerst erfreut gezeigt hatte. Willibald Schmand wurde unmittelbar nach seinem Einzug in die Thüringer Straße 11 zum Blockwart. Im fünften Kriegsjahr erzählten sich die Hausbewohner hinter vorgehaltener Hand, er würde selbst sechsjährige Kinder belauschen und sie ausfragen, wo »die liebe Mami ohne Marken einkaufe«. Es hieß auch, Schmand summe den Kleinen das verräterische »Ta Ta Ta Taaa« vor, um herauszubekommen, ob sie das Kopfmotiv aus Beethovens 5. Sinfonie kannten – die

Erkennungsmelodie vom deutschsprachigen Programm der BBC. Der Sender aus London galt als einzig verlässliche Quelle für Nachrichten über den Kriegsverlauf. Auf das Abhören von BBC und anderen »Feindsendern« standen hohe Haftstrafen. Auch von Todesurteilen war die Rede.
Es war indes noch mehr Frau Schmand als ihr gefürchteter Ehemann, die ständig auf der Lauer lag, um Hausbewohner und Nachbarn bei verbotenem Tun und verdächtigem Verhalten zu erwischen. Drei Frauen, zwei aus dem eigenen Haus und eine Kriegswitwe mit siebenjährigen Zwillingen, die sie wochenlang beim Lebensmittelhändler bespitzelt hatte, hatte sie bereits angezeigt – zu ihrem Zorn ohne die erwarteten Folgen. Zum Glück witterte die aufmerksame Frau Gudrun jedoch zu keinem Zeitpunkt, dass die Geschichte des Mädchens Fanny, das immer so brav im Hausflur vor ihr knickste, ein Meisterwerk der Tarnung war. Noch an dem Schicksalssonntag vor drei Jahren, als Anna sie vor der Großmarkthalle aus dem Deportationszug gerissen hatte, hatten Hans und Anna das Kind zum Hausmeisterehepaar Schmand geführt. Sie erzählten, Fanny hätte bei einem Attentat in Prag beide Eltern verloren, hätte vier Wochen in einem Krankenhaus gelegen und wäre nun durch die Vermittlung einer Krankenschwester, mit der Hans entfernt verwandt sei, zu ihnen gekommen. Von der Schule sei die Kleine so lange zurückgestellt, bis sie ihren Schock überwunden habe.
Hans und Anna, deren Mut, Opferbereitschaft und Liebe Fanny ihr Leben verdankte, trauten sich nicht, ein Kind, das ohne Identifikationspapiere war, polizeilich anzumelden. An Schule war gar nicht zu denken. »Je weniger man von Fanny sieht, umso sicherer sind wir alle«, sagte Hans.
Den Gedanken, dass es auf lange Zeit im Hause Dietz kei-

ne Sicherheit mehr geben würde, sprach er nie aus. Staunend erlebten Hans und Anna jedoch, dass die Ruhe wieder in ihr Leben zurückkehrte. »Einer von uns scheint eine direkte Verbindung zum Himmel zu haben«, sagte Hans, und obwohl er seiner Lebtag kein Vertrauen zum Himmel gehabt hatte, meinte er, was er sagte.
»Alle drei«, erwiderte Anna. »Mit einem einzigen Schutzengel kommen Leute wie wir nicht mehr aus.«
Im Haus kam keiner der Mieter je auf das Prager Attentat zu sprechen. Tratschten die Nachbarn im Hausflur oder tauschten sie an der Hecke vom Vorgarten Vertraulichkeiten aus, waren sie sich einig, dass das schweigsame Kind, das die Familie Dietz aufgenommen hatte und das so »schäbig angezogen war, dass es selbst in Kriegszeiten einen Hund jammert«, immer ängstlich und verschüchtert wirkte und nach seinen furchtbaren Erlebnissen geschont werden sollte.
In den langen Nächten im Luftschutzkeller rührte Fanny Alt und Jung, Mann und Frau. Das »Prager Wurm«, wie man sie nun nannte, wenn Anna und Hans nicht in Hörweite waren, kümmerte sich liebevoll wie eine Mutter um die kleinen Dietz-Kinder. Sie schaukelte sie in den Schlaf, sang ihnen vor und erzählte ihnen Geschichten, die sie nicht verstanden. Wenn der Keller bebte, der Lärm infernalisch war und die Angst alles Leben erstickte, blieb Fanny ruhig. Das Schlimmste, was ein Kind erleben kann, war ihr ja schon widerfahren. Bei Tag verließ sie nie die Wohnung. Wenn sie allein zu Hause war, hatte sie Befehl, nicht die Tür zu öffnen, und sie hielt sich an die Losung. »Wie bei den sieben Geißlein«, sagte sie immer.
Zu ihrer Freude pflegte Anna meistens zu erwidern: »Du bist genau wie dein Onkel Erwin. Der hat sich auch nie den

Mut nehmen lassen. Von niemandem. Bis zum Schluss. Ich hab ihn immer bewundert.« Allein Erwins Namen zu hören und dass es im fernen Palästina einen Onkel gab, der zu ihr gehörte und vielleicht auch an sie dachte, tat ihr gut.
Blockwart Schmand und Frau Gudrun, die es für ihre vaterländische Pflicht hielten, Menschen zu bespitzeln und sie zu denunzieren, hatten nicht den Schimmer einer Ahnung, dass sie unter einem Dach mit einem jüdischen Kind wohnten, das die Ehefrau eines Kommunisten vor dem Tod errettet hatte. Allerdings war für die Schmands ein wohlerzogenes Waisenkind mit rötlich schimmernden Haaren und leuchtenden grünen Augen auch nicht das klassische Beispiel für die »Untermenschen«, die zum Wohl des deutschen Volks »ausgerottet« werden sollten. Ab und an geschah es gar, dass Frau Schmand im Luftschutzkeller der kleinen Sophie und auch Fanny ein halbes Schmalzbrot hinschob. In der Weihnachtszeit erwachte bei ihr der Kleinmädchenglaube zu neuem Leben, dass Gott die guten Taten belohnte. Am ersten Adventssonntag schenkte sie Anna jedes Jahr einen kleinen Kopf Weißkohl vom Bauernhof ihrer Schwester aus dem Odenwald.
»Ich hätte ihr den verdammten Kohlkopf am liebsten an den Schädel geworfen«, fluchte Anna Jahr für Jahr im Schutz der eigenen vier Wände.
»Stolz können wir uns erst nach dem Krieg leisten, meine Liebe.«
»Ich kann mir das überhaupt nicht mehr vorstellen«, sagte Fanny, »wie es ist, stolz zu sein und keine Angst zu haben.«
»Warte nur ab«, versprach Hans der Dreizehnjährigen, »dann haben die anderen die Angst und wir den Kohl. Das verspreche ich dir. Dann klettern wir auf die Dächer und singen die Internationale.«

»Falls es dann noch irgendwo in dieser Stadt ein Dach gibt«, sagte Anna.
»Aber ja, frag Frau Schmand. Die weiß Bescheid.«
Frau Schmand schwor, dass auf ihren Instinkt und ihre Zukunftsprognosen Verlass war. Sobald sie bei Alarm im Luftschutzraum ihren Platz eingenommen, den Strickstrumpf herausgeholt und geboten unauffällig nach Block und Bleistift hinter dem Glas mit den Grünen Bohnen für Eberhardts Heimkehr geschaut hatte, referierte sie über Deutschlands »Endsieg«. Immer öfter schwärmte sie nun von der Wunderwaffe, die die Wende bringen würde, wobei sie scharf in die Runde sah, wenn sie sprach. Auch eine Frau wie sie brauchte die Sicherheit, dass alle ihrer Meinung waren.
Die Feststellung, die Frankfurter hätten nach den heftigen Luftangriffen vom 26. November und 20. Dezember 1943, vom 29. Januar und vom 8. Februar 1944, die riesige Teile der Stadt und bestürzend viele Menschenleben gefordert hatten, nichts wirklich Schlimmes mehr zu erwarten, traf Frau Gudrun am 18. März 1944. Sie lächelte, als sie dies sagte, das jüngste Mitglied der Hausgemeinschaft an, doch ausnahmsweise erwiderte der kleine Erwin Dietz ihr Lächeln nicht. Er war dabei, seine Abendmilch zu trinken – allerdings missgestimmt und unruhig, die Fäuste geballt und mit den Beinen strampelnd. Dem Kind behagte es nicht, dass die Milch wie Wasser schmeckte. Die Rationierung machte dies nötig. »Deutschlands Kühe sind feige Vaterlandsverräter und garstige Saboteure«, erklärte der Vater, wenn er mit seinem Einjährigen allein war und die beiden über den Kriegsverlauf diskutierten.
Gründlicher als mit ihrer Prognose vom 18. März, dass es in Frankfurt »weiß Gott nicht schlimmer kommen kann«,

hätte sich Frau Gudrun nicht täuschen können. An diesem Samstag warfen siebenhundert amerikanische Bomber und achthundert Flugzeuge der Engländer ihre tödliche Fracht über Frankfurt ab. Der gesamte Stadtkern wurde vernichtet. Die Schuttschneise dehnte sich von der Alten Brücke bis zur Konstablerwache. Der Hauptbahnhof und auch die Außenbezirke, das Heilig-Geist-Hospital, das Gaswerk Ost, die Fahrgasse mit ihren Nebengassen hatten schwerste Treffer abbekommen. Siebentausend Wohngebäude waren zerstört, über vierhundert Menschen tot und mehr als fünfzigtausend obdachlos. Überall standen verzweifelte Menschen. Alte, Kranke und Kleinkinder warteten auf Evakuierung. Durchhalteparolen waren nirgends mehr zu hören.

Am Montag machte sich Hans Dietz im Morgengrauen auf, um zu sehen, ob die Stadt, in der er zur Schule gegangen war, in der er Bubenglück, die erste Liebe und die ersten Berufsjahre erlebt hatte, noch atmete. An der Mauer eines zerstörten Hauses in der Lange Straße klebte eine von einer Widerstandsgruppe angebrachte Drohung. »Es kommt der Tag« stand geschrieben, am Galgen baumelte ein Hakenkreuz.

»Es dauert nicht mehr lange«, sagte Hans Dietz, als er nach Hause kam.

»Psst«, warnte Anna. Sie schob ihm seinen Kaffeebecher zu und schenkte mit einem kleinen Seufzer den ungeliebten Muckefuck ein. »Bei uns haben die Wände neuerdings Ohren.«

»Und Zungen«, flüsterte Fanny. Sie legte ihre Finger auf die Lippen.

»Was«, fragte Sophie, »saut nicht mehr lange?«

Sophie, sieben Wochen nach Fannys Rettung zur Welt gekommen, war nun drei Jahre alt, neugierig wie Frau

Schmand und unermüdlich mitteilsam. Das muntere Kind war eine permanente Gefahr für Eltern, die viel von Deutschlands Niederlage sprachen und nie von einem deutschen Sieg. Sophie Dietz, die ihrem Puppenjungen ein Bein abgeschnitten hatte, weil »mein Papa auch nur ein Bein hat«, ängstigten weder die Bomben, die die Menschen in die Keller trieben, noch der Anblick von zerstörten Häusern. Sophie, im Krieg geboren und aufgewachsen, wachte nicht auf, wenn die Totenglocken für Deutschland läuteten. Die Bomben nannte sie Bären, doch weshalb ihr Teddy Bomba hieß und nur auf dem Fußboden schlafen durfte, wollte sie keinem erzählen.

Der Sohn der Eheleute Dietz war nach Erwin Sternberg benannt worden, Annas geliebtem Halbbruder. Dessen Unerschrockenheit hatte Anna schon früh imponiert. Der Mut, ihr Leben für das von Fanny einzusetzen, war auch ein Ergebnis von Erwins Schulung; ohne sie zu schonen, hatte er ihr die Augen für das geöffnet, was in Deutschland mit den Juden geschah. Bei einer Hausdurchsuchung hätte seine Adresse in Palästina die Familie in Todesgefahr gebracht. »Lern sie auswendig, wenn ich sie dir schreibe«, hatte Erwin der Weitsichtige ihr beim Abschied empfohlen. Anna hatte sich daran gehalten. Sie übte täglich vor dem Schlafengehen.

Als das Familiengefüge sich aufzulösen begann, war Fanny erst sechs Jahre alt gewesen, doch konnte sie sich gut an ihren Onkel Erwin, seine Zwillingsschwester Clara und deren Tochter Claudette erinnern. Erwin hatte ihr an seinem letzten Tag in der Heimat ein Bild von Moses mit einem Zauberstab in der einen Hand und einer weißen Fahne mit blauen Streifen und einem Davidstern in der anderen gemalt. Clara hatte ihrer Nichte die Geschichte vom kleinen

Lord im marineblauen Samtanzug vorgelesen, und Claudette, damals neunzehn Jahre alt und noch bestens mit dem vertraut, was Kinder lieben, war mit ihrer Cousine in einem grasgrünen Flugzeug zu den Sternen geflogen.

Über die Bilder, die ihr kamen, wenn sie im Bett lag und der Schlaf sie nicht erlöste oder wenn sie im Keller saß und den Tod vom Himmel stürzen hörte, sprach Fanny noch nicht einmal mit Anna. Es quälte sie, dass sie ihren Bruder nicht mehr sah, wenn sie die Augen schloss, und dass die Stimme ihrer Mutter verstummt war. Auch schämte sie sich, weil sie kein einziges von den Gebeten mehr kannte, die sie einst am Familientisch und in der Schule gelernt hatte. In den Nächten ohne Gewissensnot und Angst begegnete Fanny ihrem Vater in Holland, der immer nur leise mit ihr gesprochen hatte, der aber wunderbar singen konnte und seine Tochter mit geheimnisvollen Kosenamen bedachte, die nur er und sie hatten aussprechen können. Auch die Kosenamen waren ihr entfallen. Einmal eilte der holländische Vater in einem Pferdeschlitten über das gefrorene Meer, um Fanny aus Deutschland zu holen. »Wie schön du geworden bist«, sagte er und kaufte ihr noch in der Nacht einen neuen Mantel. Den alten durfte sie ja nicht tragen, jeder hätte die Stelle gesehen, an der der gelbe Stern aufgenäht worden war.

Einmal erlebte Fanny, dass ihre Großmutter sie in einen Wald mit blühenden Kastanienbäumen führte und dort eine Büchse mit rosa Keksen auspackte. Doch der Traum explodierte in tausend todbringende Funken, ehe Fanny die Großmutter nach dem Großvater fragen konnte. Kehrte die Betäubte dann in die Welt zurück, in der solche Träume verboten waren, murmelte sie mit aller Kraft, die sie hatte, »Betsy und Johann Isidor Sternberg« vor sich hin.

Unmittelbar nach der Trennung von ihrer Familie, schon in Sicherheit bei Anna und Hans, aber paralysiert von Angst und Schock, hatte Fanny Feuereisen nämlich das Wesentliche im Leben eines jüdischen Kindes begriffen: Es musste um jedes Stück seiner Vergangenheit kämpfen, wollte es nicht schon zu Lebzeiten tot sein.
Der einjährige Erwin verschlief wie seine Schwester Sophie die Luftangriffe, die seine Heimatstadt vernichteten. Er weinte selten, er krähte und lächelte, ohne dass einer mit ihm sprach. Trotz der ständig kleiner werdenden Lebensmittelrationen hatte der Junge rote, runde Friedensbacken. In den Kellernächten spielte er auf Fannys Schoß mit einer Kette, die sie ihm aus bunten Knöpfen gefädelt hatte. Selbst Frau Schmand, die nicht zurückschaute, wenn dies zu vermeiden war, bemerkte einmal: »Solche Ketten habe ich als Kind auch gefädelt. Ich hatte immer die schönsten Knöpfe. Meine Mutter war Schneiderin.«
Beim Angriff vom 18. März wurden die Paulskirche und das Liebieghaus, das Städel, das prächtige Palais Thurn und Taxis, die Großmarkthalle und mehrere Krankenhäuser getroffen. Der Dom, das Dominikanerkloster, die gesamte Altstadt und Wohnhäuser in allen Stadtgebieten brannten. Die Menschen hatten nicht mehr die Kraft, zu klagen. Das Leben verlor sein Gesicht, das Wort Zukunft seine Bedeutung. Frankfurt starb noch vor dem letzten Todesschlag.
Gudrun Schmand rief nach Vergeltung. Sie forderte von Gott, dass er den Feind vernichtete, und von ihrem Vaterland Kampfesmut und Durchhaltewillen. Über die Lage in Frankfurt referierte sie nicht mehr. Die treue Dienerin ihres Führers wies die Bewohner der Thüringer Straße 11, die Kundinnen beim Bäcker und die graugesichtigen Hausfrauen, die beim Kaufmann Habermann für das Lebensnot-

wendige Schlange standen, in flammenden Reden darauf hin, dass Deutschlands große Stunde unmittelbar bevorstünde. »Dann möchte ich nicht in dem fetten Churchill seine Haut stecken«, sagte sie und leckte ihre Lippen, als hätte sie einen krossen Schweinebraten mit Kartoffelklößen und Specksoße auf den Tisch gebracht.
Der Kalender zeigte den 22. März 1944 an. Unter dem Datum stand ein Spruch aus der Edda: »Treu leben, trotzend kämpfen, lachend sterben.« Auf der Rückseite waren ein Rezept für einen Brotaufstrich aus Gerstengrütze und die Empfehlung eines Arztes, »möglichst mehrmals in der Woche Eier durch Eiaustauschstoffe zu ersetzen«. Frau Blockwart war an diesem Mittwoch nicht nach Eiern zumute. Sie war auffallend still und blass. Nachdem sie ihren Platz im Keller eingenommen hatte, schmierte sie keine Schmalzbrote, sie schraubte noch nicht einmal das Glas mit der Aufschrift »Achtung, Gift!« auf – ein Einfall von Eberhardt, dem lustigen Sohn, bei seinem letzten Heimatbesuch. Frau Schmand holte lediglich einen Apfel aus ihrer Vorratstasche, hielt ihn mit nachdenklichem Blick gegen das trübe Kellerlicht, schälte ihn aber nicht. Es war absolut nicht so, wie sie sofort klarstellte, als ihr die forschenden Blicke ihrer Kellernachbarn auffielen, dass sie einen Luftangriff wie den fürchterlichen vor vier Tagen befürchtete. »Das wahrhaftig nicht«, betonte die Unerschütterliche. Sie hob ihre Rechte wie eine, die vor Gericht steht und schwört, sie werde nichts als die Wahrheit sagen.
Für Gudrun Schmand blieb die Welt intakt. In dieser Welt von Illusion und Selbstbetrug gab es weder Schutt noch Asche. Da färbte sich kein Himmel feuerrot, keine deutsche Stadt duckte sich unter den Todesschlägen. Menschen, die starben, starben für Deutschland. Leute wie Frau Schmand

drückten ihre Augen zu und verstopften ihre Ohren. Die zerstörten Häuser und aufgerissenen Straßen waren für sie vorübergehende Erscheinungen. Deutsche Heldenfrauen ließen sich nicht von der Anzahl der Toten einschüchtern, sie fühlten nicht mit denen, die kein Dach mehr über dem Kopf hatten, nicht mit den Müttern, die ihre Kinder nicht versorgen konnten, und nicht mit Menschen, die nicht wussten, woher sie einen Sarg für ihre Toten beschaffen sollten. Für Gudrun Schmand zählten auch im Untergang nur Pflicht, Führer, Volk und Vaterland. Obgleich diese versteinerte Germania einen Sohn in Russland verloren hatte und von dem anderen nicht wusste, ob er noch lebte, blieb sie eine deutsche Eiche, die im Sturm nicht wankte. Ihre Gemütslage in den Bombennächten beschrieb sie ausgerechnet als »bombenstark«.
»Der gönn ich alles Übel der Welt«, hatte sich Anna nach dem großen Angriff vom Samstag ausgemalt. »Erst soll sie der Schlag treffen, diese verdammte Hexe, und dann eine Bombe. Eine Bombe ganz für sich allein soll sie haben. Das wünsch ich ihr von Herzen.«
»Aber nicht im Luftschutzkeller«, machte Hans klar. »Die würde uns ja alle treffen.«
»Meinst du, Gott könnte so ungerecht sein?«
»Das meine ich. Beweist er uns nicht schon jahrelang, dass er mit Gerechtigkeit nichts am Hut hat?«
»Gut, dann soll sie der Schlag beim Scheißen treffen. Das hat Erwin immer gesagt, wenn er Wut hatte – allerdings nur, wenn Vater es nicht hörte. Ach Hans, manchmal glaube ich, ich werde nie lernen, mit meinen Erinnerungen zu leben.«
»Du musst. Fanny wird dich nach der Familie fragen. Sie hat das Recht auf Antwort.«
Am 22. März, als Frau Schmand so erholsam schweigsam

war, war es nicht Deutschlands aussichtslose Lage, die ihr zu schaffen machte, sondern Halsschmerzen. In der Apotheke hatte sie noch nicht einmal mehr Emser Pastillen oder ein Gurgelmittel bekommen. Nur den Rat, Lindenblütentee zu trinken und kräftig zu schwitzen. »Eigentlich wollte ich oben im Bett bleiben«, erzählte die Unpässliche. Sie zupfte an dem braunen Wollstrumpf, den sie um ihren Hals gewickelt hatte. »Unten drunter warmes Gänsefett«, belehrte sie, »das hilft besser als jeder Doktor. Das hat schon meine Großmutter mit uns Kindern gemacht, wenn wir krank waren. Gänsefett ist ein todsicheres Heilmittel, hat sie immer gesagt.«

»Komisch, wir haben das Gänsefett immer gegessen, wenn wir mal welches hatten«, erwiderte Hans, »das hat zwar bei Halsschmerzen nicht die Bohne geholfen, aber es hat uns satt gemacht. So ist das bei den armen Leut', Frau Schmand. Sie sind dumm und unbelehrbar und verfressen. Futtern die Medizin auf, die ihnen helfen soll, und wundern sich, dass sie wie eine Dampfmaschine rotzen.«

Anna zupfte ihren Mann unauffällig am Ärmel – wenn Hans gereizt war, vergaß er jegliche Vorsicht. Sobald die Wut ihn beutelte, war er imstande, sich um Kopf und Kragen zu reden. Anna stellte ihren Fuß auf seinen gesunden; sie schaute in Richtung von Frau Schmands Grünen Bohnen und ihrem gefürchteten Notizbuch, das im Hause Dietz nur die »Denunziationskladde« genannt wurde. Hans war den ganzen Abend schlecht gestimmt gewesen und wollte beim Alarm nicht einmal in den Keller gehen. Nun tat er so, als würde er nicht kapieren, was Anna von ihm wollte. Er starrte weiter Frau Schmand an, wobei er zwei Mal fest auf seine Beinprothese klopfte, um an das Opfer zu erinnern, das er seinem Vaterland gebracht hatte.

»Nein«, krähte der kleine Erwin. Er hatte vor zwei Wochen zum ersten Mal »Nein« gesagt und seitdem mit Wonne bewiesen, dass er Vaters Sohn und allzeit zum Widerspruch bereit war. Obwohl dieser Vater gelernt hatte, was in Deutschland aus der Lust der freien Meinungsäußerung zu werden vermochte, weigerte er sich, das Schweigen zu erlernen. Je heftiger die Luftangriffe wurden und je größer die Verzweiflung der Menschen, desto mehr Äußerungen machte er, die als »wehrkraftzersetzend« galten und die Denunzianten wie das Ehepaar Schmand dazu brachten, Familienväter und Greise, junge Mütter und Halbwüchsige anzuzeigen.
»Nein«, sagte Erwin noch einmal.
»Du kommst in die Mülltonne«, drohte Fanny mit erhobenem Finger.
»Keineswegs, mein Kind«, schalt sie Hans, »der Führer braucht Deutschlands Söhne.«
»Nein«, widersprach Erwin.
Der Tag war ruhig gewesen. »Friedensmäßig ruhig. Fast schon Frühling«, hatte Anna gesagt, als sie abends den Brotgulasch mit Rotkraut auf den Küchentisch gestellt und in einem Anfall von Fröhlichkeit, den sie sich nicht erklären konnte, den alten Zungenbrecher »Rotkohl bleibt Rotkohl« rezitiert hatte. Die Kinder hatten gelacht und Hans gegrinst, als hätte sie einen Männerwitz gemacht. Selbst Fanny, am Familientisch für gewöhnlich in sich zurückgezogen und schweigsam, hatte gelächelt. Sie hatte »Blaukraut bleibt Blaukraut« gesagt und dann nach einer Weile hinzugefügt: »Das hat mir Onkel Erwin beigebracht. Ich hab's gleich gekonnt. Damals.«
Zwei Tauben hatten sich von der Wärme des Tages verleiten lassen, auf dem winzigen Balkon, auf dem die Hausfrau

Schnittlauch und Petersilie und im Sommer auch Tomaten zu ziehen versuchte, von Liebe und vom Frieden zu gurren. »Arme Irre«, hatte Hans gesagt, »die täuschen sich auf der ganzen Linie. Friedenstauben gibt's seit Noah nicht mehr. Und Liebe nur auf Sonderzuteilung. Parteigenossen, Frontkämpfer und Frauen mit dem Mutterkreuz in Gold hervortreten. Augen auf, Maul halten.«
Wie sonst auch, hatte der Rundfunk um Viertel nach acht sein Abendprogramm begonnen. Durch einen fatalen Irrtum hatte er die achthundert britischen Lancaster-, Halifax- und Mosquitobomber, die Kurs auf Frankfurt genommen hatten, überhaupt nicht erwähnt. Es war nur von einem einzigen alliierten Bomber die Rede gewesen, der auf Frankfurt zufliegen würde. »Hoffentlich wird's dem nicht einsam«, hatte Hans noch gescherzt, »in der Nacht ist ein Flugzeug nicht gern allein.«
Viele Menschen in der zerstörten Stadt gingen davon aus, die Nacht würde ihnen so gnädig sein wie der Tag und würde die verschonen, die am Ende ihrer Kräfte waren. Sie vertrauten ihrem Fatalistenmut, gingen nicht in die Luftschutzkeller und blieben in ihren Wohnungen. Nicht nur die Optimisten und Leichtsinnigen täuschten sich, nicht allein die Kurzsichtigen, die Wunschdenker und die zu Tode Erschöpften. Auch die Luftabwehr irrte. Sie ließ sich von einem Scheinangriff der Alliierten auf Kassel täuschen. Als endlich um Viertel vor zehn der Alarm für Frankfurt ausgelöst wurde, hatte der Tod die Stadt schon fest im Würgegriff.
Die Bomber warfen ihre Fracht in drei Wellen ab. Als sie abzogen, war Frankfurt, die Stadt mit der stolzen Bürgertradition und den in ganz Deutschland bewunderten Fachwerkhäusern, im Feuerorkan untergegangen. An Goethes

112. Todestag wurde seine Heimatstadt zur Trümmerwüste geschlagen. Sein Geburtshaus im Hirschgraben, die Pilgerstätte der literarischen Welt, gab es nicht mehr. Die gesamte westliche Altstadt brannte. Zerstört wurden die Hauptwache, Schillerstraße, Börse, Hauptpost und der Römer. Die imposanten Geschäftsgebäude auf der Zeil standen in Flammen, Wohnhäuser im Nord- und Ostend wurden tödlich getroffen, ebenso die in Bockenheim und Rödelheim. Ganze Straßenzüge gingen in Flammen auf. Die Energieversorgung brach zusammen, Kanalnetze, Straßen und Schienenwege wurden aufgerissen. Menschen erstickten und verbrannten. Tote verkohlten und sahen aus, als wären sie nie Menschen gewesen.

Die Stadt am Abgrund erlebte ihre größte Katastrophe seit dem Mittelalter. Mit den Menschen starben die Tiere. Der Frankfurter Zoo wurde flach gebombt. In Panik brüllende Raubkatzen, verendende Menschenaffen, Hirsche und Bären wurden durch Gnadenschüsse von ihrem Leid erlöst. Die Löwen, während der Feuersbrunst ausgebrochen, mussten zum Schutz der Bevölkerung erschossen werden.

Das Haus in der Thüringer Straße 11 blieb vom Tod verschont. Die Mauern hielten stand. Nur die Fenster zerbarsten; weiße Stores, nun kohlschwarze Fetzen, hingen aus tiefen Höhlen heraus. Überall lagen Glassplitter und Teile der Rahmen. Die Haustür, lediglich leicht beschädigt, war auf die gegenüberliegende Straßenseite katapultiert worden. Auf ihr lag eine tote Katze. Blockwart Schmand, dem seine Mitbewohner mehrmals am Tag das Übelste vom Üblen wünschten und so manches Mal den Tod am Galgen, mit dem er selbst Kindern drohte, führte auf dem Speicher mit den Sandsäcken, die er seit fünf Jahren bunkerte, einen erfolgreichen Kampf gegen die Brandbomben.

Im Keller machten Höllenlärm und Feuerluft die seelenkranken Menschen blind und taub. Sie starben tausend Tode und flehten dennoch um ihr Leben. Frauen riefen in einem Atemzug nach Vergeltung und nach Gottes Beistand. Zwei Männer, zu alt und schwach, um im Bombenhagel Dienst zu tun, wähnten sich zurück in den Schützengräben des Ersten Weltkriegs. Sie schrien, als Nächstes käme das Giftgas, und beteten, der Tod möge zu ihnen kommen. Hans Dietz hielt seinen Sohn fest umklammert; er flüsterte ihm ein Geheimnis ins Ohr, das Frau Schmand auch in Zeiten von Daseinsnot und Lebensgefahr nicht hören durfte. Ihre mit Schrankpapier abgedeckten Regale verloren den Halt. Die Einweckgläser mit den kostbaren Grünen Bohnen für den vermissten Kriegersohn fielen samt dem Notizbuch und dem Bleistiftstumpf, mit denen sie für die gute Stimmung an der Heimatfront kämpfte, auf den Boden. Eine junge Kriegerwitwe mit drei Kindern schrie mit der ganzen Kraft ihrer Lunge: »Jetzt haben Sie Ihre Wunderwaffe, Frau Blockwart Schmand!«
»Sei still«, befahl ihr zehnjähriger Sohn. Er hielt seiner Mutter den Mund zu und flüsterte: »Das darfst du nicht sagen.«
Mitten im Feuersturm fragte eine durchdringende Unschuldsstimme: »Bin ich tot?« Mit dem Rüschenrock ihrer einbeinigen Puppe rieb sie sich den Schweiß von der Stirn.
»Nein, Sophie«, beruhigte sie Fanny. Ausgerechnet in dem Moment, da die Welt auseinanderbrach, begriff sie, dass Lügen, die sein müssen, weder Sünde noch Feigheit sind.
»Kinder sterben nicht«, sagte sie, »das hat der liebe Gott verboten.«
Lange Zeit hatten viele Menschen nicht wahrhaben wollen, dass es in Deutschland die Zivilbevölkerung sein würde, die die Rechnung für die deutschen Bomben auf Rotterdam,

Coventry und London würde zahlen müssen. Fassungslos, dass die Alliierten nun Gleiches mit Gleichem vergolten und das mit wesentlich mehr militärischer Schlagkraft, flohen viele aus der Stadt – wie die hilflosen Menschen im Mittelalter vor Feuersbrünsten und Seuchen. Die Flüchtenden hofften auf Rettung in Dörfern und bei Verwandten. Sie setzten selbst auf die, mit denen sie seit Jahren keinen Kontakt mehr gehabt hatten. Wer alles verloren hatte außer seinem Leben, war noch bereit, an die Einigkeit des deutschen Volks zu glauben. Wie Ertrinkende an das rettende Seil klammerten sich die Ausgebombten an die immergrüne Hoffnung, dass Menschen in Not Liebe und Brot zuteil werden wird.

Hans und Anna Dietz packten keine Koffer. Obwohl sie seit drei Jahren Tag für Tag bewiesen, zu welcher Opferbereitschaft Menschen fähig sind, glaubten sie nicht an die Mär von der Selbstlosigkeit der deutschen Bauern. Ihre Angst, auf dem Dorf könnten der Bürgermeister oder seine Untergebenen nach Fannys Papieren und ihrer Herkunft fragen, war größer als ihr Sicherheitsbedürfnis. Auf dem Dorf ließ sich schnell entdecken, was man in der Großstadt hatte verschleiern können. In Frankfurt stellte selbst Frau Schmand keine Fragen mehr.

»Müsst ihr wegen mir hier in der Stadt bleiben?«, schwante es Fanny.

»Nein«, beschwichtigte sie Hans, »wir würden auch so nicht gehen.«

Der Angriff vom 24. März 1944 erfolgte morgens um neun. Es waren einhundertfünfundsiebzig amerikanische Maschinen, die die Ruinen der Trümmerstadt Frankfurt einebneten. Die Bomben töteten Bergungsmannschaften und trafen auch die Särge mit den Toten, die reihenweise auf

den Gleisen standen, um abgeholt zu werden. Sie brachten Frauen, Kindern und den Alten, die in der Nähe des Hauptbahnhofs auf ihre Evakuierung warteten, den Tod.
Die Ausgebombten, Hilfsmannschaften aus ganz Südwestdeutschland, die man nach Frankfurt schaffte, Soldaten und Kriegsgefangene, die sich mit ihnen um die verschütteten und verstörten Menschen bemühten, wurden aus mobilen Küchen verpflegt. Wie in Trance standen die, die ihre Verwandten, Freunde und Nachbarn suchten, vor ausgebrannten und eingestürzten Häusern.
Neben den rauchenden Trümmern nahmen die Nazis den Menschen, die ihr Schicksal nicht fassen konnten, ein Treuegelöbnis auf Hitler ab. Um Moral und Stimmung zu heben, ließen sie neben Särgen einen Spielmannszug aufmarschieren. Gauleiter Jakob Sprenger erklärte Frankfurt zur Frontstadt. Plakate mit dem Text »Frontstadt Frankfurt wird gehalten« wurden eiligst an die Mauerreste von zerstörten Häusern geklebt. Auf den Plakaten standen Mann, Frau und Kind kampfbereit mit der Hakenkreuzfahne in der Hand vor einem unversehrt gebliebenen Dom, der in Wirklichkeit bis ins Mark getroffen war.
»Was ist denn eine Frontstadt?«, wollte Fanny wissen.
»In einer Frontstadt muss man erst das Gras anpflanzen, in das man beißen will«, sagte Hans.
»Ist das ein Witz?«
»Wie soll man heutzutage wissen, was ein Witz ist, Fanny? Da braucht es klügere Leute als einen Drucker mit einem Bein.«
»Du denkst doch nicht mit den Beinen.«
Fannys Vater, von dem weder sie noch Hans und Anna wussten, ob er noch lebte und wenn ja, ob in einem holländischen Versteck oder in einem deutschen Konzentrations-

lager, hätte sich bei diesem Gespräch gewiss erinnert, dass seine Tochter schon als Dreijährige sehr wortklauberisch gewesen war.
Als wäre dies eine Selbstverständlichkeit für ein jüdisches Mädchen im Jahr 1944, spazierte Fanny am ersten Montag des Aprils mit Hans durch die Stadt der zu Stein gewordenen Gespenster. Sie spürten die Sonne auf der Haut und, wenn sie zu sorglos wurden, einen Hauch von Wärme im Herzen. Zwischen zwei Trümmerbergen, die einst vierstöckige Häuser gewesen waren und in denen Menschen gelebt hatten, die goldumrandete Sammeltassen ins Büfett stellten und Bilder vom deutschen Wald an die Wand hingen, trotzten Grasstauden dem großen Sterben. Auf ihnen wuchsen Gänseblümchen mit unschuldsweißen Köpfen. Fanny bückte sich über eine Blume, doch sie nahm ihr nicht das Leben. Der Mann des Muts und das Kind, das zu weinen verlernt hatte, waren ohne Furcht. Beide erinnerten sich gar an so wunderliche Worte wie Glück und Hoffnung.
Vor einem Haus, von dem noch zwei Außenmauern standen, blieb Fanny stehen. Sie knetete ihre Hände ineinander und sagte schließlich: »Ich kann nicht an die Menschen denken, die hier gelebt haben. Ich versuche schon den ganzen Morgen, nicht so zu sein, wie ich bin, aber es klappt nicht. Ich schäme mich so.«
»Mir geht's genauso mit dem Mitleid«, erwiderte Hans. Er drückte ihre Hand und wünschte sich, seine Tochter würde so werden wie Fanny. »Aber ich schäme mich nicht. In Dachau habe ich das Schämen verlernt.«
»Ich war doch gar nicht in Dachau.«
»Du hast Schlimmeres erlebt, mein Kind.«
Sie gerieten, ohne dass es Hans gewollt hatte, in die Bieber-

gasse. Er schalt sich einen gefühllosen Narren, als er sich erinnerte, doch Fanny wusste nicht mehr, dass ihr Vater dort die Anwaltskanzlei gehabt hatte, die er im Jahr 1934 hatte aufgeben müssen. Das Haus hatte einen Volltreffer abbekommen, es war nur noch ein Trümmerhaufen. Im heil gebliebenen Nachbarhaus hatten nur die Fenster Schaden genommen. Sie waren mit Militärdecken und Verdunkelungspapier wieder benutzbar gemacht worden. Im Parterre ließ ein Friseur mit einem Pappschild und zwei Schreibfehlern wissen: »Was auch pasiert, es wird weiter rassiert.«

Die Mauern der zerstörten Häuser boten vielfach Platz für solche Durchhalteparolen. »Wir trotzen dem Terror«, »Lieber tot als Sklave«, »Führer befiehl, wir folgen Dir«, »Jetzt erst recht« und das altbekannte »Räder müssen rollen für den Sieg« waren am häufigsten zu lesen. In einigen zerbombten Wohnungen standen noch Innenwände. Kabel hingen von den Decken und führten ins Nirgendwo. In einem zerbombten Haus auf der Lange Straße lag eine Kloschüssel, die augenscheinlich unmittelbar vor dem Angriff geputzt worden war. In der Wittelsbacherallee inmitten eines Trümmerberges lag ein verkohltes Kinderbett, daneben auf dem Boden eine angesengte Puppe mit langen blonden Zöpfen. An eine der beiden noch stehenden Mauern hatte jemand in steiler Sütterlinschrift und mit weißer Kreide geschrieben: »Familie Meyer lebt. Wir sind bei Tante Anni in Karben.«

»Deutschland hat bekommen, was es verdient hat«, sagte Hans. »Die Schuldigen und die, die weggeschaut haben. Sie sind alle schon jetzt bedient worden. Wir brauchen den Krieg gar nicht mehr zu verlieren.«

Fanny schaute ihn an. »Das finde ich auch«, antwortete sie.

Sie war seit vier Wochen dreizehn Jahre alt. Andere Mädchen in ihrem Alter gingen zur Schule. Sie hatten Mütter, die ihnen erzählten, Deutschland würde den Krieg gewinnen, wenn sie abends brav ihre Gebete sagten und Pulswärmer für die Soldaten im Osten strickten. Mädchen in Fannys Alter hatten Großeltern, die nicht im Nebel verschwunden waren. Sie träumten von einem grünen Lodenrock und einem Berchtesgadener Jäckchen, und trotz der Bomben waren sie sicher, dass Gott mit Deutschland war. Wenn sie Zara Leander »Ich weiß, es wird einmal ein Wunder gescheh'n« singen hörten, bekamen sie feuchte Augen. Dreizehnjährige gingen ins Kino und kicherten, wenn zwei sich küssten. Sie sagten »Heil Hitler« und hoben den Arm, wenn sie morgens in die Schule kamen, doch ihr Herzensmann war Willi Forst, der auf der Schallplatte den Schlager »Du hast Glück bei den Frauen, Bel Ami« sang.
Das Mädchen Fanny aber, das vor der Frankfurter Großmarkthalle seine Mutter aus dem Leben hatte gehen sehen und das sich weder an den Vater noch an den Bruder erinnerte, wusste nichts von der Musik, die junge Mädchen entzückte. Sie durfte nie ins Kino gehen. Die einzige Familie, die ihr geblieben war, hatte Angst, das Kind könnte in eine Kontrolle geraten und ihnen entrissen werden. Fanny war zufrieden, wenn Anna ihr aus einer Decke einen Mantel nähte und aus Stoffresten eine Bluse. Sie träumte nicht von Trachtenjäckchen mit silbernen Knöpfen, sie rechnete nicht damit, dass ein junger Mann für sie je »Ich küsse Ihre Hand, Madame« singen würde. Jedoch wusste sie, dass ein Stern aus gelbem Stoff den Tod bedeutete und dass ein Konzentrationslager die Hölle des zwanzigsten Jahrhunderts war. Deshalb wusste sie auch, was Hans meinte, wenn er von deutscher Schuld sprach.

Sie standen vor einer zerbombten Schule am Zoo. Bleiche Kinder in zu kurz gewordenen Mänteln und mit Schulranzen auf dem Rücken liefen dennoch auf das Gebäude zu. Den Kleinen folgten ältere, ernst dreinblickende Mädchen mit adrett geflochtenen Zöpfen. Offenbar fand der Unterricht in Behelfsräumen statt, die von der Straße aus nicht zu sehen waren. Auch in der Totenstadt lernten die Kinder noch »Das Lied von der Glocke« auswendig und dass Gehorsamkeit und Heldenmut deutsche Tugenden seien. Vor allem lernten sie, dass die Frau dem Mann zu dienen habe und der Mann dem deutschen Vaterland.

»Siehst du, sie brauchen doch nicht sämtliche Schulen, um die Ausgebombten unterzubringen«, sagte Hans, »es sind welche für die Kinder übrig geblieben, die noch in der Stadt sind. Bald kannst du auch zur Schule gehen. Wir werden jetzt endlich Papiere für dich beantragen können. In diesem ganzen Durcheinander stellt niemand mehr irgendwelche Fragen. So viele haben ihre Unterlagen verloren.«

»Was für Papiere?«

»Papiere, damit wir dich anmelden können. Im Leben und in der Schule. Es nagt schon lange an mir, dass du keine Identität hast. Wir könnten, wenn es sein müsste, überhaupt nicht beweisen, dass du uns gehörst, dass du unsere Tochter bist. Wenn wir Glück haben, kriegen wir auch bald eine Lebensmittelkarte für dich.«

»Und wie heiße ich dann?«

»Fanny Dietz natürlich. Dann kann dich niemand uns wegnehmen. Dann hast du sogar die arische Großmutter, die ein deutscher Mensch zum Leben braucht. Um Gottes willen, Fanny, was hast du denn? Du bist ja bleich wie eine Wand. Du weinst ja.«

Er hielt sie fest, ehe sie fallen konnte, und er drückte sie, bis sie zu zittern aufhörte. Sie setzten sich auf einen Stein, der Teil einer Mauer gewesen war, und starrten in die Sonne. Auch Hans kamen die Tränen, doch er begriff nicht, was er ihr angetan hatte. Fanny hörte sich atmen; sie drückte beide Hände gegen ihre Brust und versuchte sich vorzustellen, was nicht vorstellbar war. Endlich stand sie auf. Sie strich die Feuchtigkeit aus ihrem Rock, und weil sie sehr leise sprechen musste und auch Hans aufgestanden war, stellte sie sich auf die Zehenspitzen. »Ich kann mich doch nicht von meinem Namen trennen«, erklärte sie. »Stell dir mal vor, mein Vater lebt noch oder meine Mutter kommt von dort zurück. Oder meine Großeltern. Vielleicht kommt Onkel Erwin aus Palästina her und sucht mich. Wie sollen die mich denn finden, wenn ich nicht mehr Feuereisen heiße?«

Sie saßen abends am Küchentisch und aßen Brot mit der Marmelade aus den Ebereschen und Hagebutten, die Anna im vorigen Sommer im Riederwald gesammelt hatte. Hans träumte von einem Glas Bier und von einem Flanellhemd mit Knöpfen aus Perlmutt, Anna von einem Metzgerladen, in dem man Fleisch kiloweise und die Wurst per Meter kaufte. Sie sah, dass Fannys Augen immer noch gerötet waren, und sie überlegte, ob es nicht ein Segen war, wenn ein Kind, das seit Jahren nicht geweint hatte, endlich durch Tränen erlöst wurde. Als sie aufstand, um das Radio zu holen, küsste sie Fanny auf die Stirn. Das Mädchen lächelte, als wäre es glücklich – so wie es als Kind gelächelt hatte, wenn ihre schöne Mutter es gelobt hatte.

Der Sicherheit wegen verhüllte Anna das Radiogerät mit der blauen Decke vom Kinderwagen und stellte es so leise, dass das gut eingespielte Trio die Körper vorbeugen musste, um die Stimme der Wahrheit zu hören. BBC meldete,

am Morgen wäre das deutsche Schlachtschiff »Tirpitz« getroffen worden.
»Kann Deutschland nicht jucken«, sagte Hans, »wir haben ja die Wunderwaffe.«
Anna sagte: »Du hast wie immer recht.« Trotzdem schüttelte sie den Kopf und nannte ihren Mann einen Trottel. »Einen Erztrottel«, stellte sie klar. »Hast du wirklich gedacht, eine Tochter von Johann Isidor Sternberg wird es zulassen, dass wir seiner Enkeltochter den Namen nehmen?«

3
Zurück, doch nicht zu Hause

Juni 1945

»Don't fence me in«, sang der Mann am Steuer des amerikanischen Armeebusses. Seine Stimme war mächtig und er, wie immer, wenn er singen durfte, noch besser gelaunt als sonst. Das populäre Lied war für ihn ein Stück Heimat. Genau wie die Erinnerung an Polly Patch, die Nachbarstochter mit den blonden Ringellocken und der Himmelfahrtsnase. Polly hatte versprochen, ihrem ehemaligen Mitschüler jede Woche tausend Küsse zu schicken, doch in zwei Jahren hatte sie es noch nicht mal zu einem Geburtstagsgruß oder zu einer Weihnachtskarte gebracht.

»Don't fence me in« in der Interpretation von Bing Crosby war gerade auf den Plattenmarkt gekommen, als die Army Sergeant Patrick Johnson aus Arkansas nach Europa geschickt hatte. Der gutmütige Patrick, von seinen Kameraden »Pat« genannt, war nun, weil der Krieg in Europa zu Ende war, ein Besatzungssoldat, dem es verboten war, mit den ehemaligen Feinden Kontakt zu halten. Auch mit den hübschen jungen Frauen, die so bereitwillig amerikanische Soldaten anlächelten. Das Fraternisierungsverbot bekümmerte Sergeant Johnson ebenso wie Pollys Untreue. Er verabschiedete sich gleichzeitig von der Sehnsucht nach ihren wohlgeformten Brüsten und einem plötzlichen Verlangen nach dem Kürbisauflauf seiner Mutter.

Patrick Johnson war stolz, dass er in den letzten achtundvierzig Stunden gute Arbeit geleistet hatte. Auch nicht der kleinste Zwischenfall! Er grinste sein Gesicht im Rückspiegel an, nahm die Hände vom Steuer und klatschte. »Home, sweet home«, rief er in den Bus. Der fröhliche Fahrer wunderte sich nicht, dass niemand reagierte. Das war auf der ganzen Fahrt so gewesen. Pat machte seine allseits beliebten Scherze, und keiner lachte.
»Kein Schwein«, murmelte er und knirschte mit den Zähnen.
Obgleich sein Vorgesetzter sich große Mühe gegeben hatte, die ungewöhnliche Situation zu erklären, hatte der Sergeant nicht verstanden, was es mit den Menschen auf sich hatte, die er aus dem Land der Opfer nach Deutschland fahren sollte, der ursprünglichen Heimat der Täter. Wozu? Warum? Wem war so was eingefallen? Weshalb sollten Leute, denen es augenscheinlich nicht gut ging und die für Pat so aussahen, wie er sich Strafgefangene in Todeszellen vorstellte, unmittelbar nach Kriegsende auf eine so beschwerliche Reise gehen? Pat fand, das sei wieder mal typisch für die Army. »Jeder denkt, und keiner denkt zu Ende«, hatte es sein Freund Mike einmal formuliert.
»Hi«, rief Pat aufmunternd. Er leckte seine Lippen feucht und dachte abermals an Polly. Diesmal an ihre schönen, durchsichtigen Blusen.
Betsy Sternberg, die dabei war, sich wieder an ihren Familiennamen zu gewöhnen und dass sich Fremde nicht duzten, wie es in Theresienstadt üblich gewesen war, hatte den Eindruck, der Sergeant würde sie anschauen. Einen kurzen, irritierenden Moment hatte sie das Bedürfnis, dem freundlichen jungen Amerikaner zu erzählen, dass sie den Schlager »Don't fence me in« in ihrem ersten Leben ge-

kannt hatte – in einem Leben, in dem es absolut selbstverständlich gewesen war, Kaffee aus Mokkatassen zu trinken und Musik zu hören. Der amerikanische Komponist Cole Porter hatte »Don't fence me in« im Jahr 1934 geschrieben. Erwin hatte das Lied geliebt.

»Das braucht keiner zu wissen, Vicky«, hörte sich Betsy sagen, »das ist gefährlich.«

Erschrocken drückte sie ihre Hand auf den Mund; Übelkeit und Atemnot würgten sie. »Es ist vorbei«, flüsterte Betsy. Sie versuchte, sich klarzumachen, dass sie keine tausend Tode mehr zu sterben brauchte, ehe der eine wahr wurde, doch die Angst beutelte ihren Körper mit Knüppeln. Betsy schloss die Augen; sie sagte sich immer wieder, es wäre entscheidend, so unauffällig zu atmen, dass man sie für tot halten würde, aber sie merkte sofort, dass ihre Mühe vergebens war.

Es war nicht das erste Mal auf der Fahrt in die Endlosigkeit, von der es hieß, sie führe zurück nach Frankfurt, dass Betsy in die Welt der Toten abtauchte. Trotzdem schwindelte es ihr, wann immer sie gewahr wurde, dass es so war. Jedes Mal sah und sprach sie mit Vicky. Sobald sie sich von der schönsten und schwierigsten ihrer Töchter verabschiedete, rätselte sie, ob dieses Abdriften in die Vergangenheit Vorbote einer geistigen Erkrankung sein könnte oder ob das Verwechseln von Zeit und Ort nur typisch für den körperlichen Zustand einer alten Frau war. Ihre Hinfälligkeit war ihr peinlich, eine geistige Erkrankung erschien ihr öfter sogar erstrebenswert. Wenn nämlich ihr Hirn nicht mehr funktionierte, würde sie nicht mehr wissen, dass sie ihren Mann, Vicky und den kleinen, verwirrten Salo nicht hatte schützen können. Betsy dachte an das Grammofon im Salon ihrer Wohnung, an die Toten ihrer Familie und einmal

an die nie verzagende Frau Feuereisen, die Mutter ihres Schwiegersohns. Die hatte in Theresienstadt bis zuletzt an ein Wiedersehen mit ihrem Sohn geglaubt.
Betsy Sternberg, aus der Hölle zurückgekehrt, hatte der Gnadenlose zum Weiterleben verurteilt; am ersten Mittwoch im Juni 1945, um zwölf Uhr mittags, trennten noch zehn Kilometer sie und ihre Schicksalsgenossen von Frankfurt. Nach den Erlebnissen der letzten vier Jahre empfanden die Menschen im Armeebus, die das große Sterben erlebt hatten, die lange Fahrt noch nicht einmal als Strapaze, eher als unwirklich und abstrus und als einen weiteren Schritt in die ewige Verzweiflung. Es hatte unterwegs nur wenige Unterbrechungen gegeben, dazu eine Übernachtung in einem amerikanischen Armeecamp in Regensburg in Bayern und dort ein Abendessen – große weiße Bohnen mit dicker, süßer Tomatensoße und fetten Schokoladenkuchen mit Vanilleeis. Kaum einer hatte das Essen vertragen. Die Kranken, Alten und Verwirrten, Männer, Frauen und ein totenbleiches Mädchen von ungefähr neun Jahren, das auf der ganzen Fahrt kein Wort gesprochen und versucht hatte, das Eis unter ihre Bluse zu stopfen, hatten auf Feldbetten schlafen müssen und waren innerhalb einer Stunde zwei Mal entlaust worden. Ein Armeearzt mit dem Arm in der Schlinge hatte Tabletten gegen Durchfall verteilt, seine Assistentin mit feuerrot geschminkten Lippen hatte geraten, um den Block zu laufen und an »etwas Schönes zu denken«.
Nun rief Fahrer Pat so laut, dass er selbst zu erschrecken schien, denn er hielt kurz sein rechtes Ohr zu, »Frankfurt am Main«. Der Frohgestimmte aus Arkansas sprach die drei Wörter so aus, dass kaum einer im Bus auf die Idee kam, es sei von Frankfurt die Rede. »Yes«, brüllte Pat. Er drehte

das Radio, das auf dem Beifahrersitz zwischen zwei Türmen von Konservendosen mit der Aufschrift »Only for army dogs« stand, auf volle Lautstärke. »Good old Ike«, jubelte Pat.

Ein Sprecher verlas die Mittagsnachrichten. Betsy, die in der Schule für höhere Töchter vier Jahre lang Englisch gelernt und sechs Kinder englische Vokabeln abgehört hatte, verstand noch nicht einmal den Wetterbericht. Sie malte sich abermals aus, welch verkappter Segen es sein würde, sich nicht mehr an die Vergangenheit zu erinnern, aber der Wunsch, kaum herbeigesehnt, beschämte sie so, dass er ihre Brust zerquetschte. »Ich hab noch viel zu tun«, murmelte sie in Richtung ihrer bewegungslos dahingestreckten Sitznachbarin, »so viel.«

Zu Betsys Erstaunen setzte sich die Frau auf und starrte sie an. »Da können Sie Gott danken. Ich steh nur rum und warte auf den Tod.« Ihre Stimme war deutlich, fast schrill.

Den Rundfunknachrichten folgte das Wehmutslied »Ol' Man River«. Betsy erinnerte sich spontan, dass das Lied aus dem Musical »Show Boat« stammte. Clara hatte die Platte für Anna zum Geburtstag besorgt. Die Idee war ein durchschlagender Erfolg gewesen. Die ganze Familie hatte um das Grammofon gesessen, auf der Erde Enkelin Claudette und der Nachkömmling Alice, zwischen ihnen die daumenlutschende Fanny mit ihren verzaubernden grünen Augen. Auf dem kleinen Afghanenteppich mit einem Flecken von Karottenbrei, der eine uralte, nur von der Hausfrau noch erinnerte Geschichte erzählte, hockte der schwanzwedelnde Snipper. Der muntere Foxterrier glich aufs Haar dem Reklamehund der Plattenfirma »His Master's Voice«, selbst Johann Isidor, der Hunde ja nicht mochte, hatte über Snipper lachen können.

»Richtig gelacht hat er«, sagte Betsy. »Mein Gott, dass ein Mensch sich so deutlich erinnern muss! Das ist nicht gerecht.«
Ihr schien es, als würden die Bäume, die die Straße säumten, ständig wachsen. In die Länge und in die Breite. Es war eine unüberwindliche Mauer aus teerschwarzen Bäumen. Aus Betsys Augen tropfte brennender Schweiß. Rauschen, dem kein Entkommen war, drang aus einer Welt ohne Licht und Luft. Schwarze Wolken stürzten vom Himmel. Betsy hielt die Arme vor den Körper, doch es war zu spät. Sie lief gegen die Baumwand und wurde blind. Victoria und den kleinen Salo sah sie aber doch. Ein Mann stieß sie in den Zug. Er schlug nach Betsy. Sie wollte schreien, doch genau wie damals konnte sie ihren Mund nicht aufbekommen.
»Setzen Sie sich doch richtig hin. Sie fallen ja gleich auf mich«, protestierte die Frau im Bus.
»Im Sitzen fällt man nicht«, wehrte sich Betsy.
Sie wusste nicht, ob sie noch lebte oder ob es ihr gelungen war, zu Victoria in den Zug zu springen. Dann merkte sie, dass das Radio immer noch »Ol' Man River« spielte. Das herzzerreißende Lied rief sie zurück, war der Erlösungstraum, an den sie sich in den Jahren der Todesnot geklammert hatte. »Die haben das Licht wieder angemacht«, sagte Betsy.
»Sie haben geschlafen. Ich beneide die Leute, die überall schlafen können, zu jeder Zeit.«
Die Helligkeit war ein gnadenloser Blitz. Betsy sah vergiftete Sonnenstrahlen auf sich zurasen und bedeckte ihr Gesicht mit beiden Händen. Sie schrie mit aller Kraft, denn ihr war bewusst geworden, dass sie die Bewegung des Flehens, die ihr so lange selbstverständlich und einmal sogar Schutz gewesen war, nicht mehr beherrschte. Sie bewegte sich

nicht, flüsterte ihrem Körper Beruhigung zu, spürte, wie die Angst und die Ohnmacht von ihr abfielen. Nur noch der beißende Geruch des Desinfektionsmittels, mit dem der Fahrer seit der Abfahrt aus Regensburg immer wieder das Lenkrad und das Armaturenbrett und gelegentlich auch seine Stirn abgerieben hatte, irritierte ihre Nase.
Pat der Reinliche sang, obgleich das Radio nicht mehr spielte, immer noch »Ol' Man River«. Bei ihm klang das schmerzvolle Lied kämpferisch, einmal sogar fröhlich. Pat war höchstens dreiundzwanzig Jahre alt; er hatte fleischige Hände und auffallend lange Arme, Sommersprossen und augenscheinlich Schwierigkeiten mit der Geografie Europas, denn er hatte einige Male angehalten, um Karten und handgeschriebene Aufzeichnungen zu studieren. Einmal fragte er den Mann, der hinter ihm saß: »Is this Germany or Australia?« Zweifellos meinte er Österreich, denn er erwähnte Lofer an der Grenze und zeichnete einen Berg, der wie das Matterhorn aussah, in die Karte.
Pats Stimme war nicht die eines Befehlenden, sie war die Stimme eines Mannes, der die Geschlagenen trösten und sie aus der Dunkelheit zur Sonne führen will. Nun pfiff der Fidele »Whistle while you work« aus dem »Schneewittchen«-Film. Nach dem letzten Wort rief er abermals »Frankfurt am Main« und drückte mit aller Kraft auf die Hupe. Er nahm die Hände vom Steuer, winkte mit der Rechten zum Fenster heraus und lachte wie ein Schuljunge am ersten Ferientag. »Good old Ike«, brüllte er, legte seine Linke aufs Herz und sagte dann in andächtigem Ton: »God bless America.«
Diesmal begriff Betsy sofort, dass der ausgelassene Bub am Steuer von der Stadt sprach, die einst die ihre gewesen war. Ihr Herz raste, ihr Körper erstarrte, jeder Atemzug war

Schmerz. Trotzdem gelang es ihr, sich gegen die Erinnerungen vom letzten Tag in Frankfurt zu wehren. Die Bilder waren gnädig undeutlich. Betsy sah lediglich den Nebel am Morgen des Geschehens, die Todgeweihten hatten kein Gesicht. Der Stimme des Schreckens konnte sie jedoch nicht entrinnen. Noch im Bus der Befreier hörte Betsy den SA-Mann vor der Frankfurter Großmarkthalle grölen. Diesmal aber wurde ihr Gebet erhört. Ein Engel schlug Satan das Gewehr aus der Hand und sagte, Betsy brauche sich nie mehr zu ducken.

»Es war nichts«, beschwichtigte sie ihr Herz, »gar nichts.« Dann beschwor sie Fanny, sich nicht umzudrehen.

Die Frau neben ihr schrie auf. »Lassen Sie das Kind doch leben«, flehte sie, »nur dieses Kind. Es ist ein so gutes Kind.« Aus der olivgrünen Decke mit dem Aufdruck »Property of the US Army« ragten nur ihre Arme heraus. Sie waren dürr wie abgestorbene Äste, auch ihre Augen waren tot.

»Sie müssen keine Angst haben«, besänftigte Betsy die Schluchzende. »Wir brauchen alle keine Angst mehr zu haben. Es ist vorbei.«

»Ein Mensch ohne Angst ist schon tot«, erklärte die Frau. Ihre Stimme war überraschend fest. »Das haben sie im Lager immer gesagt. Das müssen Sie doch auch gehört haben.«

»Doch, doch«, erwiderte Betsy, »das hab ich, aber ich hab's nie geglaubt. Wir haben doch früher auch ohne Angst gelebt.«

Es war ein Junitag der Fülle. Betsy hatte selbst im Lager die Sommertage in der Rothschildallee nicht vergessen können. Die Rosen im Vorgarten hatten üppiger geblüht als anderswo. »Nein, Josepha, die pflücken wir nicht. Es soll doch jeder, der vorbeikommt, Freude an unseren Rosen haben.« Auf dem Bürgersteig vor dem Haus spielte Victoria mit

Freundin Marie Hickelkreis; die Kreise und Quadrate, die für Himmel und Hölle standen, waren mit weißer Kreide aufs Straßenpflaster gemalt. »Ich bin im Himmel«, jubelte Victoria. Sie stand auf einem Bein, hatte ein gelbes Kleid an und um den Hals die kostbare Kette von Tante Jettchen, die sie nicht in die Schule mitnehmen durfte und es immer wieder tat.
»Kannst du nicht ein einziges Mal gehorchen, Vicky? Warum lässt du Mariechen denn nie den Himmel malen?«
»Mariechen hat gesagt, es gibt gar keinen Himmel. Was soll sie da malen?«
»Ich sehe sie immer nur als Kind«, erzählte Betsy der Frau in der Decke. »Vicky war die hübscheste von meinen fünf Töchtern, aber eigensinnig wie ein Maulesel. So ist es ja passiert. Vielleicht hätte sie in Holland überlebt.« Einen Moment überlegte sie, ob sie Anna mitgerechnet hatte oder nicht. Sie zählte ihre Kinder an den Fingern ab. Auch Otto fehlte nicht. »Er ist 1915 gefallen«, sagte sie laut. »Nein, 1914«, verbesserte sie. Sie war konsterniert, dass sie Ottos Todesjahr verwechselt hatte.
Der Bus fuhr über ein Schlagloch. Pat drehte sich um, fluchte und lachte gleichzeitig und brüllte so laut »Wow!«, dass die Schlafenden wach wurden und die Wachen sich klein machten. Betsy sah sich nach Johann Isidors Arm greifen. Unmittelbar danach kam Anna auf sie zu. Sie durfte nicht zu Anna sprechen, sonst war Fanny verloren. Verloren wie ihr Bruder. Lieber noch einmal die Rosen von der Rothschildallee riechen und Vicky hüpfen sehen. »In den Himmel, Vicky, nicht in die Hölle. Du musst doch wissen, wo der Himmel ist.«
Betsys Arme waren nicht mehr Teil ihres Körpers. Auch die Beine trennten sich von ihr. In ihrer Kehle ließ sich das Feu-

er nicht löschen. War es das Todesfieber, von dem alle redeten, oder nur die Erschöpfung, weil man von ihr verlangte, dass sie weiterlebte? Ohne Johann Isidor, ohne Victoria und ohne Salo. Nur nicht fragen, wohin die gingen, die du geliebt hast, bloß nicht auffallen, nicht stolpern auf dem Weg in den Tod, sonst bringst du die Menschen in Gefahr, die noch das Leben vor sich haben. Anna. so komm doch endlich! Wenn du jetzt nicht kommst, ist es zu spät.
»Anna war die Mutigste von uns allen«, sagte Betsy. Ihr wurde bewusst, dass sie zu laut sprach. Sie schüttelte den Kopf und bohrte die Nägel ihrer Rechten ins Fleisch der linken Hand – eine Angewohnheit aus der Kinderzeit, wenn ihr Unerwartetes widerfahren war. Es war die Probe, ob man überhaupt lebte. Oder alles nur geträumt hatte. »Unsere Anna hat nie viel geredet, doch sie hat getan, was getan werden musste. Ihr Versprechen hat sie gehalten, obgleich sie hochschwanger war. Wir haben noch am letzten Tag von ihr gesprochen.«
»Bei mir sind es zwei Töchter und vier Enkel. Und mein Mann natürlich. Alle in den ersten zwei Wochen von Theresienstadt aus in den Osten verschickt. Nur mich hat man vergessen.«
»Mich auch«, stimmte Betsy zu, »ich werde es nie fassen, dass ich auf keiner Liste stand. Vielleicht, weil ich im Kinderhaus gearbeitet habe. Man hat immer gesagt, die Leute, die im Kinderhaus arbeiten, kommen zuletzt dran.«
Selbst durch die von Lehmspritzern, Straßenstaub und toten Mücken verschmierten Fensterscheiben des Busses strahlte Sommerlust, flirrte Hitze. Wolken segelten in blaue Unendlichkeit hinein. Am Ufer eines Bachs leuchteten schwerköpfige Butterblumen. Vorsichtig, Kinder, Butterblumen sind gefährlich. Am Rand der von Bombenein-

schlägen und Schlaglöchern aufgerissenen Straße wuchs kräftiges, sommergrünes Gras. Friedensgras! Auch die Kirschbäume hatten das Himmelsfeuer überlebt. Die Früchte leuchteten rot. Vögel mit schwarzem Gefieder und gelbem Schnabel hockten auf den Ästen und machten reiche Ernte. Waren es Amseln? Betsy wunderte sich, dass sie das Wort noch kannte. Von Vögeln hatte in Theresienstadt keiner gesprochen. Hatte es dort überhaupt Vögel gegeben? Unmittelbar vor der Abfahrt des Busses in Regensburg hatte Betsy Spatzen gesehen, die ersten seit Jahren.
»Es heißt Spatz, Erwin, nicht Watz. Wirst du denn nie lernen, ordentlich zu sprechen?«
»Immer«, lachte Erwin, »immer, immer, Zimmer.« Drei Jahre war er alt, er hatte noch Locken und war Josephas Liebling. »Mein Hätschelbub«, hatte sie immer gesagt – selbst als er schon aufs Gymnasium ging und sie ihm heimlich Geld zustecken musste, damit sein Vater nicht dahinterkam, dass er sein Taschengeld verwettete. »Josepha, lassen Sie ihn nicht von der Torte naschen. Die ist doch für die Damen vom Kaffeekränzchen.« Kaffeekränzchen, welch ein albernes, hirnverbranntes Wort! So richtig ein Wort für Leute, die sich die Illusion machten, Juden könnten eines Tages in Deutschland zur Oberschicht gehören und würden auch in den Adel einheiraten.
Betreten floh Betsy aus der Welt der plaudernden Bürgersfrauen und fein gedeckten Kaffeetafeln. Ihr war es, als hörte sie Erwin lachen. Er hatte nie laut gelacht, war immer spöttisch gewesen, geistreich und klug. »Ja«, bestätigte Betsy, »klug. Bei Weitem der Klügste.« Wie sollte Erwin in Palästina erfahren, dass seine Mutter noch lebte? Sie hatte seit 1939 nichts mehr von ihm und Clara gehört und konnte sich auch nicht erinnern, ob die beiden nach Haifa oder nach Tel

Aviv gezogen waren. Auch von Alice wusste sie nur, dass sie geheiratet hatte und in Südafrika lebte, aber den Familiennamen ihrer jüngsten Tochter kannte sie nicht.
Mit einem Mal wurde Betsy bewusst, dass sie auch Annas Adresse nicht hatte. Ob Anna überhaupt noch Haferkorn hieß, oder hatte sie endlich ihren Hans heiraten können? Und würde es nicht neues Leid bringen, nach Anna und Hans zu fahnden? Was, wenn die berichten mussten, dass aller Mut vergebens gewesen war und die Nazis Fanny doch gefunden und deportiert hatten?
»Die Kinder haben sie doch auch geholt«, sagte sie.
»Alle hat man geholt«, bestätigte die Frau neben ihr.
Ein Schwalbenschwarm, wie ihn die kleine Betsy als Kind mit dicken schwarzen Strichen auf blaue Papierbögen gemalt hatte, flog hoch. Das Licht war hell und weiß. Wie auf Sizilien, kam es Betsy in den Sinn. Sie hatte einmal eine Postkarte aus Palermo bekommen. Von wem und wann? Wer reiste nach Sizilien und schickte bunte Ansichtskarten nach Hause? Wer ging denn aus freien Stücken auf Reisen?
»Ich keinen Tag mehr, das kannst du mir glauben!«, schwor Betsy. Sie genierte sich, als sie ihre Hand sah – die Hand einer Hilflosen, zur Faust geballt! Laute Zwiegespräche mit Gott hatte sie stets als primitiv, als ihrer nicht würdig empfunden. Ihre Stirn brannte. Sie kühlte den Kopf an der Scheibe, sah Funken, einen Feuerball, sah Vernichtung und Tod. »Mein Gott, es waren doch nicht nur die letzten vier Jahre. Es ging doch schon 1933 los«, stöhnte sie. Weshalb dröhnte ein einziger Seufzer wie Geschützdonner in den Ohren, sobald man sich nicht in Acht nahm? Bestimmt war das früher nicht so gewesen.
»Bestimmt nicht«, bestätigte sie.
Frankfurt war zum Greifen nahe. Sie fühlte keine Erre-

gung, keine Freude. Freude würde es nie mehr geben in einer Stadt, die ihre Bürger dem Henker überlassen hatte. Wann war endlich Schluss mit den trügerischen Botschaften und den Lebenslügen, mit dem falschen Mitleid und den großen Worten? Und doch erschienen Betsy helle, freundliche, schöne Bilder. Sie sah lichtgraue Häuser mit schlanken Schornsteinen, sah Kirchenspitzen und Brücken, den Main, die großen Parks, die kleinen anheimelnden Anlagen und die breiten Alleen; sie sah die Bäume im Frühling blühen, grüßte Baumriesen mit üppigen Sommerkronen, die im Herbst goldene Kleider trugen und im November Trauer. Trauer wie ihr Herz.

Als schamlose, sadistische Lügner erschienen ihr die Erinnerungen an die ausgelöschte Welt. Jedes einzelne Bild gab vor, es sei keinem Mitglied der Familie Sternberg ein Leid geschehen. In der Rothschildallee 9 stand der geschätzte Handelsmann Johann Isidor Sternberg am Hoftor. Er schaute zum Dach, über das die Tauben flogen, rieb seine Hände aneinander und sagte: »Besitz verpflichtet.«

»Ich hör gern, wenn du das sagst«, lächelte Betsy. »Unsere Kinder müssen auch lernen, so zu denken.«

»Seit wann lernen Kinder von ihren Vätern?«

Im Wintergarten trugen exotische Pflanzen farbenfrohe Blüten, im Hinterhof zwitscherten die Vögel auf dem Kirschbaum. Sauerkirschen waren es gewesen. Die Marmelade aus dem Hause Sternberg war im Freundeskreis berühmt gewesen. Und Frau Meyerbeer immer neidisch, weil ihre Kirschmarmelade nicht fest genug wurde. Auf der Fensterbank in der Küche standen zwei Töpfchen mit einer Bauchbinde aus blau-weißem Küchenstoff. »Josepha, gehen Sie um Himmels willen sparsam mit unserem Schnittlauch um. Ich brauche ihn doch für die Feiertage.«

Die Bilder waren gnadenlos. Sie wüteten im Kopf und peitschten die Seele; sie schlugen zu wie die Mörder in Uniform, die die Männer, die Frauen und die Kinder in die Viehwaggons geprügelt hatten, die nach Osten abgingen. Mach die Augen zu, Betsy. Nicht mehr denken, nicht zurückschauen, auf nichts mehr hoffen, bloß am Leben bleiben. Das hast du deinem Mann versprochen. Wer Kinder hat, darf nicht aufgeben. Aufgeben ist Sünde.

Betsys Gedächtnis hatte Johann Isidor und die Kinder immer verblüfft. Vor allem Josepha hatte nicht glauben wollen, dass es mit rechten Dingen zuging, wenn sich Betsy an jede Nebensächlichkeit erinnerte. Josepha, die Stütze der Familie, die besorgte Glucke, die geliebte Vertraute war ja nur zwei Jahre älter als Betsy. Ohne ihr kleines schwarzes Notizbuch war sie jedoch schon als junge Frau verloren gewesen. Nie hatte sie sich merken können, welche Zeitung für den Hausherrn auf dem Frühstückstisch zu liegen hatte und welche im Salon; zu den lindgrünen Tassen mit dem Goldgitter hatte sie immer die falsche Kaffeekanne gestellt, und Betsys Schwestern in Pforzheim hatte sie meistens miteinander verwechselt. Erwin hatte Josepha immer geneckt. »Mach dir doch nichts draus, Josepha. Hauptsache, du achtest darauf, dass Vater nicht ›Die Gartenlaube‹ kriegt und wir nicht aus der Untertasse trinken müssen. Wir sind nämlich ganz feine Leute, musst du wissen. Wir lesen die Gartenlaube nur im Keller, wo uns keiner sieht, und wir trinken nie aus Untertassen.«

Ach, nur einmal wieder Erwins Scherze hören, ihm endlich sagen dürfen, wie leid es ihr tat, dass sie und sein Vater ihn zu streng behandelt und seinen wahren Charakter zu spät erkannt hatten. Noch am Tag vor seiner Deportation in den Osten hatte Johann Isidor davon gesprochen, wie sehr sich

Erwin immer um seine Geschwister und vor allem um Claudette gesorgt hatte. »Du hattest recht, Josepha«, leistete Betsy Abbitte, »Erwin war wirklich etwas Besonderes, aber seine schlaue Mutter war blind. Blind wie eine Fledermaus.«
Ob Josepha wohl den Krieg und die Bomben und die Angst überlebt hatte? Und wenn ja, wo? Am letzten Tag der Frankfurter Zeitrechnung, als sie in der Nacht zu den Sternbergs gekommen war, war sie eigensinnig wie immer gewesen. Sie hatte nicht wahrhaben wollen, dass es ein Abschied für immer sein würde, sie war nicht zu überzeugen gewesen, dass Palästina von Deutschland so fern und so unerreichbar war wie der Mond. Josepha Krause aus Bad Nauheim, die nie über die Stadtgrenze von Frankfurt hinausgekommen war, hatte nicht begriffen, dass sich für Johann Isidor, Betsy, Victoria und die beiden Kleinen die Hölle unmittelbar nach der Frankfurter Großmarkthalle auftun würde. »Nicht weinen, Josepha, nicht hier, nicht heute. Fanny und Salo wissen doch von nichts.« Vielleicht hatte Josepha, die nie aufgab, Kontakt zu Anna, die aus dem gleichen Holz geschnitzt war wie sie. Josepha, um Himmels willen, hören Sie auf zu hoffen. Wann werden Sie endlich begreifen, dass der liebe Gott Ihnen nicht einen Kopf gegeben hat, damit Sie mit ihm gegen Wände rennen?
Scham und Verzweiflung würgten Betsy. Weshalb hatte sie in Theresienstadt so selten an Josepha gedacht? Ihr Gesicht hatte sie nicht mehr sehen können, ihre Güte, ihren Mut und ihre Anhänglichkeit hatte sie vergessen. Josepha war es gewesen, die am Tag vor dem Judenboykott beim Bäcker einen Mohnzopf für den Sabbat bestellt hatte. Als wäre das eine Selbstverständlichkeit. Das vergessen wir Ihnen nie, Josepha! Hatte sie das gesagt oder Johann Isidor? Warum

hatte sie, Betsy Sternberg, von der jeder behauptete, sie hätte einen guten Charakter, ihre Gefühle vereist? Nur damit sie weiterleben konnte, hatte sie alle Liebe aus ihrem Herzen gerissen.

Schon war es Betsy nicht mehr gegenwärtig, dass es in Theresienstadt einem Todesurteil gleichkam, der Sehnsucht nach dem Gewesenen nachzugeben und sich um die zu sorgen, die man liebte. Wer im Lager schwach wurde und nur einen Moment vor der furchtbaren Gegenwart in sein früheres Leben floh, war so gut wie tot. Und trotzdem drängte es sie zur Rede, obwohl sie doch gelernt – und erlebt! – hatte, dass jedes Wort, das man zu Fremden sprach, ein Wort zu viel war.

»Josepha war unsere Köchin«, erklärte sie ihrer verängstigten Leidensgenossin. »Sie hat uns umsorgt wie eine Mutter ihre Kinder. Ich kann mir nicht vorstellen, dass sie es überstanden hat, niemanden mehr zu haben. Sie war vollkommen von uns abhängig. Aber wir auch von ihr. Ich glaube, mein Sohn Erwin hat mehr an ihr gehangen als an mir. Wenn er von der Schule kam, rief er nicht nach mir, sondern nach Josepha. Schon auf der Treppe! Ich hab mich immer geärgert.«

Die Frau zog die Decke höher. Nur ihr Vogelkopf war noch zu sehen, die spitze weiße Nase und die toten Augen. Einen Moment belebte ein ablehnender, mürrischer Zug ihr ausdrucksloses Gesicht. »Ich hab immer selbst gekocht«, unterbrach sie Betsy in scharfem Ton. »Meinem Mann hätte es bei keiner anderen Frau geschmeckt. Weiß Gott nicht! Er konnte es ja noch nicht einmal leiden, wenn seine Mutter den gefilte Fisch für den Freitagabend gemacht hat. Dann hat er immer gesagt, bei der Mama schmeckt der Fisch wie Pappe. Pappe mit Zucker. Mein Arthur wusste ge-

nau, was er wollte. Er hätte mit jeder Köchin kurzen Prozess gemacht, die ich angebracht hätte. Dabei hätten wir uns spielend eine leisten können. Ja, das hätten wir!«
Betsy spürte den Vorwurf. Sie hatte das Bedürfnis, die Unterhaltung ungeschehen zu machen, doch sie kannte sich nicht mehr aus mit den gesellschaftlichen Gepflogenheiten des bürgerlichen Lebens; sie hatte keine Ahnung, wie eine, die sich blamiert hatte, ihre Verlegenheit kaschierte. »Ach«, sagte Betsy. Nach einer Weile fragte sie, obgleich sie keine Antwort erwartete: »Warum?«
Zum wiederholten Mal machte sie sich klar, wie aberwitzig und peinigend es sein würde, nach Frankfurt zurückzukehren und so zu tun, als freue man sich auf einen Neuanfang. Vielleicht mit weißen Tischtüchern, Messerbänkchen und Mokkatassen? Wer hatte die Witwe Sternberg, deren Mann, Tochter und Enkelkind wie Postpakete zum Sterben in den Osten verschickt worden waren, überhaupt gefragt, ob sie wieder in Frankfurt leben wollte? Und wenn sie jemand gefragt hätte, was hätte sie antworten sollen? Danke sehr, Sie sind ja so gut zu mir, ich brenne nämlich darauf, wieder in Frankfurt zu leben und so zu tun, als sei nichts geschehen und als wäre ich nie weg gewesen? Können Sie mir sagen, wie ich wieder an meine Familie und an mein Haus komme, an meine Möbel und an das Tafelsilber von meiner Großmutter?
»Der alte Herr mit dem langen weißen Bart, der ganz hinten im Bus sitzt, hat mir gestern Abend erzählt, der Bürgermeister persönlich hätte den Befehl gegeben, die Frankfurter Juden aus Theresienstadt zurückzuholen«, erzählte Betsy.
»Und das glauben Sie?«, wunderte sich die Frau unter der Decke. »Der werte Herr Bürgermeister hätte lieber dafür

sorgen sollen, dass man uns gar nicht erst nicht deportiert. Krebs hieß der Kerl. Das weiß ich genau. Ich hab mir seinen Namen die ganzen Jahre gemerkt. Die ganze Zeit.«

»Vielleicht haben sie jetzt einen anderen Bürgermeister. Jedenfalls habe ich mir das Ganze hier mit einem neuen Bürgermeister erklärt. Vielleicht ist das einer, der zeigen will, dass er kein Nazi war. Mein Gott, der Main«, entfuhr es Betsy. »Das muss er sein. Ja, das ist er. Bestimmt!«

Sämtliche Frankfurter Brücken waren in den letzten Kriegstagen von den Deutschen gesprengt worden. Nur eine vom amerikanischen Militär errichtete Pontonbrücke verband die beiden Flussufer, die Häuser auf der Frankfurter Seite waren Ruinen, und doch erschien das Stadtbild Betsy vertraut. Ihre Augen brannten. Sie spürte Wärme in ihren Gliedern und gleichzeitig einen Trotz, den sie nicht zu deuten vermochte, der ihr jedoch nicht unangenehm war. Durfte das sein? War es nicht Verrat an den Toten, sich an das Gute in Frankfurt zu erinnern? Mochten der Fluss und der Himmel über ihm, das Gras am Ufer und die Bäume noch die gleichen sein wie in den Tagen der Fülle, Betsy empfand es als Verpflichtung, sich nicht mehr an Schönheit zu freuen. Schönheit war nur für die Lebenden. Bedeutete denn das bloße Fehlen von Angst bereits Sicherheit oder gar neue Geborgenheit? Tote brauchten keine Geborgenheit mehr, und sie, Betsy Sternberg, für die Frankfurt Heimat gewesen war, war tot.

»Ganz tief atmen«, ermahnte sich Betsy, »nicht bewegen, wenn es geschieht. Bloß nicht nach Gott rufen und auf sich aufmerksam machen. Gott ist tot.«

Ihre Stimme trommelte in den Ohren, sie machte sich zu der letzten Reise bereit, doch der Tod schritt an ihr vorbei. Genau wie damals. Benommen starrte Betsy auf den Main.

Gleißendes Licht quälte ihre Augen, und doch war sie wieder die junge und wohlhabende, die respektierte Madame Sternberg – mit Köchin und Kindermädchen und einer purpurnen Federboa. Mit den Zwillingen ging sie im Nizza am Main spazieren, aber die Kinder liefen weg, und sie wusste nicht, wo sie sie suchen sollte. Immer wieder rief Betsy nach Clara und Erwin. Die ewig Ungehorsamen saßen hinter einem Baum mit mächtigem Stamm, bewarfen Spaziergänger und Hunde mit Nussschalen und schnitten furchterregende Grimassen. Nur die Kinder reicher Leute wagten es, so unverschämt zu sein. »Jetzt ist genug«, warnte Betsy.
»Genug von was?«, fragte Clara.
Aus dem Nebel der Erinnerungen tauchten alte Ansichtskarten auf. Sie zeigten Aufnahmen vom Dom und dem Römer, die alten Häuser in Sachsenhausen, Bembeln und Bretzeln. Immer stand »Grüße aus der Heimat« in Sütterlinschrift auf der Vorderseite. Wunderbare schneeweiße Möwen flogen in einen meerblauen Himmel.
»Friedenstauben«, freute sich Betsy.
»Nebbich, Friedenstauben«, antwortete Johann Isidor. »Frieden wird es nicht mehr geben. Nicht für uns.«
»Woher willst du das wissen? Es kann doch nur noch besser werden.«
»Wenn sich Gnädigste da mal nicht täuschen. Es wird nie besser.«
Als ihr Mann das sagte, tauchte das Gesicht von seinem Kompagnon im Postkartenverlag auf – Pius Ehrlich baute sich vor Betsy auf und erklärte, er hätte keine Veranlassung, sich zu verstecken. »Nicht die geringste«, sagte er zwei Mal hintereinander. Er hielt den Kopf hoch und lächelte, aber Betsy ließ sich nicht täuschen. Von Pius Ehrlich schon gar

nicht. Er hatte noch vor dem Brand der Synagogen zwei von den drei Sternberg'schen Grundstücken an sich gerissen. Wahrscheinlich, beschuldigte sie ihn, auch die Posamenterie in der Hasengasse und die Rothschildallee 9.
»Pius Ehrlich«, schrie sie. Ihre Stimme war unerträglich laut. Ihre Kehle verbrannte und dann ihr Körper. Sie versuchte, sich mit den Armen zu schützen, aber die Flammen loderten weiter. Sie rief nach denen, die nie mehr kommen würden.
»Wie kommen Sie bloß auf so ein totes Wort? Ehrlich. Ehrlich waren die Deutschen von Anfang an nicht«, empörte sich ein älterer Mann. Er saß hinter dem Fahrer, schüttelte seinen kleinen Kopf und bedrohte Betsy mit einer Faust, die schneeweiß war und nicht größer als die eines zehnjährigen Kindes. »Ehrlich«, schnaufte er, »du meine Güte. Sagen Sie nur, das Wort bedeutet Ihnen noch was. Wo haben Sie denn die letzten Jahre verbracht? Im Sanatorium? Das ist gut, Sanatorium Theresienstadt. Das muss ich mir merken.«
»Ich wollte Sie nicht kränken«, stammelte Betsy, »wirklich nicht. Das kam mir wahrhaftig nicht in den Sinn. Das hab ich nicht so gemeint. Es war alles ganz anders. Ich kann es auch nicht erklären.«
Sie glaubte, den Frankfurter Dom zu sehen. Trotz der Hitze im Bus wurden ihre Finger winterklamm. »Das kann doch gar nicht sein«, murmelte sie, »der Dom ist bestimmt nicht davongekommen. Gott schützt seine Häuser nicht. Die brennenden Synagogen hat er ja auch nicht gelöscht.«
Betsy Sternberg, die ja nun wieder mit ihrem Namen angeredet wurde und nach deren Befinden sich fremde Menschen so regelmäßig und aufmerksam erkundigten, als sei es in Deutschland eine amtliche Verfügung, sich für den kör-

perlichen und seelischen Zustand von Überlebenden aus den Konzentrationslagern zu interessieren, wähnte ein paar Minuten später, sie hätte das Opernhaus erblickt. Sie zermarterte ihr Gedächtnis, ob die Oper für die Familie Sternberg irgendeine Bedeutung gehabt hatte. War das Haus freundlich gewesen, anheimelnd, schön? Ihr erschien es, als würde sie gegen Berge und Mauern laufen, nichts mehr hören und immerzu graue Nebelgestalten sehen, die sie verhöhnten und mit schwarzen Stiefeln nach ihr traten. Und doch erinnerte sie sich, dass eine Aufführung in der Oper für die Familie Sternberg fester Bestandteil des Lebens gewesen war, ebenso das Treffen mit Freunden im Café, Theater und Kino. Und an den Feiertagen die Synagoge, erinnerte sich Betsy. Sie hatte auch nicht vergessen, dass die Synagoge in der Börnestraße niedergebrannt war, ebenso die in der Friedberger Anlage und wahrscheinlich alle anderen auch. Ob es in Frankfurt überhaupt noch eine Synagoge gab? »Wenn man uns nach Frankfurt zurückholt, braucht man doch auch eine Synagoge«, sagte sie zu ihrer Mitfahrerin.
»Sie haben Sorgen!«, brummte die Frau.
Betsy rieb ihre Augen, bis sie nichts als kleine farbige Punkte in einer schwarzen Fläche sah, doch nicht eine einzige Träne erlöste sie. Sic schämte sich, dass der Gedanke an Tränen ihr überhaupt gekommen war. Eine Frau, deren Mann ermordet worden war, eine Mutter, deren Tochter nicht hatte leben dürfen, eine Großmutter, die keine Hand gerührt hatte, um ihren Enkelsohn ins Leben zurückzuziehen, die weinte nicht mehr.
»Er war doch ein Kind«, sagte sie, »ein Kind darf keiner in den Tod schicken.«
Betsy fiel auf, dass ihr Gesicht sich in den Scheiben des Bus-

ses spiegelte, aber sie mochte der Frau, die ihr begegnete, nicht in die Augen schauen. Das Bewusstsein, dass ihr Leben eines ohne Besitz und ohne Erwartung geworden war, lähmte sie. Noch nicht einmal das verwaschene rosa Unterhemd mit den geflickten Trägern, das sie seit der Abfahrt von Theresienstadt trug, gehörte ihr. Sie strich den Rock glatt. Der bedeckte kaum ihre Knie, war novembergrau und aus grobem Stoff, schlotterte um ihren mageren Körper und war für den Sommer viel zu warm. Zum Rock trug sie eine langärmelige weiße Bluse mit kleinen schwarzen Punkten und üppigen Rüschen auf der Brust. Der Rüschenbluse war anzusehen, dass sie aus einem auf Repräsentieren eingestellten Haus stammte. Der Winterrock und ein Büstenhalter, gedacht für eine Frau, die nicht jahrelang Hunger gelitten und dreißig Pfund abgenommen hatte, das Unterhemd und eine olivfarbene Männerunterhose waren Betsy zusammen mit einem braunen Häkelschal, sehr derben Schnürschuhen, die ihr eine Nummer zu groß waren, und zwei linken Handschuhen am Morgen der Abfahrt übergeben worden. Die Kleidungsstücke, in braunes Papier verpackt, waren mit der Aufschrift »Property of the US Army« versehen gewesen.
Das graue Kleid und die Sandalen mit durchgelaufenen Sohlen, die sie noch am Tag der Befreiung von einer Rotkreuzhelferin erhalten hatte, waren Betsy von einer jungen Frau in amerikanischer Uniform abgenommen worden. Die Uniformierte hatte wegen des bestehenden Fraternisierungsverbots der amerikanischen Armee mit keiner Frau geredet, die Deutsch sprach, jedoch durch Kopfschütteln und Fluchen ihr Mitleid bekundet. Unmittelbar vor der Abfahrt des Busses hatte die Soldatin einer verstummten, zahnlosen Greisin und Betsy Zigaretten, einen Schokola-

denriegel mit der Aufschrift »Hersheys«, ein Päckchen Kaugummi und eine Kerze in die Hand gedrückt.
Betsy war zu erschöpft, um sich Gedanken zu machen, wohin der Kaugummi und die Kerze geraten waren. Hauptsache, es gelang keinem, ihr die Zigaretten abzunehmen, die sie unter ihr Unterhemd geklemmt hatte. Zigaretten waren Währung. Für Zigaretten konnte ein Mensch Brot kaufen – Butter, Fleisch und Medikamente, sogar Leben! Erwin, wenn du noch ein einziges Mal auf dem Speicher rauchst, dann sag ich's Vater. Wenn du schon keine Rücksicht auf deine Gesundheit nimmst, dann zünde deinen Geschwistern wenigstens nicht das Haus über dem Kopf an.
Die Kinder spielten im Wohnzimmer. Victoria mit Ottos Zinnsoldaten. Johann Isidor las die »Frankfurter Zeitung« und sagte, in Frankfurt würde den Juden nichts Böses geschehen. Frankfurt wüsste ja, was es seinen jüdischen Bürgern zu verdanken hatte. »Ja«, stimmte ihm Betsy zu. Sie setzte sich ans Klavier, und Josepha brachte einen Krug Himbeerlimonade. »Trink deinen Schwestern nicht alles weg, Erwin. Im Leben muss es gerecht zugehen.«
Es war das erste Mal seit der Abfahrt, dass Betsy die Kraft der Bilder genoss. Sie wagte sogar, die Sabbatkerzen anzuzünden. Josepha im schwarzen Kleid und mit weißer Schürze brachte die Suppenterrine herein. Spiel nicht mit dem Messer, Fanny. Du willst doch eine Dame werden.
»Ich will nicht mehr«, schrie Betsy, »nie mehr.« Sie legte ihre Hände um den Hals und schwor dem Gott, dem sie zürnte, nie wieder den Weg zurückzugehen, sich nicht mehr auf schöne Bilder einzulassen, nicht auf Mozart und nicht auf Kinderlachen. Es war zu spät. Der Tod trug Feuer. Er grinste und winkte ihr zu. Mit großen Stichen nähte er den gelben Stern auf Fannys schwarzen Mantel. Einer

Frau von dreiundsiebzig Jahren stehen keine Türen mehr offen, entschied er.
Betsy begriff die Höllenbotschaft: Sie hatte sich selbst überlebt. Es war eine Tote, die nach Frankfurt zurückreiste. Ihre Arme wurden streif, die Beine auch, schließlich war der Druck im Kopf so gewaltig, dass sie nicht mehr sehen und hören konnte. Da erst rief sie um Hilfe. Ihre Stimme war laut wie die eines Mannes, doch keiner kam. Nicht der freundliche Fahrer mit dem Bubengesicht, nicht Josepha, die doch immer herbeigestürzt war, wenn einer der Ihren in Not war. Johann Isidor schaute die Frau, mit der er fast fünfzig Jahre verheiratet gewesen war, noch nicht einmal an. »Es ist eine Sünde, Tote zu wecken«, monierte er.
Betsy empfand kein Bedauern, als sie erkannte, dass Gott dabei war, seinen Entschluss zu revidieren, sie zu retten. Sie brauchte nicht mehr zu leben, war endlich auf dem Weg, den sie schon so lange hatte gehen wollen. Betsy wollte sich vom Fahrer verabschieden, wollte ihm genau erklären, wo ihre Zigaretten steckten und dass sie die zwei linken Handschuhe nicht mehr brauchen würde, aber sie kam nicht mehr dazu, aufzustehen und nach vorn zu gehen. Pat, der unbekümmerte Steuermann, drückte in voller Fahrt auf die Bremse.
Der Bus hatte in einem eingezäunten Gebiet angehalten. Zwei bewaffnete Männer in amerikanischer Uniform öffneten ein Tor. Die Häuser dahinter waren unversehrt, Fenster mit vergilbten Gardinen standen offen. Die Haustüren waren grün angestrichen. Eine Männerunterhose hing auf einer Leine. Nirgends waren Menschen zu sehen. Auf einem Rasenstück stand ein gelb angestrichener Stuhl. Pat zog seine Jacke an, setzte die Mütze auf und stieg kauend aus dem Bus. Er sagte: »Ho!«, schüttelte pfeifend die Star-

re aus seinen Armen und schlang sie um den Bauch. Drei junge Soldaten und zwei Krankenschwestern, die eine Trage schoben, liefen auf den Bus zu. Ein grauhaariger Offizier, Orden auf der Brust und Dokumente und einen Stempel in der Hand, riss die vordere Tür auf. »Attention!«, brüllte er. »Sitzen bleiben!« Er verteilte einen eng bedruckten Bogen Papier an alle, erläuterte »Militärregierung« und fluchte. »Die Militärwachen«, las er vor, »haben Befehl erhalten, auf alle Personen zu schießen, die während der Ausgangsbeschränkung außerhalb ihrer Häuser gesehen werden und sich zu verbergen oder zu entkommen versuchen.«
Ehe der Offizier fertig gelesen hatte, begriff Betsy, wie dringend es war, umgehend klarzustellen, dass sie in Frankfurt weder ein Haus hatte, das sie zur falschen Zeit verlassen würde, noch dass es sie verlangte, irgendwohin zu entkommen oder sich zu verbergen. Sie hob den rechten Arm, um sich zu Wort zu melden. Zu ihrer Verblüffung erinnerte sie sich an das englische Wort für bitte, und obgleich sie der Offizier nicht anschaute, hauchte sie schüchtern »Please«. Es war der Moment, in dem ihr aufging, was ihr widerfahren war.
Sie starrte auf den hohen Stacheldrahtzaun. Keinen Moment bezweifelte sie, dass der ahnungslose Pat, der Österreich mit Australien verwechselte, gar nicht nach Frankfurt gefahren war, sondern zurück in die Hölle, zurück nach Theresienstadt. Weil sie jedoch ohne Angst war, gelang es Betsy, dem Gewehrfeuer der Torwachen zu entkommen. Erleichtert glitt sie in die große Dunkelheit.
»Arme alte Haut«, sagte die ältere der beiden Krankenschwestern, als die Bewusstlose endlich auf der Trage lag. »Übersteht das Konzentrationslager und hat nichts mehr davon.«

»Aber sie atmet doch.«
»Keine Stunde mehr. Das sehe ich. Auf mich kannst du dich verlassen, meine Liebe. Mein alter Chef hat immer gesagt, Schwester Nancy kann den Tod riechen.«

4

Weisse Weste und Speck

Herbst 1945

So einig wie im Herbst 1945 waren sich die Deutschen zwölf Jahre lang nicht gewesen: Den Frieden hatte man sich anders vorgestellt. »Ganz anders«, schniefte Gudrun Schmand, noch vor einem Jahr als Ehefrau des gefürchteten Blockwarts Willibald der Schrecken des Hauses Thüringer Straße 11. Wann immer von der deutschen Gegenwart die Rede war, verdüsterte ein leidender, beleidigter Zug Frau Schmands Mund. Sie trug keine bayerischen Janker mehr, die ihre stramm-germanische Figur betonten, und keine offenherzigen Dirndlblusen; sie kleidete sich in graue Kattunröcke und dunkle, grob gestrickte Pullover, die alle zwei Nummern zu groß waren. Seit Deutschlands finaler Niederlage hatte sie dreizehn Pfund an Gewicht, den Glauben an die Gerechtigkeit und große Teile ihres Gedächtnisses verloren.

Gudrun Schmand konnte sich nur mit Mühe erinnern, dass zwölf Jahre lang Adolf Hitler der wichtigste Mann in ihrem Leben gewesen war, und schon gar nicht war ihr noch gegenwärtig, dass sie am 24. März 1944 morgens um sieben wutschnaubend zur Polizei gehetzt war, um die Witwe Amalia König wegen »volksschädigender Auslassungen« anzuzeigen. Frau König, deren einziges Kind, ein Pastor, den Kampf um Stalingrad nicht überlebt und die Geburt seines ersten Sohns nicht erlebt hatte, hatte im Luftschutzkeller gesagt, die furchtbaren Luftangriffe auf die deutsche Zivilbevölkerung wären »doch nichts anderes als Gottes Strafe für die Bomben, die die Deutschen auf Coventry« geworfen hätten.

Vollkommen vergessen hatte Frau Schmand, dass sie ihren Willibald buchstäblich in den letzten Lebenstagen des Dritten Reichs getriezt hatte, er solle »ein ganzer Mann sein und rauskriegen, was es mit dem fremden Balg« auf sich hätte, das seit fast vier Jahren bei der Familie Dietz lebte »und mich immer so anglotzt, als hätte es gerade eine Ohrfeige bekommen«. In dieser Beziehung war es zu entscheidenden Veränderungen gekommen. Nach dem Einmarsch der Amerikaner in Frankfurt war es nämlich Frau Schmand, die verschreckt reagierte, wenn sie im Hausflur dem »Balg« begegnete. Bereits zu Beginn des Herbstes war sie jedoch schon wieder in alter Form. Sie hätte noch einen teuren, nie getragenen Pullover von ihrem Eberhardt im Schrank, sagte sie zu Fanny. Den wollte sie raussuchen und sehen, »ob er dir passt, mein Kind. Meinem guten Eberhardt wäre das bestimmt recht gewesen. Der Junge war ja immer darauf aus, anderen eine Freude zu machen.«

Fanny wusste es anders. Bei seinem letzten Heimaturlaub hatte Eberhardt auf der dunklen Kellertreppe nach ihrer Brust gegriffen. Sie hatte erschrocken aufgeschrien, der junge Schmand nach ihr getreten und »Stell dich bloß nicht so an, du Zigeunerzicke« gebrüllt.

Frau Schmands neue Vertraulichkeit ängstigte Fanny – noch mehr als die frühere Feindseligkeit. Entsetzt fragte sie Anna, ob sie denn wirklich einen Pullover von Frau Schmands Sohn würde tragen müssen.

»Du musst gar nichts«, sagte Anna. »Müssen ist vorbei. Ein

für alle Mal vorbei.« Sie drückte Vickys Tochter an sich und flehte dabei schweigend um das Wunder, an das sie längst nicht mehr glaubte. Seit Kriegsende war Hans vier Mal auf dem Einwohnermeldeamt gewesen, um nach der Familie Sternberg zu forschen, jedoch hatte er nicht einmal erfahren können, wohin Johann Isidor, Betsy, Victoria und Salo deportiert worden waren. Bisher hatte es auch nichts genutzt, dass im Hause Dietz noch die Amsterdamer Anschrift von Fannys Vater vom Juni 1939 bekannt war. Der Postverkehr ins Ausland war noch nicht aufgenommen worden, und augenscheinlich hatte Fritz Feuereisen nicht probiert, über die üblichen Suchdienste seine Familie zu finden.

»Als Rechtsanwalt hätte er ja gewusst, wie man mit Ämtern umgeht«, sagte Anna.

Hans sprach aus, was beide fürchteten. »Von den Juden, die in Holland wohnten, als die Wehrmacht dort einmarschiert ist, dürften die wenigsten davongekommen sein. Auch wenn es im Land eine ganz andere Widerstandsbewegung gegeben hat als bei uns, hatten sie verdammt wenig Chancen.«

Fanny erwähnte ihre Eltern nie, doch sie schien zu spüren, dass ihre Mutter und ihr Bruder tot waren. Anna sah sie oft mit dem alten Schulatlas am Fenster sitzen und ins Leere starren. Immer war es die Karte von Holland, die sie aufgeschlagen hatte. Im September, um die Zeit der hohen jüdischen Feiertage, fragte sie schließlich, ob man schon von Amsterdam nach Frankfurt reisen könne.

»Wie erklärt man einem Kind, was man keinem Erwachsenen erklären kann?«, fragte Hans.

»Fanny ist kein Kind«, wusste Anna, »schon lange nicht. Ich bin ganz sicher, dass sie Bescheid weiß.«

»Da weiß sie mehr als die meisten unserer verehrten Landsleute. Oder kennst du jemanden, der gewusst hat, dass es in diesem Land die Gestapo und Konzentrationslager gab? Und Menschen, die mit einem gelben Stern gebrandmarkt und durch die Straßen getrieben wurden und die seitdem verschwunden sind?«

Die besiegten Deutschen stellten keine Fragen. Die Mehrheit war damit beschäftigt, ihre Vergangenheit so gründlich umzufärben wie die ausgedienten Militärmäntel und Uniformjacken, aus denen die Wintermode 1945 geschneidert wurde. Von der Hitlerzeit wurde nicht laut gesprochen, Lebensläufe wurden dreist umgeschrieben, freiwillig hatte keiner »mitgemacht«. Von Anfang an hatte man gewusst, dass »das mit den Nazis kein gutes Ende nehmen« würde. Kirchgänger und Atheisten waren sich endlich einig: Gottes Mühlen mahlten »langsam, aber gerecht«. Zwei Sätze waren typisch für die neue Zeit: »Das hat der Führer bestimmt nicht gewusst«, sagten die, die nicht zu glauben vermochten, was sie hörten. »Die Autobahnen macht ihm aber keiner nach«, wussten die Getreuen.

»Wer seine Hände in Unschuld wäscht, spart Seife«, befand Hans, als Frau Schmand ihn beim Fegen der Straße abfing und umgehend über ihre einwandfreie politische Vergangenheit referieren wollte.

»Ich hab damals sofort gewusst, dass mit Ihrer Fanny nicht alles koscher war, Herr Dietz«, konterte die mutige Besenschwenkerin, »aber zum Glück hat unsereiner ja gelernt wegzuschauen. Was habe ich alles gesehen und gehört. Und für mich behalten. Darauf bin ich richtig stolz.«

»Das können Sie auch sein, Frau Schmand. Ich hab schon damals zu meiner Frau gesagt, Leute wie Sie braucht das Land.«

Bei der Tasse Muckefuck, die sich die Eheleute Schmand

zum Abendessen gönnten, beklagte sich Frau Gudrun erbittert: »Dass ich jetzt so einen Mistkerl behandeln muss, als wäre er einer von uns! Wenn man bedenkt, dass sich der ehrenhafte Herr Dietz und seine Sippschaft vor einem Jahr noch in die Ecke verpisst haben, wenn ich einen von ihnen nur scharf angeschaut habe, könnte ich verrückt werden.«
»Scharf anschauen ist nicht mehr«, wusste Willibald. »Jetzt sind wir es, die scharf angeschaut werden. Die Blockwarte hat es ganz übel getroffen. Wir sind die bösen Buben der Nation. Jedes Wort müssen wir auf die Goldwaage legen. Jedes verdammte Wort.«
Trotz der Last mit der eigenen Biografie erschien es den Betroffenen immer noch einfacher, an eine saubere Weste als an einen Laib Brot zu kommen. Für die weiße Weste brauchten die, die auf amerikanischen Behörden und deutschen Ämtern ihre makellose Vergangenheit belegten, lediglich Fantasie, Unerschrockenheit und die Unverfrorenheit, an die eigenen Lügen zu glauben. Dass jedoch im Frieden, um den die Menschen so inbrünstig gebetet hatten, der Hunger ganz Deutschland würgen würde, hatten sich weder die Guten noch die Bösen, nicht die Frommen und nicht die Gottlosen vorgestellt. »Es gibt in Deutschland nur noch Mangel, aber davon jede Menge«, war die gängige Erkenntnis. Fanny kam nach zwei Stunden Schlangestehen ohne Brot und ohne Mehl vom Bäcker nach Hause, jedoch mit dem neuesten Witz. »Ab sofort gibt es Henkersmahlzeiten nur noch auf Lebensmittelkarten«, erzählte sie. Vor der Rossschlachterei in der unteren Berger Straße standen die Menschen stundenlang bei Sturm und Regen für ein Pfund Pferdefleisch Schlange, doch gingen die meisten leer aus. Die auf den Karten vorgesehenen Zuteilungen gelangten so gut wie nie in die Geschäfte; an vielen Ladentü-

ren klebten Pappschilder mit der Aufschrift »Keine Ware«. Bei einem Metzger im Sandweg lag nur eine Silberschale mit einem Porzellanschwein auf der Verkaufstheke, der nächste mahnte: »Lassen Sie Ihre Fleischmarken nicht verfallen. Für hundert Gramm Fleischmarken gibt es hier vierzig Gramm Zucker.« Viele Geschäfte mussten über zerfallene Stiegen erreicht werden, die Fenster waren ohne Glas. Wer Kartoffeln für die Suppe und Milch für sein Kind, Holz für den Küchenherd, Schuhsohlen, Windeln, Nähgarn oder Medikamente brauchte, dem blieb nur der Schwarzmarkt. Dort kostete ein Pfund Butter zwischen zweihundertfünfzig und dreihundertundzwanzig Reichsmark, für einen Zentner Kartoffeln wurden bis zu achthundert Mark verlangt und für ein Pfund Speck zweihundert. Bohnenkaffee und amerikanische Zigaretten waren die stärkste Währung. Eine einzige »Lucky Strike« kostete auf dem Schwarzmarkt sieben Mark und fünfzig – preiswerter waren Zigaretten für junge blonde Frauen, von den amerikanischen Soldaten »Frollein« oder »Veronika« gerufen und mit Schokolade und Nylonstrümpfen bedacht. Die »Frolleins« mit den feuerroten Lippen lehnten kein sättigendes Angebot ab. Ihre Moral war ebenso flexibel wie ihre Hüften.

Allerdings waren im Herbst 1945 für die Frauen in Deutschland – auch für diejenigen, die zwölf Jahre lang ihrem Führer Treue bis in den Tod geschworen hatten – weder das Vaterland noch die deutsche Ehre ein Thema. Deutschlands Frauen kämpften nur noch gegen den Hunger. Aus Eicheln kochten sie Kaffee, aus Brennnesseln Suppe und aus den Ebereschen, die in Parks und am Straßenrand wuchsen, machten sie Marmelade – mit Süßstoff, Quellmittel und künstlichem Zitronenaroma. Mütter riffelten alte Pullover auf, um für ihre Kinder Winterkleidung zu stricken, aus Gardinen schneiderten sie Röcke und aus Tischdecken Kommunionskleider. Für die Töchter im Backfischalter strickten sie aus Zuckersäcken weiße Kniestrümpfe, und aus den Anzügen ihrer gefallenen Ehemänner nähten sie Konfirmationsanzüge für ihre Söhne. Sie weinten nur, wenn sie keiner sah, und beim Schlangestehen sagten sie, dass »es im Krieg längst nicht so schlimm war wie jetzt«. In der Küche wurden Steckrüben zu Rosinen, Konfekt und Hustensaft. Es gab Steckrübenpuffer, Steckrübenkaffee, Steckrübentabak und Rübenbonbons. Zu neuer Ehre kam das alte Kinderlied »Die Rüben, die Rüben, die haben mich vertrieben. Hätt die Mutter Fleisch gekocht, dann wäre ich geblieben.«

In den Zügen standen kriegsversehrte Hamsterer und feine ältere Damen auf den Puffern, die Mutigsten klammerten sich auf den Dächern fest. Mit ihren nutzlos gewordenen Schätzen fuhren hungernde Städter aufs Land, um Tafelsilber, Teppiche und Leuchter, ihren Schmuck, ihren Stolz und die Tradition von Generationen gegen Milch, Speck, Eier, Gemüse und Butter einzutauschen. Geschichten von Bauern, die ihre Kuhställe mit Perserteppichen auslegten und ihr Bier aus Kristallrömern tranken, machten die Runde. Aus Stahlhelmen wurden Töpfe und Siebe, aus Drahtresten Sicherheitsnadeln und aus den Befehlsgebern der Kriegszeit jammernde Normalverbraucher mit verdrossenem Gesicht.

Die Sieger saßen in Jeeps und winkten von offenen Armeefahrzeugen herunter. Sie trugen ihr Haar bürstenkurz, waren wohlgenährt und sahen aus wie Schulbuben. Ihre Zigaretten rauchten sie meistens nur zur Hälfte, den Rest warfen sie auf die Straße und lachten sehr, wenn die Besiegten in die Knie gingen und sich um die Beute balgten. Amerikas bestaunte Soldaten nannten die bunten Heftchen, die sie immerzu lasen, Comics. Deutschlands Kindern brachten sie auch das lange Wort »chewing gum« und das Wörtchen »fuck« bei. Noch mehr als von den Blondinen im Feindesland waren die jungen Löwen von den Preisen begeistert. »Für einen Mann mit Dollar in der Tasche sind sie unvorstellbar niedrig. Mit einer Stange Camel kann ich mir ganz Deutschland kaufen. Ich hab schon damit begonnen«, schrieben Tom, Sam und Jim nach Hause.

Für die Frankfurter und ebenso im übrigen Deutschland waren Strom und Gas rationiert, lebenswichtige Medikamente nicht zu bekommen. Es gab auch nicht genug Krankenhausbetten, zu wenig Ärzte und in den Apotheken leere Schränke und Regale. Die Bänke und Kinderschaukeln aus Parks und Grünanlagen waren längst zu Kleinholz gehackt. Trümmergrundstücke – lebensgefährlich und ständiger Anlass zu Müttersorge – waren die beliebtesten Spielplätze. Zur Schule mussten die Kinder nicht. Selbst jene Schulen, die den Bombenkrieg überstanden hatten, waren noch geschlossen – die Schulbücher waren nicht geeignet, um die deutsche Jugend zu der von den Amerikanern befohlenen Freiheit, Toleranz und Demokratie zu erziehen. Vor allem gab es zu wenig Lehrerinnen und erst recht kaum Lehrer, die nicht mit vollem Einsatz dem Hitler-Regime gedient hatten. Nun waren sie »Belastete« und somit untauglich für den Schuldienst.

Männer und Frauen waren zur Trümmerbeseitigung abkommandiert. Kinder mit Hungerödemen wühlten in Mülltonnen nach Essensresten. Die meisten der Überlebenskämpfer in kurzen Hosen waren ohne Vater aufgewachsen und fühlten sich als Beschützer von Mutter und Geschwistern. Sie waren Meister im Stehlen und Tauschen und scheuten weder Verbote noch Gefahren; sie enterten das Sperrgebiet der Amerikaner, lungerten um Küchen und Kantinen herum und kamen mit Lebensmitteln nach Hause, die ihre Mütter noch nie gesehen hatten. Zu Tode erschöpfte Flüchtlinge aus dem Osten strömten in die Stadt, vergrößerten die Wohnungsnot und verschlimmerten die furchtbare Ernährungslage. Es gab Krankheiten wie im Mittelalter. Auch feine Leute hatten Läuse, und jeder hatte Angst vor dem Hunger in der Nacht.

Ehemänner, Väter und Söhne, die Brüder und die Verlobten kehrten nicht aus dem Krieg zurück. Wer es gut getroffen hatte, war in westliche Kriegsgefangenschaft geraten, war nach Amerika, England oder Frankreich gebracht worden. Die meisten Kriegsgefangenen der Westmächte durften jedoch im ausgebluteten Deutschland hungern. Von den deutschen Soldaten in den Sowjetlagern kam noch nicht einmal ein Lebenszeichen. In Deutschland gab man der Demokratie die Schuld an der Misere. »Sie hat uns nichts gebracht außer Kalorien und Stromsperre«, diagnostizierten die Verbitterten und Unbelehrbaren, und sie beklagten das Unrecht, das dem deutschen Volk widerfahren wäre. Frau Schmand sprach für die ganze Nation, als sie Anna erklärte: »Wir haben doch immer nur getan, was man uns befohlen hat. Und nun gibt man uns die ganze Schuld.« Das sagte die Frau des Ex-Blockwarts auch am 5. September 1945. Das Gespräch fand im Hausflur statt. Frau Schmand, in gelb-schwarz geblümter Kittelschürze und mit grauem Kopftuch, hatte einen braunen Glasfiberkoffer in ihrer Rechten und das Fläschen mit Baldriantopfen, das sie seit dem Einmarsch der Amerikaner stets bei sich trug, in der Schürzentasche. Willibald und Gudrun Schmand befanden sich im Umzug.

Als der Frieden auf sie niedergekommen war, waren sie zunächst unbehelligt geblieben und auch überzeugt, ihre exponierte Vergangenheit würde keine Folgen für ihre Zukunft haben. Am letzten Tag vom August erhielten die Schmands jedoch den Befehl, ihre Wohnung »unverzüglich, spätestens in den nächsten fünf Tagen« zu räumen. »Küchenherd, sämtliche Heizöfen, der Badezimmerofen, Waschbecken und Badewanne sind zurückzulassen«, war vom Frankfurter Wohnungsamt angeordnet worden. Dem Ehepaar, das so lange das Kommando hatte führen dürfen, wurde die kleinste der vier Mansardenstuben zugewiesen. Bis Kriegsende hatte der Raum als Hort für Wurstdosen, Mehl und Reis, Kleiderstoffe, Wäsche und Haushaltsgeräte gedient – alles Beutegut, das Willibald Schmand im Laufe der Jahre bei Versteigerungen von ehemals jüdischem Besitz ergattert hatte. »Legal erworben«, pflegte er nach Kriegsende hervorzuheben, wenn er sich unter Gleichgesinnten befand und die Ungerechtigkeit anprangerte, die pflichttreuen Männern wie ihm widerfahren war. Allerdings sprach er selbst mit Vertrauten nicht von den silbernen Leuchtern und den zwei Ölbildern, die unmittelbar nach der Pogromnacht im November 1938 in seinen Besitz gekommen waren.

Die ehemalige Vierzimmerwohnung der Schmands – Benutzung des Vorgartens eingeschlossen – lag im Parterre; die jüdische Familie Wolfsohn hatte die Räume ja im Juni 1939 über Nacht verlassen müssen. Nun wohnte dort die fünfköpfige Familie Dietz. Hans hatte nach zahlreichen beharrlichen Eingaben endlich die für ihn zuständige Amtsstelle von seinem einwandfreien Lebenslauf während der Nazizeit überzeugen können. Ausschlaggebend waren seine Haft im KZ Dachau und »die glaubhaft dargestellte und von der benannten Person bestätigte Rettung eines jüdischen Kindes unter Gefahr für das eigene Leben« gewesen. Die geräumige Wohnung, das Gärtchen mit Zwiebeln und Schnittlauchpflanzen, die Frau Schmand eigenhändig in die Erde gesetzt hatte, vor allem jedoch der Gedanke, das Schicksal habe sie endlich für die Jahre von Leid und Angst entschädigt, sorgten bei Hans und Anna für ein noch nicht einmal in ihrer besten Zeit gekanntes Lebensgefühl. Gemessen an dem, was sie erlebt und überstanden hatten, erschien ihnen nun der Kampf gegen die Widrigkeiten des Lebens leicht; sie waren optimistisch, fröhlich und manchmal, wenn sie imstande waren, wenigstens für kurze Zeit den schrecklichen Weg zu vergessen, den Johann Isidor und die Seinen hatten gehen müssen, waren sie wieder jung.

Sophie und Erwin, die im Luftschutzkeller erfahren hatten, was es hieß, ein Kriegskind zu sein, und die sich in der alten Wohnung das Bett hatten teilen müssen, waren außer sich vor Freude. Tagelang tollten sie kreischend durch die vier großen Zimmer, sie legten sich jubelnd in die trockene Badewanne, die wegen Mangel an Heizstoff vorerst nicht benutzt werden konnte, spielten Nachlaufen um den breiten schwarzen Ofen im Wohnzimmer und klopften aufmerksam die Veilchentapete ab, die Schmand noch im letzten Kriegsjahr verklebt hatte. »Hier wachsen Zauberblumen an der Wand«, meldete Sophie. »Die können alles. Auch Brot backen.«

»Nein, da steht nur geschrieben, dass auf den Teufel kein Verlass ist«, wusste ihr Vater.

»Ist das was Gutes, Papa?«

»Was sehr Gutes, Madamchen. Wenn die anderen gemeint sind.«

Auch der riesige weiße Fleck an der Wohnzimmerwand faszinierte Sophie. Über dem Schmand'schen Sofa mit selbst gehäkelter Überdecke hatte das Hitlerbild gehangen, ein Prachtstück, in Öl gemalt und in Nussbaum gerahmt. Unmittelbar vor dem Einmarsch der Amerikaner war der Hausherr allerdings bestürzt aufgebrochen und hatte im Schutz einer mondlosen Nacht die Führerhuldigung unter einer deutschen Eiche in einer deutschen Grünanlage begraben.

»Was ist denn das für ein hässlicher Fleck an der Wand?«, fragte Hans, als ihm Schmand, wohltuend unsicher, die Wohnungsschlüssel überbrachte.

»Da musste ich nachbessern«, murmelte der entthronte Herrscher des Hauses Thüringer Straße 11.

»Und ich Trottel hab die ganzen Jahre nicht gemerkt, dass Sie ein Weltverbesserer sind, Herr Schmand.«

Auch Fanny genoss den Umzug. Keine Arbeit war ihr zu schwer und keine Mühe zu groß, um die Spuren der Schmands zu beseitigen. Wenn sie mit Anna Fenster putzte, den Boden schrubbte oder mit dem Teppichklopfer auf die Möbel einschlug, bis der Staub durchs Zimmer wirbelte, wirkte sie gelöst und zufrieden, manchmal gar übermütig und ausgelassen. Während sie die Hüllen der Sofakissen bügelte, brachte sie Sophie ein Lied bei, das Anna staunend und gerührt als die skurrile Küchenballade erkannte, die Josepha immer beim Bohnenputzen und Kartoffelschälen gesungen hatte. Erinnerte die neue Umgebung Fanny an ihre Kindheit? Holten die großen, hellen Räume verschleierte Bilder zurück? Anna konnte sich nicht entscheiden, ob sie ihr das überhaupt wünschen sollte. Wie konnte ein Kind mit Fannys Vergangenheit den Weg zurückgehen, ohne für immer zu zerbrechen?

Bereits am darauffolgenden Tag erkundigte sich Fanny

nach dem Haus in der Rothschildallee 9. Sie sagte die Adresse mit einer Selbstverständlichkeit, als würde sie dort noch wohnen, wollte wissen, ob sie dort geboren sei, ob es ein Esszimmer mit einem großen Tisch gegeben hätte und ob im Vorgarten Flieder gewachsen wäre. Und gelbe Rosen? Sie fragte nach Clara, die sie noch nie erwähnt hatte, schließlich nach Claudette. Zu Annas Verblüffung kannte sie noch den Namen vom kleinen Foxterrier ihrer Cousine. »Snipper war ulkig«, sagte sie, »wir haben über ihn gelacht. Richtig gelacht. Snipper, tanz!«
Anna lachte auch. In diesem Moment war sie sicher, dass es Fanny guttat, so lange Verschüttetes wiederzufinden. Am Nachmittag jedoch – Fanny war dabei, die Regale der Speisekammer mit dem Schrankpapier aus der alten Wohnung auszulegen – hörte Anna sie angstvoll schreien: »Das stimmt nicht, das darf doch nicht sein.« Unmittelbar darauf kam Fanny aus der Speisekammer. Sie war bleich und schwankte und drückte ihr Taschentuch auf den Mund. Dann rannte sie würgend zur Toilette.
Anna stand erstarrt hinter der Wohnzimmergardine, die sie gerade zum Kürzen abgesteckt hatte. Jedes quälende Keuchen, das von der Toilette kam, zählte sie mit. Sie hörte ihr Herz klopfen, war beschämt wie ein Kind, das beim Lauschen an der Tür ertappt wird. »Nein«, bat sie so leise, dass sie sich kaum sprechen hörte, »heute noch nicht.«
Fanny kam zurück ins Wohnzimmer, das durchnässte Taschentuch in der Hand. Anna ging auf sie zu, streckte die Arme aus, wollte das Kind, das ihre Tochter war, an sich drücken und ihm sagen, dass auch sie ihren Vater verloren hatte und von Fannys Schmerz wusste, aber ihre Kehle gab die Worte der Liebe nicht frei. Nur die törichtste aller Fragen vermochte sie zu stellen. »Ist dir nicht gut?«, druckste sie.

»Doch, doch«, sagte Fanny. »Mir tränen nur die Augen, ich weiß auch nicht warum.«
Bis ihre Kindheit ermordet wurde, war Fanny temperamentvoll, keck und nie um eine Antwort verlegen gewesen. Nun, mit vierzehn, war sie verschlossen, schweigsam und scheu. Von Fremden angesprochen zu werden war ihr ein Gräuel. Wege, die ihr nicht vertraut waren, ängstigten sie. Die kleinste Abweichung von der Norm machte sie unsicher, eine verlorene Haarklammer oder eine abgebrochene Bleistiftspitze empfand sie als persönliche Schuld. Kinderfröhlich war sie nur im Umgang mit Sophie und Erwin. Anna und Hans spürten, wie sehr Fanny litt, jedoch wussten sie zu wenig von der Gnadenlosigkeit des Gedächtnisses, um ihr zu helfen. Ihre Ratlosigkeit quälte sie. Beide hatten das Gefühl, sie würden das Kind, das von ihren dreien am meisten Fürsorge brauchte, im Stich lassen. Dass Fanny so widerborstig und patzig wäre wie andere Mädchen in ihrem Alter, wünschten sie sich. »Einer dieser unausstehlichen Backfische, die dauernd mit dem Fuß aufstampfen und ihre Eltern um den Verstand bringen und denen man jeden Tag eine saftige Ohrfeige verpassen möchte«, malte sich Hans aus. »Ich weiß, wovon ich rede. Ich habe drei Schwestern. Und was für welche.«
»Ich auch«, sagte Anna. »Wenn ich daran denke, was Fannys Mutter alles unternommen hat, um Mauern einzureißen und ihren Willen durchzusetzen, und wie ich Vicky um ihren Mut und ihre Dreistigkeit beneidet hab, bricht mir das Herz. Und natürlich frage ich mich, was ich bei Fanny falsch gemacht habe.«
»Du hast ihr das Leben gerettet«, erinnerte sie ihr Mann. »Du hast Mut und Nächstenliebe für ein ganzes Volk gehabt. Jetzt lass mal auch den seinen Teil tun, der es zuge-

lassen hat, dass Menschen wie Schlachtvieh in den Tod getrieben worden sind. Und der es immer noch zulässt, dass ein Kind nach seinen Eltern schreit und ohne Antwort bleibt.«

Fanny sprach nie von Vater, Mutter und Bruder, sie fragte auch nicht nach den Großeltern. Erwin, Clara und Claudette in Palästina erwähnte sie selten, ein Mal auch Alice in Südafrika; sie wollte wissen, ob der Nachkömmling der Familie Sternberg hübsch gewesen wäre und eine gute Schülerin. »War sie verwöhnt? Hat sie viele Freundinnen gehabt?«

»Willst du ein Bild von ihr sehen?«, fragte Anna. »Ich habe alle unsere Fotoalben gerettet. Es gibt herrliche Bilder. Besonders von Alice. Dein Onkel Erwin war ein Meisterfotograf.«

»Ein anderes Mal«, sagte Fanny, »ich sollte doch zum Bäcker gehen.«

Auch ihre Zukunft schien sie nicht zu interessieren. Die Tochter von Rechtsanwalt Doktor Friedrich Feuereisen, an dessen Überleben im holländischen Exil gezweifelt werden musste, weil auch ein halbes Jahr nach Kriegsende keine Suchanfrage das Haus Dietz erreicht hatte, schaute nicht nach vorn. Anna hatte nur ein einziges Mal die Courage, das Thema anzusprechen. »Wenn die Schulen endlich wieder aufmachen, müssen wir dich schleunigst anmelden«, sagte sie. »Wir haben an die Herderschule hier in der Wittelsbacherallee gedacht. Ich weiß, du hast Jahre verloren, doch ich bin ganz sicher, dass du es schaffen wirst. Du hast einen guten Kopf zum Lernen. Ganz anders als ich. Bei mir hat das Kapieren immer doppelt so lange gedauert wie bei den anderen.«

Fanny war entsetzt. Sie presste ihren Rücken gegen die

Stuhllehne und starrte auf den Boden. »Ich kann doch nicht mit deutschen Kindern in die Schule gehen«, stieß sie hervor. Schweiß tropfte von ihrer Stirn. Sie stand auf und ging zum Fenster, drehte sich aber sofort um. »Was soll ich denn denen sagen, wo ich die ganze Zeit gewesen bin? Warum ich überhaupt noch lebe. Das werden sie bestimmt wissen wollen. Fremde Leute wollen doch immer alles wissen. Alles.«

»Aber Fanny, es muss sein. Wir helfen dir. Das weißt du doch. Wir sprechen mit den Lehrern. Hans sagt, kein einziger von ihnen wird es wagen, nicht auf dich Rücksicht zu nehmen.«

»Ich brauch keine Rücksicht. Ich brauch auch keine Schule.«

»Du musst nicht weinen, Kind. Komm, setz dich wieder zu mir. Wir werden dich zu nichts zwingen, zu gar nichts. Aber was willst du denn den ganzen Tag zu Hause machen?«

»Dasselbe wie immer. Dir im Haushalt helfen und mich um Sophie und Erwin kümmern. Und stricken lernen, wenn es wieder genug Wolle gibt. Und lesen. Lesen, so viel wie in mich reingeht.«

»Dabei lernst du doch nichts. Ich meine, nichts Richtiges, nichts, was zu dir und deiner Familie passt.«

»Ich hab genug gelernt«, sagte Fanny, »genug für alle Zeiten.«

Vertrauenerweckende Erfahrungen mit dem Leben machte vorerst nur die vierjährige Sophie. Sie war sangesfroh und fantasievoll, weder trotzig noch neidisch auf den kleinen Bruder, immer zufrieden und so genügsam, wie es nur Kinder in verwüsteten Lebensräumen sind. Ihren Eltern war das kokette Kind der täglich neue Beweis, dass für die Familie Dietz endlich die Sonne aufgegangen war. »Wann immer ich zum Fenster hinausschaue«, lächelte Hans am ersten Sonntag im Oktober, »höre ich unsere Lerche jubeln. Womit haben wir ein so zufriedenes und fröhliches Kind verdient?«

Seine Tochter sang gerade das alte Kinderlied »Jakob hat kein Brot im Haus, Jakob macht sich gar nichts draus. Jakob hin, Jakob her, Jakob ist ein Zottelbär.« Dem Zottelbären fehlte nichts zum großen Bärenglück. Er trug ein sorgsam gebügeltes grünes Jäckchen, darunter ein weißes Hemd mit Schillerkragen und war somit wesentlich besser gekleidet als das Gros der deutschen Männer, deren Anzüge, Sakkos und Oberhemden alle aus den fetten Jahren stammten, während sie selbst ständig an Gewicht verloren: Sie sahen nicht nur verhungert aus, sondern auch verzweifelt und in ihrer Würde verletzt. Der privilegierte Bär veränderte seine Figur weder in hungrigen noch in satten Zeiten. Die vielen Nächte, die er im Luftschutzkeller verbracht hatte, hatten ihm nur seinen linken Schuh und ein – inzwischen ersetztes – Glasauge gekostet.

Sophies verlässlicher Vertrauter saß auf der Erde, die Arme ausgestreckt und bereit, mit ganzer Bärenkraft einer leidenschaftlichen Künstlerin zu applaudieren, die ihre musikalischen Darbietungen mit tänzerischen Einlagen und Rezitationen aus ihrem Märchenbuch begleitete. Die Diva hatte feste blonde Zöpfe, zu einer Krone geflochten und mit einem breiten roten Seidenband umwickelt – das Band war eine Erinnerung an die goldene Zeit der Bonbonnieren und Kavaliere. Obgleich es zu kühl für nackte Beine war, trug Fräulein Sophie keine Strümpfe, denn sie besaß nur zwei Paar, und die mussten für den Winter geschont werden. Die Leute sagten alle, der erste Friedenswinter würde noch viel härter werden, als es der von 1944 gewesen war.

Sophie wollte zwar jeden Abend das Märchen vom süßen Brei hören, von dem es ja so viel gab, dass selbst bettelarme Kinder keine Not zu leiden brauchten, doch Märchen aus dem Schlaraffenland waren für sie nicht das größte Kinderglück. Vielmehr verlangte es sie nach sättigenden Begegnungen mit amerikanischen Soldaten. Die jungen Sieger, von jedermann »Amis« genannt, hatten geschworen, dem ehemaligen Feind seine Vergangenheit nie zu verzeihen und sich täglich am Leid zu erfreuen, das die deutsche Zivilbevölkerung zu ertragen hatte, aber Deutschlands Kindern konnten sie nicht widerstehen. Wann immer sie auf sorgsam gekämmte Buben in Lederhosen trafen und auf die kleinen Mädchen mit den Gretchenzöpfen, bewarfen sie lachend die soeben erst besiegte Feindesbrut mit Kaugummi, Schokoladenriegeln, Keksen und dicken, mit Käse oder Schinken belegten Weißbrotschnitten.
Zum ersten Mal in ihrem Leben biss Sophie Dietz in eine Banane. Sie war eine geschickte Fängerin. Wenn Orangen und die heiß begehrten Bonbons mit einem Loch in der Mitte flogen, stand sie in vorderster Reihe. In ihrem roten Rock und schwarzer Weste sah Fräulein Sophie wie Rotkäppchen aus – ihre furchtlose Mutter hatte das Kleid noch vor dem letzten Atemzug des Tausendjährigen Reichs aus einer vom Ehepaar Schmand auf dem Speicher versteckten Hakenkreuzfahne geschneidert. Einmal fing Sophie sogar ein Glas mit Erdnussbutter auf. Weil sie die Beute nicht öffnen konnte, trug sie das Glas nach Hause, doch die Mutter war ebenso ratlos wie die fixe Tochter. »Mein Gott, ausgerechnet Bohnerwachs«, bedauerte Anna.
Drei noch unerfüllte Wünsche waren es, die Sophie beschäftigten. Sie bat Gott, er möge ihrem Vater ein zweites Bein wachsen lassen und ihren kleinen Bruder in ein Reh

verwandeln. »Erwin weint zu viel«, beschwerte sich die Bittstellerin, »und er will immer von meinem Teller essen.« Zu Weihnachten wollte sie heiraten. »In einem weißen Panzer«, träumte sie bei Brotsuppe mit Graupenwurst. Ihr Bräutigam sollte die ganze Welt mit den süßen Kringeln versorgen, die die Amis »Donuts« nannten, und er sollte von schwarzer Hautfarbe sein. »Die Neger«, klärte Sophie ihre verblüfften Eltern auf, »schenken den Kindern viel mehr Schokolade und Cookies als die weißen Soldaten.« Bereits zwei Wochen nach dem Einmarsch der Amerikaner in Frankfurt hatte das aufmerksame Kind das amerikanische Wort für Kekse gelernt. Während der Wehrmachtsbericht noch von deutscher Ehre und der Opferbereitschaft an der Heimatfront sprach, schulte die kleine Sophie aus Frankfurt bereits ihren Blick für junge amerikanische Soldaten, die bei ihrem Anblick wiederum vergaßen, dass es nicht ihre Aufgabe war, im Feindesland den Weihnachtsmann zu spielen. Sie hatten Befehl, das deutsche Volk zur Demokratie zu erziehen.
»Wenn das der Führer wüsste«, sagte Hans, als seine Tochter mit einem Tütchen Popcorn nach Hause kam. »Von wem sie wohl ihre Chuzpe hat? Von mir bestimmt nicht.«
»Von mir erst recht nicht«, wusste Anna. »Erwin hat immer gesagt, unsere Anna bekommt den Mund nur auf, wenn man ein Bonbon hineinsteckt.«
»Wenn ich den Burschen zu fassen kriege, soll er sich warm anziehen.«
»Ich wollt, es wär so weit, dass du ihm das persönlich sagen kannst.«
»Ich auch«, seufzte Hans. »Ich würde mein letztes Hemd hergeben, um ihn und Clara wiederzusehen.«
»Du hast wieder mal Claudette vergessen. Und ich wette,

die hat keinen von uns vergessen. Sie ist so schweren Herzens abgefahren. Ich werde nie ihr Gesicht an diesem schrecklichen letzten Tag vergessen. Du lieber Himmel, Sophie ist schon wieder runtergelaufen. Das Kind lebt ja nur noch auf der Straße.«
»Wir sollten dem Himmel danken, dass man das wieder kann. Ohne Angst vor Bomben und ohne Angst vor unseren Landsleuten.«
Sophie und ihre Freundin Lena Litkowski waren dabei, letzte Hand an eine selbst gebaute Bank zu legen. Die Mädchen kannten sich erst seit einem halben Jahr; Lenas Mutter war auf der Flucht von Breslau verhungert, der Vater in Russland gefallen. Das elternlose Kind und sein Großvater wohnten seit August in der Thüringer Straße 11, zwangseingewiesen in die Wohnung im dritten Stock und vom Hauptmieter (einem fünfzigjährigen Angestellten bei den Gaswerken mit Frau, Bruder und Schwiegermutter) schikaniert wie im Krieg die »Fremdarbeiter«. Auch die übrigen Hausbewohner behandelten die Flüchtlinge so, als wären ausschließlich die Schlesier und Ostpreußen schuld an der deutschen Niederlage. Sophie war das einzige Kind, das mit Lena spielen durfte. »Gleich und gleich gesellt sich gern«, sagte Frau Schmand zu ihrem Mann. »Der feine Herr Dietz war ja immer schon Kommunist. Mein Gott, was wir uns haben gefallen lassen!«
Im ganzen Haus waren nur die Litkowskis katholisch; ihre neuen Nachbarn beschimpften sie als »Ostzigeuner«, »Polenpack« und »Lügengesindel«. Dem Großvater sagten sie in Anwesenheit seiner Enkeltochter: »Zu Hause nicht die Butter aufs Brot haben und uns hier die letzten Krümel wegfressen.«
Dr. Hans Litkowski, ein pensionierter siebzigjähriger Stu-

dienrat, vom Tod seiner Tochter, der wochenlangen Flucht, dem Hunger und dem grausamen Empfang in Frankfurt gezeichnet, doch nicht gebrochen, war ständig bemüht, seine Enkeltochter vor den Nachbarn zu schützen. Die kleine Lena hatte jedoch zu viel erlebt und gehört, um Menschen zu vertrauen. Unbefangen war sie nur, wenn sie mit Sophie spielte. Die neue Freundin, ein Jahr jünger als sie, doch größer, viel kräftiger und ohne Furcht, bestimmte die Spiele und bestimmte den Tagesverlauf. Sophie war es auch eingefallen, Steinbrocken vom ausgebombten Nachbarhaus vor das eigene zu schleppen und über die Steine das verkohlte Brett zu legen, das aus einem Trümmergrundstück in der Wittelsbacherallee stammte. Auf der neuen Bank besprachen die Mädchen ihre Montagsgeschäfte. »Blumenpflücken«, schlug Sophie, die Optimistin, vor.
»Ich weiß nicht«, zweifelte Lena.
Obwohl sie beide begriffen hatten, dass sich der Blumenhandel für Kinder nicht lohnte, zogen die Mädchen jeden Montag los. In den Trümmern wuchsen noch im Oktober hübsche gelbe Blumen, die in der Herbstsonne kräftig leuchteten und nach Frieden dufteten. Ihre Ausbeute banden die Mädchen mit Grashalmen zu kleinen Sträußen und trugen sie entweder in die Bäckerei, zum Metzger oder zum Kolonialwarenhändler. Trotz der ständigen Rückschläge hofften die Kleinen, die Geschäftsleute würden ihnen ein Stück Brot oder einen Zipfel Wurst schenken, doch bittende Kinderaugen hatten im Herbst 1945 nur bei den Siegern Konjunktur. Kein deutscher Bäcker gab ein Stück Brot für ein gelbes Blümlein her.
Mehr geschäftliche Fortune hatte Sophies Vater. Zwar war er arbeitslos, denn ein Land, in dem so gut wie keine Zeitung gedruckt wurde, geschweige denn Bücher, hatte keine

Verwendung für einen Drucker. Wie Hans zu sagen pflegte, wenn er abends zufrieden seine Schätze auf dem Küchentisch ausbreitete, war er trotzdem auf dem richtigen Dampfer. »Ich hätte«, erklärte er seiner Frau, sobald sie sich Sorgen um die Zukunft machte, »wahrhaftig keinen besseren Zeitpunkt finden können, um arbeitslos zu sein. Für das, was ich als Drucker in der Lohntüte hätte, könnte ich uns eventuell ein Kilo Butter kaufen, aber kein ordentliches Stück Seil, um mich aufzuhängen. Unser Vaterland hat den Tauschhandel wieder eingeführt. Und den Schwarzmarkt.«

Im Tauschhandel war Hans Dietz Meister. Er versäumte keine Gelegenheit, um an Nahrung, Kohle, Holz, Kleidung und alte Wehrmachtshelme zu kommen. Die ließ er bei einem alten Kumpel zu Kochtöpfen, Sieben und Besteck umarbeiten und hatte schnell einen festen Kreis von Abnehmern. Kein Geschäft war ihm zu gewagt, kein Einfall zu ausgefallen. Die Geflügelschere und der rostige Fleischwolf aus der Küche seiner in den Dreißigerjahren verstorbenen Mutter brachten ein Stück Kernseife, zehn Feuersteine und ein Töpfchen Schmalz. Für Erwins alte Kinderwiege gab es ein Viertelpfund Tee und für den beglückten Hausherrn kaum gebrauchte Krücken in passender Größe. Aus der schönen Tortenplatte – sie stammte noch aus der Rothschildallee – wurden zwei Rollen Nähgarn, vier Stopfnadeln und genug weinrote Wolle für zwei Kinderpullover und zwei Paar Kniestrümpfe.

»Wozu brauchen wir eine Tortenplatte, wenn wir keine Torten mehr haben?«, tröstete sich Anna. Sie trennte sich auch von den großen, quadratischen Perlmuttknöpfen in ihrem Nähkorb, eine geliebte Erinnerung an die Posamenterie ihres Vaters in der Hasengasse. Vier Stunden später kam ihr

Mann mit einem himmelblauen Kleiderstoff nach Hause. »Absolute Friedensqualität«, freute er sich. »Die Frau, die ihn mir verkauft hat, wollte mir zum Beweis die Quittung vom Kaufhaus Wronker geben.«
»Du lieber Gott, was hast du denn da gesagt?«
»Ich hab abgelehnt. Und wütend um mich geguckt. Wronker war ein jüdisches Kaufhaus, hab ich gesagt, und anständige Deutsche durften nicht bei Juden kaufen. Du hättest ihr Gesicht sehen sollen! Auf so ein Gesicht habe ich jahrelang gewartet.«
Sein Fahrrad, das er mit nur einem Bein nicht mehr fahren konnte, verkaufte Hans in Einzelteilen. Die beiden Reifen samt Pumpe erbrachten einen Zentner Briketts, die Fahrradkette ein Pfund Schmalz. Aus dem Lenker wurde ein Wintermantel für Anna – frisch gewendet und von ihr mit dem Rest einer grünen Gardine verlängert. Weihnachten sollte aus dem Fahrradsattel ein Stallhase werden.
»Vielleicht auch Mehl für einen Kuchen. Den Königskuchen, den Josepha immer zu Feiertagen gebacken hat«, träumte Anna. »Die Rosinen denken wir uns dazu. Und das Zitronat auch.«
»So weit kommt's noch, dass die Gattin eines Kriegshelden auf Zitronat beißen muss, das sie nicht hat. Und dass unsere Kinder nicht wissen, was Rosinen sind.«
Der größte Coup gelang Hans, ohne dass er ein Tauschobjekt hergeben musste. Er hielt Kontakt zu einem Kollegen aus der Zeit beim »Generalanzeiger«, und der hatte seinerseits Beziehungen zum neu ernannten Frankfurter Theaterintendanten Toni Impekoven. So kam Hans trotz der riesigen Konkurrenz von Bürgern, die ebenso nach Kultur hungerten wie nach Brot, zu einer der hoch begehrten Karten für den 3. November. Es war der Tag, da die Frankfur-

ter Städtischen Bühnen, die bisher im Sendesaal des Rundfunks hatten spielen müssen, in den Börsensaal umziehen sollten. Hans war der Titel des Eröffnungsabends »Frankfurt soll lewe« wie eine persönliche Botschaft erschienen.
»Für unsere Fanny«, sagte er, als er die Karte aus seiner Jacke zog.
»Ich hab nicht gedacht, dass ich es schaffe. Die Leute sind ja komplett verrückt nach Theater.«
»Das waren sie immer«, wusste Anna. Sie dachte an Victoria, die noch trotz der Gefahr, die den Juden dort drohte, 1937 im Schutz der Dunkelheit zu den Festspielen auf dem Römerberg geschlichen war.
»Wir müssen dich nur noch mit einem Kilo Briketts ausstatten, Fanny. Mein Kumpel hat gesagt, das sei ganz wichtig.«
Fanny starrte das Billett auf dem Küchentisch an. Wie immer, wenn sie verlegen war, kaute sie auf ihrer Unterlippe herum. »Sind dort viele Leute?«, fragte sie schließlich. »Ich meine, was muss ich denn in so einem Theater tun?«
»Lachen«, sagte Anna, »dich einfach freuen an dem, was du siehst. Und wenn es dir gefällt, klatschst du in die Hände. Frag Sophie, wie das geht.«
Theater zu beschreiben fiel ihr schwer. Ihr fehlten die Worte, und ihr fehlten die Erinnerungen; nur die Traurigkeit und der stechende Schmerz, der ihr die Luft nahm, waren real. Die Versuchung war groß, Fanny von ihrer Mutter, von ihrer Magie und ihren Bühnenträumen zu erzählen, doch sobald Anna ihre schöne kapriziöse Schwester erblickte, sah sie Victoria mit dem kleinen Salo an der Hand zur Großmarkthalle gehen.
Fanny bemerkte die Tränen in Annas Augen. »Ich will ja hingehen«, stammelte sie, »Hans hat sich so viel Mühe gegeben. Ich zieh am besten meinen blauen Rock an. Mit der

weißen Bluse. Es macht doch nichts, dass sie mir zu weit ist. Mich kennt ja keiner.«
»So siehst du aus«, polterte Hans. »Meine Tochter geht nicht in einer zu weiten Bluse ins Theater. Dort sitzen lauter feine Leute.«
Aus dem himmelblauen Stoff, für den sie ihre Perlmuttknöpfe hergegeben hatte, nähte Anna ein langärmeliges, eng ansitzendes Kleid, wie es einst Claudette in die Tanzstunde getragen hatte. Der Stoff reichte für einen Gürtel, für kleine Rüschen um Kragen und Manschetten und schließlich für ein breites Haarband. Fanny mit dem schwingenden Rock und dem blauen Band, das ihr rötlich schimmerndes Haar zum Leuchten brachte, mit glühenden Wangen und ihren grünen Katzenaugen entzückte die ganze Familie. Sie selbst begegnete im Spiegel einem jungen Mädchen, das für einen berauschenden, nie mehr zu vergessenden Moment eine Ahnung von Jugend und Lebensfreude hatte.
Hans, Anna, der kleine Erwin im Bollerwagen, Sophie und auch Lena brachten Fanny mit der Brikettüte zum Börsensaal, und ein jeder verabschiedete sich von ihr, als wäre die Trennung eine auf Lebenszeit. Fanny, zum ersten Mal allein unter Fremden, blieb ruhig. Sie fand sowohl den Mann, der vom Publikum die Kohlen entgegennahm, als auch ihren Platz. Eine ältere Frau mit Lorgnon um den Hals und einem kleinen bestickten Beutel, der von ihrer Rechten baumelte, lächelte Fanny an. Sie lächelte zurück und setzte sich vorsichtig auf ihren Stuhl.
Die feinen Leute, von denen Hans gesprochen hatte, waren des Novemberwetters wegen und weil der Saal nicht geheizt war, in dicke Pullover, Schals und Decken gehüllt; Fanny schaute die Frau an, die neben ihr saß: eine betagte

weißhaarige Dame in einem schwarzen Kostüm, das unverkennbar aus einer Militäruniform geschneidert und umgefärbt worden war. Im lauten Ton der Schwerhörigen unterhielt sie sich mit Fannys Nachbarin zur Linken – eine ebenso alte Frau in einem abgewetzten grauen Mantel, klein, zerbrechlich und auffallend blass. Ihre lebhaften Augen passten nicht zu ihrem eingefallenen Gesicht. Über Fannys Kopf hinweg redeten die beiden Frauen von Blähungen und Rübensuppe. »Der alte Ganeff hat wieder mal die Fleischzuteilung für uns alle an sich gerissen«, klagte die Dame im schwarzen Kostüm. Sie brüllte so laut, dass ein Mann in der Reihe vor ihr sich die Ohren zuhielt. Die kleine Blasse bemerkte sein Missfallen, stand schwerfällig auf, schlug Fanny grob auf die Schulter und befahl: »Wir tauschen den Platz.«

»Aber mein Vater hat doch diese Karte extra für mich besorgt.«

»Du nimmst keinen Schaden, wenn du einer alten Frau einen Gefallen tust. Hat dir das deine Mutter nicht beigebracht?«

»So sind sie«, monierte die Frau im schwarzen Kostüm, als Fanny aufstand, feuerrot im Gesicht. »Brauchen immer einen Befehl. Bis sie ins Alter kommen, Befehle zu geben.«

»Ärgern Sie sich nicht, meine Liebe. Das Mädel hat's bestimmt nicht so gemeint. Alles ein Missverständnis, würde unsere Frau Sternberg sagen. Das sagt sie immer. Doch die ist ja auch eine Seele von Mensch. Es ist ein Jammer, dass ausgerechnet so eine nicht von ihren fixen Ideen abzubringen ist. Obwohl sie ihre ganze Familie im Lager verloren hat, erzählt sie mir dauernd, dass sie eine Tochter in Frankfurt hat.«

Es war, als die Frau im grauen Mantel das sagte, der Mo-

ment, da der Vorhang hochging. Die beglückten Zuschauer klatschten wie Kinder. Sie lachten, riefen »Hurra!«, winkten zur Bühne hin, sprangen von ihren Sitzen hoch und jubelten im Chor »Frankfurt soll lewe«. Jedoch das Mädchen mit dem blauen Band im Haar und mit dem Gedächtnis, das so gnadenlos war wie die Menschen, die es vier Jahre zuvor aus seiner Heimatstadt geprügelt hatten, saß steif und fröstelnd auf seinem Stuhl. Was auf der Bühne geschah, nahm Fanny nur durch einen Schleier von Entsetzen wahr. Worte explodierten in ihrem Kopf. Immer wieder hörte sie eine Peitsche knallen und danach Satans nie vergessene Stimme. Obwohl sie sicher war, dass sie ihm diesmal nicht entkommen würde, faltete sie ihre Hände und bat Gott, er möge ihr die Kraft und den Mut geben, eine Fremde anzusprechen. »Nur dieses eine Mal«, flüsterte Fanny.
In der Pause erzählte die Frau im schwarzen Kostüm, sie wäre früher in Berlin viel ins Theater gegangen. »Ich hab die Bergner in jeder Rolle gesehen«, sagte sie, »das hat es nirgendwo sonst gegeben.«
»In Breslau«, widersprach ihre Freundin, »brauchte sich das Theater auch nicht zu verstecken. Gerhart Hauptmann war oft da. Wir hatten immer Logenplätze.«
Fanny starrte ihre Hände an. Sie wusste, dass sie verloren war, wenn sie ihrer Angst nachgab, und dass es ihre Pflicht war, nicht die Hoffnung auf Wunder aufzugeben. So kam es, dass Fanny Feuereisen, die den Tag ihrer Rettung nie vergessen hatte, die Frau im grauen Mantel am Ärmel zupfte. »Bitte«, fragte sie, »können Sie mir die Adresse von Frau Sternberg sagen? Ich glaube, sie kennt mich.«

5

Wunder gibt es doch

November 1945

Vom ersten Theaterbesuch ihres Lebens war Fanny stotternd und mit einer auffälligen lila Beschriftung auf ihrem linken Unterarm nach Hause gekommen. Wichtiges auf der Handfläche, dem Arm oder auf dem Oberschenkel zu notieren war üblich geworden in einer Zeit, in der Papier ebenso knapp war wie Brot. Mit einem angefeuchteten Kopierstift, einer Leihgabe ihrer Sitznachbarin im grauen Mantel, die sich im entscheidenden Moment unerwartet hilfsbereit gezeigt hatte, hatte Fanny die Adresse »Magerstraße« geschrieben.

Sie war außer sich, als sie erfuhr, dass es in Frankfurt keine Magerstraße gab.

»Weder früher noch unter Hitler und bestimmt jetzt auch nicht«, erklärte ihr Hans.

»Aber ich hab doch genau gehört, was die Frau gesagt hat. Sie hat ja so laut gebrüllt, dass ich mir total blöd vorkam. Die Leute haben uns wütend angeschaut. Ich dachte schon, gleich gehen sie auf uns los.«

»Da haben wir den Salat. Ich sag ja immer, dass grundsätzlich nur Quark herauskommt, wenn einer schreit. Siehe unseren verblichenen Führer. Musst nicht gleich weinen, Fanny. Wirklich nicht. Noch ist Polen nicht verloren. Schließlich heißt es ja auch, kein Rauch ohne Feuer. Wir werden sehen, ob wir vielleicht in Höchst eine Magerstraße finden, aber ich sag dir gleich, da musst du Geduld haben. Bei den heutigen Verkehrsverhältnissen liegt Höchst hinter dem Mond.«

»Andererseits ist der Name Sternberg nicht gerade häufig«, wandte Anna ein, »und den hat Fanny ja genau gehört. Schon früher habe ich keine Sternbergs außer uns gekannt. Und die Verwandtschaft aus Oberhessen natürlich. Doch keine einzige der jüdischen Kundinnen in der Posamenterie hieß Sternberg. Ich sehe die Kundenkartei deutlich vor mir. Die Schrift von unserem Lehrbub war wie gestochen. Auf Steinberg folgte Sternheim. Friederike Sternheim. Sie kaufte bei jedem Besuch Bordüren und Samtband.«

»An was du dich alles erinnerst. Das muss doch wehtun.«

»Tut es.«

»Ich bin froh, dass mein Gedächtnis Mitleid mit mir hat.«

»Vielleicht hat meines auch eines Tages ein Einsehen.«

Obwohl Anna nicht an glückliche Zufälle und bedeutsame Omen glaubte, kam sie nicht von der Vorstellung los, Fannys Erlebnis im Theater und ihre atypische Reaktion auf das Geschehene könnten »vielleicht irgendein Fingerzeig sein. Wenn ich nur wüsste, in welche Richtung«, rätselte sie im stockdunklen Schlafzimmer. Es war zehn Uhr abends, die Stromsperre hatte gerade eingesetzt, und die Kerze für Notfälle war nur noch ein Stummel. »Fanny hat sich doch immer lieber die Zunge abgebissen, als fremde Menschen anzusprechen. Wir können nicht einfach so tun, als sei nichts geschehen.«

»Nein, das können wir nicht, aber wir dürfen ihr auch nicht irgendwelche Hoffnungen machen. Wenn die Frau tatsächlich Sternberg gesagt hat, hat es sich bestimmt nicht um Fannys Mutter gehandelt. Victoria hätte uns gesucht.«

»Wenn ich nur die geringste Idee hätte, was wir tun sollen, wäre mir wohler. Ich komme mir so hilflos vor.«
Und doch war es Anna, die bereits am nächsten Morgen die Spur witterte – die entscheidende. Damit die Kohle möglichst lange die Glut hielt, war sie gerade dabei, die Briketts für den Tag in das feuchte Zeitungspapier einzuwickeln, das Hans regelmäßig von seinen Touren nach Hause brachte. Ein Brikett steckte schon im Ofen, eingepackt in die erste Ausgabe der »Frankfurter Rundschau«; sie war im August herausgekommen – mit einem Bericht der englischen Unterhauswahlen. Die Zeile »Attlee neuer Premier« war noch lesbar.
Ein dünner Rauchfaden kroch zur Zimmerdecke. Im trüben Morgenlicht sah der Rauch wie ein breites Gebäude mit einer Kuppel aus. Im ersten Moment erschien der Kuppelbau Anna vertraut, doch die Konturen lösten sich rasch auf. Trotzdem starrte sie weiter an die Decke. Es tat ihr wohl, vor dem Ofen zu hocken, Wärme zu spüren, die Sonntagsstille zu genießen und erst recht das Bewusstsein, dass trotz der miserablen Ernährungslage und trotz der Einschränkungen die Familie in Sicherheit war. »Fanny«, sagte sie zufrieden.
Unmittelbar darauf murmelte Anna »Gagernstraße«. Verwirrt schob sie das zweite Brikett in die Glut, klappte die Ofentür mit zu viel Kraft zu, lauschte besorgt, ob eins der Kinder wach geworden war. Ein stechender Schmerz durchfuhr Kopf und Nacken. »Nein!«, befahl Anna, und dann sagte sie in einem tröstenden Ton: »Es ist nichts passiert, gar nichts.« Trotzdem rückten die Gespenster an. Es waren langbeinige Gestalten mit Armen aus Eisen, die auf Anna zurückten. Um ihnen zu entkommen, fixierte sie den Blasebalg. Es war ein teures Stück aus rotem Leder und mit ver-

goldeten Nieten; sie fand es wichtig, sich zu erinnern, woher sie ihn hatte, aber ihr Gedächtnis verweigerte sich ihr.
Annas Stirn brannte; sie überlegte, ob sie Fieber messen sollte und ab welcher Temperatur sie es verantworten konnte, eine von den kostbaren Aspirintabletten zu nehmen – es waren nur noch drei Stück im Röhrchen, und Hans hatte frühestens in zwei Wochen Aussicht, an neue zu kommen. »Kein Aspirin«, entschied sie. Und dann, als hätte sie von Anfang an nicht an ihren Erinnerungen gezweifelt, sagte sie laut und deutlich und auch triumphierend: »Gagernstraße 36.«
In der Gagernstraße war das jüdische Krankenhaus gewesen – bis 1933 in ganz Frankfurt bekannt und berühmt für seinen hohen medizinischen Standard und die vorzügliche Betreuung der Patienten. Im Ersten Weltkrieg hatte die sechzehnjährige Clara Sternberg dort, ohne dass ihre Eltern es ihr erlaubt hatten, verwundete Soldaten gepflegt. Noch jahrelang war der Eklat Gesprächsthema in der Rothschildallee 9 gewesen. Johann Isidor hatte seine Tochter in Schwesterntracht schäkernd am Bett eines Offiziers mit Kopfverband entdeckt, und die schöne Rebellin hatte sich auch im Angesicht des väterlichen Zorns geweigert, ihre Position an der Heldenbrust zu verlassen. Es gelang Anna nicht, die Bilder der Vergangenheit zu vertreiben. Zu oft hatte Clara, die Barrikadenstürmerin, die Szene nachgespielt. »Ich werde«, hatte sie ihren fassungslosen Eltern am Abend nach der Entdeckung verkündet, »nach dem Abitur Medizin studieren. Und heiraten werde ich nie. Da braucht ihr euch keine Hoffnung zu machen.«
»Wenigstens die Ehelosigkeit hast du ja geschafft«, pflegte Erwin festzustellen, wann immer seine Schwester dieses Kapitel ihrer Erinnerungen aufblätterte.

Anna trocknete ihre Augen mit der Schürze; sie konnte nicht an Erwin denken, ohne dass ihr die Tränen kamen, und nie wusste sie, ob sie lachte oder weinte. Diesmal peinigten sie nicht nur Bilder, auch der Klang und der Duft der geliebten Zeit fielen über sie her; erst hörte sie den leichten Singsang in Erwins Stimme, wenn er sich über seinen Vater mokierte, dann roch sie Claras herbes, selbst gemischtes Parfüm. »Es stinkt genau wie mein Rasierwasser«, sagte Erwin und hielt seine Nase zu. Clara nannte ihn einen Banausen, und Anna genierte sich, weil sie das Wort nicht kannte.

Die dreijährige Fanny im grasgrünen Rüschenrock lachte. Ihr Vater warf sie in die Luft, fing sie, brummend wie ein Bär, wieder auf und bedeckte ihr Gesicht mit Küssen. »Ich bin ein Vogel«, jubelte Fanny.

»Mach das Kind nicht so wild«, rügte Victoria, »sie soll doch eine Dame werden.«

»Hauptsache, sie wird nicht eine Dame mit deinem Humor«, parierte ihr Mann.

Einen Herzschlag lang stellte sich Anna vor, Doktor Feuereisen würde plötzlich vor der Tür stehen und erfahren, dass seine Tochter lebte. Sie nahm sich vor, nicht wieder zu weinen, doch es war die Verzweiflung, die siegte. Ohne dass es dem Feuer guttat, stocherte sie in der Glut. Das Wasser für den Malzkaffee stellte sie viel zu früh auf. Mit einem Anflug von Trotz holte sie das letzte Glas Rübensirup aus dem Schrank. »Weil doch Sonntag ist«, beschwichtigte sie ihr Hausfrauengewissen; sie sah Josepha ihre Hände in die Hüften stemmen. Die stolze Herrschaftsköchin hatte Rübensirup immer einen »Armeleutefraß« genannt und geschworen: »Das Zeugs kommt nur über meine Leiche ins Haus.«

Hans hatte oft und immer vergeblich nach Josepha gesucht – sie wurde auf keinem der infrage kommenden Ämter geführt. Anna überlegte, wie alt Josepha sein mochte, falls sie den Krieg überlebt hatte, und ob sie wohl wusste, dass Johann Isidor, Betsy, Victoria und Salo in den Osten deportiert worden waren. Es fiel Anna schwer, an Josepha zu denken und zu gleicher Zeit den Küchentisch für das Frühstück zu decken. Lustlos holte sie die rot-weiß gepunkteten Eierbecher aus dem Schrank, aus der Schublade die vornehmen Hornlöffel, die aus Claras Haushalt stammten und von denen sie bei der Auswanderung gesagt hatte, den Hühnern in Palästina wäre es gleichgültig, ob man ihre Eier mit Hornlöffel aß oder mit der Hand. »Scheißegal«, hatte Clara gesagt, Fanny das ihr fremde Wort sofort ausprobiert.
Als Anna den fünften Hornlöffel vor Sophies Teller legte, kehrte sie in die Gegenwart zurück. Ihr fiel ein, dass nur noch ein einziges Ei im Haus war und dass es seit zwei Jahren im Hause Dietz sonntags keine Eier mehr zum Frühstück gab. »Ein Ei für fünf Personen«, grämte sie sich. Sie stellte Eierbecher und Löffel zurück in den Schrank und nahm sich vor, in der kommenden Woche aus den nie benutzten Frotteehandtüchern, die sie für besondere Gelegenheiten geschont hatte, Unterwäsche für die beiden Kleinen zu nähen. Auch wollte sie versuchen, endlich an Mehl und Backaroma für die Weihnachtsplätzchen zu kommen. Den Friseurbesuch hatte Anna gestrichen. Friseur Obermüller verlangte für Wasserwellen und Schneiden zwei Briketts und fünf Feuersteine. Hans, der die Feuersteine, die er auf dem Schwarzmarkt auftrieb, hütete wie früher sein silbernes Zigarettenetui, hatte gedroht, den »schlauen Herrn Obermüller« öffentlich einen »Halsabschneider und Erznazi« zu nennen. »Ich hab gesehen, wie er am 9. Novem-

ber im Sandweg Silber und Porzellan aus einer jüdischen Wohnung geschleppt hat.«
Beim Gedanken an die Beute von Friseur Obermüller fiel Anna das Limoges-Service von Betsy ein und dass sämtliches Geschirr sowie das Tafelsilber und die beiden Sabbatleuchter der Pforzheimer Großmutter in der Rothschildallee zurückgeblieben waren, als die Sternbergs ins »Judenhaus« hatten ziehen müssen. Sie hatte das Bedürfnis, die Küche abzudunkeln, sich mit einem feuchten Tuch auf der Stirn an den Ofen zu setzen und ausschließlich an Zimtaroma und Lebkuchen zu denken, doch sie schüttelte ihren Kopf frei und ging zur Tür. Auf Zehenspitzen schlich sie zum Schlafzimmer. Sonntags blieb Hans meist bis neun Uhr im Bett. Er sagte, das erinnere ihn an die Vorkriegssonntage mit zwei Beinen und gefülltem Schweinebraten mit Kartoffelklößen.
Am Morgen des 4. November kam er nicht mehr dazu, vom Sonntagsessen zu träumen. Er schlief noch, als Anna die Gardine zurückzog; sein Gesicht war entspannt, die Hände auf der Brust gefaltet. Auf der Bettdecke lag ein Stück Packpapier, beschrieben mit seiner steilen Druckschrift. »Wir klagen uns an, dass wir nicht mutiger bekannt, nicht treuer gebetet, nicht fröhlicher geglaubt und nicht brennender geliebt haben«, las Anna. Die Worte stammten, wie Hans ihr später erklärte, von einem Juristen namens Gustav W. Heinemann. Er hatte sich im Namen der evangelischen Christen zur Mitverantwortung der Kirche für die Untaten der Nazis bekannt. Anna glättete das Papier und legte es auf den Nachttisch. Die Zärtlichkeit und die Bewunderung, die sie für ihren Mann empfand, wärmten sie. Es war zehn Minuten nach sieben.
»In der Gagernstraße«, erinnerte sich Hans, als er wach ge-

nug war, um in voller Tragweite zu begreifen, was seine Frau so sehr bewegte, »war bis 1942 noch das jüdische Krankenhaus. Im September und Oktober haben die Nazis dann das Haus geräumt und alle, die noch da waren, deportiert – Ärzte, Schwestern und Patienten, egal ob die Kranken laufen konnten oder nicht, egal ob es Kinder oder Greise waren, die sie in den Tod schickten. Von einem alten Kumpel, der mit mir in Dachau gewesen ist und der in der Maximilianstraße wohnt und alles von seinem Wohnzimmerfenster aus mitbekommen hat, habe ich das bereits damals in allen schrecklichen Einzelheiten erfahren. Aber ich hab es nicht fertiggebracht, dir davon zu erzählen. Soviel ich weiß, hatten die Nazis im Sinn, aus der ganzen Anlage ein so genanntes Krankenhaus Ost zu schaffen. Gott war aber ausnahmsweise mal gerecht und hat dafür gesorgt, dass schon ein Jahr später das Gebäude schwerste Bombenschäden abbekommen hat. Ich glaub mich zu erinnern, dass es eine ganze Anzahl von Toten gegeben hat.«
»Da wird ja heute niemand dort wohnen. Wer soll denn so ein Riesenhaus in einem halben Jahr aufgebaut haben? Vielleicht sollten wir uns doch aufmachen und Fannys verflixte Magerstraße suchen gehen. Irgendwas muss sie doch gehört haben, das Sinn ergibt.«
»So sehe ich das auch«, stimmte Hans zu. »Wer nichts sucht, der findet nichts. Hat meine Großmutter immer gesagt. Und einen Mann gefunden, der ihr ein uneheliches Kind gemacht hat.«
Eineinhalb Stunden und eine Tasse Muckefuck später war er unterwegs zur Gagernstraße. »Ein Katzensprung«, machte er sich nach den ersten zehn Minuten vom Weg Mut. Es war tatsächlich nicht weit von der Thüringer Straße, doch eine quälende Strecke für einen Mann mit nur einem Bein

und wenig Hoffnung, die Anstrengung würde zu einem brauchbaren Ergebnis führen. Der Tag war stürmisch, Nebel umhüllte Dächer und Schornsteine, die Luft war feucht und kalt. Ein scharfer Ostwind blies ihm ins Gesicht, die Krücken fanden auf dem nassen Boden schlecht Halt, und so brauchte Hans bereits eine halbe Stunde, ehe er die Wittelsbacherallee erreichte.

Einige von den imponierenden Bürgerhäusern hatten den Krieg überstanden. Allerdings war den ehemals großbürgerlichen Wohnungen schon von außen anzusehen, dass Zwangseinquartierungen stattgefunden hatten. Aus fast jedem Fenster ragte ein Ofenrohr, auf den meisten Schildern an den Schellen standen zwei Namen – sichere Hinweise, dass Ausgebombte und Flüchtlinge nun als ungeliebte Untermieter dort wohnten. Besser über den Krieg gekommen waren die Bäume, selbst im November und im Sturm leuchteten die Riesen noch herbstbunt und zuversichtlich. Amseln zwitscherten in den Zweigen. Vor einem schmiedeeisernen Hoftor hockten zwei Tauben.

»Ihr seid zur falschen Zeit Tauben«, belehrte sie Hans. »Früher haben wir euch mit Brot gefüttert. Heute stehen wir Gewehr bei Fuß, um euch was wegzufressen.«

Auf dem Grasstreifen, der die Allee teilte, lag eine braune Papiertüte. Hans humpelte über die Straße. Es gelang ihm, rechtzeitig eine seiner Krücken auf die trocken gebliebene Tüte zu stellen, ehe sie der Wind erfasste und weiter trieb. Er faltete seine Trophäe sorgsam zusammen und steckte sie in die Manteltasche. »Dich hätten wir, du kleine Ausreißerin«, grunzte er befriedigt. Papiertüten gab es nicht mehr, weder zu kaufen noch bei den Kolonialwarenhändlern und in den Bäckereien. Lebensmittel wurden nicht mehr verpackt. Ohne eigene Milchkannen, Henkelmänner, Zeitungspapier, Netze oder alte Tüten aus dem Bestand einkaufen zu gehen war verlorene Mühe. Noch naiver war es, Kinder, die sich noch nicht wehren konnten, zum Schlangestehen zu schicken. Den Kleinen wurden Kannen, Töpfe, Schüsseln und selbst Rexgläser ohne Deckel abgenommen, meistens samt Inhalt.

Trotz des schlechten Wetters war Hans in guter Stimmung und weniger hungrig als gewöhnlich – dank der beiden Brote, die Anna ihm aufoktroyiert hatte und von denen er vermutete, zumindest eins hätte ihr zugestanden. Sein alter Militärmantel schützte gegen Regen und Kälte. In den letzten Kriegsmonaten, als noch chemische Farben zu haben waren, hatte Anna den Mantel schwarz eingefärbt und ihm einen neuen Kragen verpasst. In der Ferne schlug eine Kirchenglocke. Schall reiste weit in der zerstörten Stadt; es war ein versöhnlicher, fast vergessener Klang. Hans grübelte, weshalb es überhaupt noch Kirchenglocken in Frankfurt gab. »Ich dachte«, murmelte er, »die Kirche hat unserem geliebten Führer alle Glocken für seinen heiligen Krieg gestiftet.« Er stellte sich den Schenkungsakt bildlich vor und lachte.

Auf der Kreuzung Wittelsbacher- und Habsburgerallee belebte sich die Szene. Ältere Männer mit Mänteln, die um ihre abgemagerten Körper wie Decken auf einer Wäscheleine schlotterten, und mit Hüten aus der Vorkriegszeit schleppten schäbige Glasfiberkoffer und mit Kohle prall gefüllte Einkaufsnetze. Ihre lebenswichtige Beute stammte von den Güterzügen, die immer kurz vor dem Ostbahnhof halten mussten, weil es Schwierigkeiten mit den Gleisen gab. Alte Frauen mit dunklen Kopftüchern und mit verhärmtem, verbittertem Gesicht zogen Bollerwagen hinter sich her. In einigen hockten kleine Kinder mit tief ins

Gesicht gezogenen Strickmützen und triefenden Nasen auf grauen Decken oder Blechkisten; auf vielen stand »Gefahrgut«. Leiterwagen waren mit Ästen, Zweigen und Gestrüpp aus den Grünanlagen und Parks beladen. Ein Ehepaar fürchtete augenscheinlich weder die Polizei noch körperliche Strapaze; die beiden schleppten schnaufend die schwere Lehne einer Holzbank. Deutlich zu sehen waren die kleinen Löcher von den Schrauben, die das Schild »Für Juden verboten« gehalten hatten. Im Augenblick der Erinnerung an das, was auf die Verbotsschilder gefolgt war, lähmte Hans eine siedende Wut. Wie Hammerschläge dröhnten der Zorn und der Schmerz in seinem Kopf. Er starrte das Ehepaar so empört an, als hätte die gestohlene Banklehne ihm gehört. Der Mann wurde unsicher und stellte seine Last ab.
»Guten Tag«, sagte er leise.
»Mit wem redest du denn da?«, herrschte ihn seine Frau an. »So weit kommt's noch, dass wir Krethi und Plethi Rede und Antwort stehen.«
Schweigend hinkte Hans weiter. Die Straßenbahn, die bis Kriegsende den Zoo und die Saalburgallee verbunden hatte, war noch nicht wieder in Betrieb, nur eine der Haltestellen intakt. Ein Teil vom Fahrplan klebte an der alten Tafel. Ein grauer Riesenschnauzer mit verfilztem Fell und hervorstehenden Rippen suchte zwischen den mit Gras überwucherten Gleisen nach Nahrung. Hunde waren im befreiten Deutschland ebenso selten wie Papiertüten, Parkbänke und die Bezugsscheine für Ledersohlen, Winterkleidung und Verbandsmaterial. Zwei ausgelassene Jungen, etwa zwölf Jahre alt, die Beine nackt und blau gefroren, die Stiefel an der Spitze abgeschnitten, damit ihre Füße hineinpassten, kickten eine zerbeulte Dose, beklebt mit den blau-weiß-roten Streifen und Sternen der amerikanischen Flagge.

»Tomato soup«, buchstabierte Hans. Er nahm sich vor, dafür zu sorgen, dass seine Kinder beizeiten Englisch lernten. »Und Französisch«, kündigte er an. Er sprach so laut, dass er sich erschrocken umdrehte.
Es gab auf der Strecke viele Spuren vom Krieg und überall noch Kriegspropaganda. Schon nach sieben Monaten Frieden wirkten die Durchhalteparolen wie schlechte Scherze. An zerschossenen Mauern und an vielen Fenstern, die mit Holz zugenagelt waren, stand »Räder müssen rollen für den Sieg!«, »Volk ans Gewehr« und »Lieber tot als Sklave«. »Alles Kacke, dein Fritz«, hatte besagter Fritz an ein unbewohnbar gewordenes Haus geschrieben. An einer Telefonzelle ohne Tür und ohne einen Apparat klebte noch die Warnung »Feind hört mit«. Hans fiel zum ersten Mal auf, dass der lauschende Feind, der das deutsche Kriegsglück gefährdete, als verschlagener Jude dargestellt war.
Radfahrer jeden Alters waren unterwegs, alle mit prall gestopftem Rucksack, auf dem Gepäckträger sperrige Pappkartons oder mit schäbigem Hausrat gefüllte Zinkwannen. Gelegentlich fuhr ein offener Wagen mit deutscher Nummer an Hans vorbei, auf der Ladefläche, weil Benzin für deutsche Normalverbraucher kaum zu haben war, ein mit Holz betriebener Gasgenerator. Umso unerwarteter war es, als in der kurzen, seit jeher stillen Maximilianstraße, die auf die Gagernstraße führte, ein Jeep auftauchte. Am Steuer saß ein Offizier, neben ihm ein sehr junger Soldat mit raspelkurzen Haaren und zwei Streifen am Ärmel. Er lehnte sich weit aus dem Wagen, grölte das Geburtstagslied »For he's a jolly good fellow« und schlug sich auf die Brust. Der Jeep fuhr immer schneller; er raste auf Hans zu, der bis dahin mitten auf der Straße gelaufen war und nun in Panik den Bürgersteig zu erreichen versuchte. Einen Moment

schien es tatsächlich so, als würde der Wagen entweder ihn erwischen oder ins Schleudern geraten, doch er kam abrupt zum Stehen. Bremsen und Reifen quietschten, der Fahrer drückte auf die Hupe, ließ sie nicht mehr los und pöbelte. »You fucking German fool!« Sein Beifahrer klatschte Beifall. Mit einer lächerlich hohen Stimme schrie er: »Bravo, jumping jack!« Er kratzte sich am Kopf wie ein lausender Affe und grinste. Dann spuckte er im hohen Bogen zum Jeep hinaus und warf seine kaum gerauchte Zigarette auf die Straße. »For the Kraut«, kreischte er, »for the ugly German Kraut.«

»Hast du dir so gedacht«, fluchte Hans hinter dem abfahrenden Jeep her. »Die Nutten stopft ihr mit Schokolade voll, und auf die Krüppel geht ihr los!« Es bereitete ihm körperliche Qual, sich nicht nach der Zigarette zu bücken. Mehr als die Hälfte war noch übrig, und er hatte seit einer Woche nicht mehr geraucht. Das letzte Päckchen Camel vom Schwarzmarkt hatte er für ein Kilo Graupen und dreihundert Gramm Speck hergegeben. »Eine Zigarette für einen Teller Graupensuppe«, schrie er wütend in die Richtung, in die der Jeep verschwunden war, »wenn das kein Geschäft ist.« Mit seiner Krücke zerstampfte er den Rest der immer noch glühenden Zigarette. Er schämte sich seines Zorns und dafür, dass er sich nicht hatte beherrschen können.

Die Maximilianstraße wurde wieder so still wie zuvor. In sämtlichen Wohnungen waren die Fenster geschlossen; nirgends waren, wie sonst an Sonntagen, Kirchgänger mit Gesangbuch oder die Frauen mit kleinen Eimern zu sehen, die es auf der Suche nach Beeren und essbarem Grünzeug in den Ostpark zog. Auch die Fußball spielenden Buben waren verschwunden, nur die zerbeulte Suppendose lag noch da. Hans starrte auf die Straße. Er verwünschte den Krieg,

und er verwünschte sein Leben. Als er endlich den Kopf hob, stellte er fest, dass er in der Gagernstraße stand.
Allmählich und nur weil die großen Fenster ihm vertraut vorkamen, wurde ihm bewusst, dass er vor dem ehemaligen jüdischen Krankenhaus stand. Das von Bomben schwer beschädigte Gebäude war zum Teil, wenn auch dem Mangel der Zeit entsprechend, wiederhergestellt worden. »Donnerwetter«, sagte Hans. Er hörte sich pfeifen und staunte – er hatte in seinen besten Jahren nicht pfeifen können. Die Krücke, die er mit der linken Hand hielt, geriet ins Rutschen. Mit lautem Schlag stürzte sie auf die Straße. Er hatte mehr Mühe als gewöhnlich, sie aufzuheben, und stöhnte beim Bücken. »Donnerwetter«, wunderte er sich wieder.
»Gell, da staunst de«, sagte ein Mann »wir staune alle.«
Hans hatte ihn nicht kommen sehen. Er mochte um die sechzig sein, trug trotz des Dauerregens keinen Mantel, nur Pullover und Schal. Der verfilzte graue Pullover war viel zu weit und an den Ellbogen mit roten Stoffflecken geflickt, der mit weißen Blüten bestickte schwarze Schal gehörte zweifelsfrei einer Frau. Zur Kniebundhose aus grünem Manchester trug der Mann Trachtenhosenträger mit einem weißen Herz in der Mitte; seine Füße steckten in kaffeebraun-weiß karierten Filzpantoffeln. In der Hand hielt er einen mit Pferdeäpfeln gefüllten Eimer, Kehrschaufel und Handfeger. Offenbar wohnte er in dem Haus, vor dem er stand.
Einen Augenblick überlegte Hans, ob er den zudringlichen Fremden, den es unverkennbar nach einem Gespräch drängte, zu seinem Schatz befragen sollte: In kohlenknapper Zeit war nichts so gut für ein Feuer wie getrocknete Pferdeäpfel, aber die Frage, auf die er eine Antwort suchte, bedrängte ihn zu sehr. Er zeigte auf das ehemalige jüdische

Krankenhaus. »Wissen Sie vielleicht, wer jetzt in dem Haus wohnt?«
»Judde«, antwortete der Mann. »Wieder die Judde. Wer denn sonst?«
»Was? Seit wann denn?«
»Seit ungefähr zwei Woche. Eine ganze Menge von dene, wenn de mich fragst. Waren plötzlich da. Wie vom Himmel gefalle. Und unsereins machen se weis, die Judde hat es alle in dene Lager erwischt.«
»Ja, ist denn das Haus wieder ein jüdisches Krankenhaus?«
»Altersheim, hab ich gehört. Jedenfalls laufe alle, die ich bisher gesehe hab, am Stock. Aber zäh waren se ja immer. Zäh wie alte Suppenhühner. Was is denn? Is dir schlecht?«
»Ja«, sagte Hans, »schlecht bis unter die Halskrause. Ich kann gar nicht so viel kotzen, wie mir schlecht ist.« Im Moment der größten Empörung stellte er sich vor, er wäre ein Mann wie andere. Seine Lippen wurden feucht, als er sich ausmalte, er könnte sowohl den Eimer mit den Rossäpfeln umtreten als auch den Kerl in Pantoffeln, doch er sagte kein Wort. Die Augen auf das Straßenpflaster fixiert, lief er auf das Ziel zu, das er zu erreichen fürchtete.
»Leute gibt's«, schimpfte der Mann hinter Hans her, »die gibt's gar nicht. Die sind mit dem Roller durch de Kinderstub' gerast.«
Niedergeschlagen quälte sich Hans durch den breiten Torbogen. Er dachte, was er so selten wie möglich tat, an seine Soldatenzeit in Polen. Die Erinnerung, wie er am Tag seiner Verwundung erst die Orientierung und danach die Zuversicht verloren hatte, er würde zu Anna zurückkehren, schlug auf ihn ein. Wieder brannte der alte Albtraum, er müsste in der Hölle verwesen, weil er nicht rechtzeitig Einspruch gegen sein Todesurteil eingelegt hatte. Er wusste, er

würde stürzen, und er wusste, dass man ihn liegen lassen würde, bis sich sein Körper auflöste. Auf keinen Fall die Augen schließen und weiteratmen, egal was passiert, murmelte Hans. Dann hörte er sich husten. Husten wie einer, der noch lebte. Er kehrte in die Welt zurück.
Hans war in einen großen Garten mit drei hellen Holzbänken gelangt. Am Rand der Rasenfläche standen alte Kastanien, alle bereits ohne Blätter, aber mit auffallend kräftigen Ästen. Zwei fette Schafe mit dichtem Fell weideten im Gras. Im Gegensatz zu den Bäumen und dem Gebüsch war der Rasen noch sommersaftig. »Schafe«, seufzte Hans, »ihr habt auch nur den Metzger zu erwarten.« Er wunderte sich, dass er imstande war, so ruhig zu sprechen, als wäre er zu Hause. »Schafe«, wiederholte er, um seine Stimme zu prüfen. Dann sagte er noch einmal: »Metzger.«
Hatte er gelacht, und wenn ja, weshalb? Er holte sein Taschentuch aus dem Mantel, rieb die Augen so kräftig, bis sie tränten und ihn mit Blindheit bedrohten. Trotzdem konnte er kein einziges Bild, das auf ihn niederkam, aus seinem Kopf verbannen. Immer wieder sah er die Henker in SS-Uniform. Mit Peitschen und Knüppeln trieben sie Menschen in Todesangst aus dem jüdischen Krankenhaus – wie Anna es ihm von dem Marsch zur Großmarkthalle erzählt hatte. Wie lange die Kranken und Siechen, die Alten und die Kinder von der Gagernstraße wohl auf ihren Tod hatten warten müssen? Nach wem hatten sie gerufen? Wer war Zeuge ihrer Not gewesen? Ob einer, der zum Fenster hinausgeschaut und dem dann sein Mittagessen wie an jedem anderen Tag geschmeckt hatte, noch glaubte, er sei ein Geschöpf Gottes?
Hans, der in Polen Männer, Frauen und Kinder, Soldaten, Kameraden und Schinder hatte umkommen sehen, blickte

zur Erde. In Demut wartete er auf das letzte Kapitel seines Lebens, denn er zweifelte nicht einen Herzschlag lang, dass der Tod, dem er im Krieg entronnen war, ihn im Frieden eingeholt hätte. Trotzdem fiel ihm auf, dass im großen Haus eine Tür offen stand. Wie er es gewohnt war, drängte sich Hans zur Kraft und zum Handeln. Er lief so schnell, wie ihn sein Körper ließ. Schließlich erreichte er einen langen, düsteren Gang, roch Krankheit und Vergehen, torkelte und würgte seinen Körper schwach. Ein Mann, den er spontan als Greis erkannte, obwohl er ihn nicht sehen konnte, keuchte. Es dauerte eine Ewigkeit der Angst, ehe Hans begriff, dass er es selbst war, der um Atem rang.
Von der hohen Decke baumelte eine Glühbirne an einem langen Draht. Bevor seine Augen Zeit hatten, sich an das flimmernde Licht zu gewöhnen, stieß Hans einen dreibeinigen Hocker um. Er schaute erschrocken, ob ihn jemand beobachtet hatte, stellte das wackelige Möbelstück wieder an die Wand und setzte sich. Seine Erleichterung war groß, aber gewaltig die Scham. Der redliche Deutsche Hans Dietz, der nie einen Schritt vom Weg der Aufrechten abgewichen war, verbarg sein Gesicht. Entsetzt begriff er, dass er verdammt war, für alle Zeiten zum Volk der Täter zu gehören.
Als seine Seele verbrannte, streckte er seine Arme aus und rief nach Anna. Seine Glieder waren steif wie erfrorene Äste, die Zunge geschwollen, die Lippen klebten aufeinander. Was, wenn Fannys Großmutter tatsächlich in diesem Haus der Gespenster lebte? Wie sie erkennen? Er hatte Betsy Sternberg nur wenige Male gesehen, und es war lange her. Wie ihr erklären, wer er war und was er wollte? Wie redete ein Deutscher mit einer Frau, die aus dem Konzentrationslager zurückkam? Sollte er mit Fannys Rettung be-

ginnen, ihr von Anna, Johann Isidors mutiger Tochter, erzählen, die das Wunder vollbracht hatte? Vielleicht war es geboten, Betsy zu ihrem eigenen Überleben zu gratulieren.
»Frau Sternberg, ich freue mich ja so sehr für Sie, dass Sie es geschafft haben«, flüsterte Hans. Seine Stimme ekelte ihn an, er verachtete seine Unbeholfenheit und noch mehr den nie zuvor erlebten Drang, sich ins Gesicht zu schlagen.
»Verzeihung«, sagte er. So bat er den, an den er nicht glaubte, um Vergebung.
Eine Stockspitze schlug auf den Boden. Immer wieder und stets im gleichen Takt. Jeder Laut war Bedrohung. Eine Gestalt näherte sich Hans. Sie atmete schwer, keuchte, wie er gekeucht hatte. Füße in Pantoffeln schlurften den Flur entlang. War es wieder der Mann mit den Pferdeäpfeln, der Teufel, als Biedermann verkleidet?
»Suchen Sie jemanden?«, fragte die Frau. Sie schnaufte auch im Stehen. Ihr Gesicht war winzig, das graue Haar schütter und wirr, der Stock zu lang für die kurzen Arme.
»Nein«, antwortete Hans. Er konnte sein Nein nicht fassen, hatte Angst, sich lächerlich zu machen, griff sich an die Stirn. »Niemanden«, fügte er verlegen hinzu.
»Niemanden gibt es hier nicht«, sagte die Frau. Ihre Stimme war der absolute Kontrast zu ihrer Erscheinung – eine deutliche, kräftige, sympathische Berliner Stimme. Wollte die Alte einen Scherz machen? Menschen mit leblosen Augen, begriff Hans, machten keine Scherze mehr.
»Ich ruhe mich nur einen Moment aus«, stammelte er, »ich habe tatsächlich jemanden gesucht, aber ich weiß nicht, ob ich hier richtig bin.«
»Wir haben ein Büro. Dort können Sie ja mal fragen. Falls Sie nicht nur die Katze antreffen.«
»Danke. Das hilft mir schon ein Stück weiter.«

»Wie kann Ihnen eine Katze weiterhelfen?« Die Frau schaute Hans strafend an, und doch schien es einen glückhaften Moment so, als hätte sie gelächelt. Ihre Augen wirkten weniger müde als zuvor, ihre Lippen hatten Farbe, sie machte eine Bewegung wie ein junges Mädchen, das nur deshalb eine Haarsträhne aus der Stirn schiebt, um Aufmerksamkeit zu erregen. »Sie und der Stuhl«, sagte die Frau, »haben zusammen vier Beine. Als Kind habe ich solche Rätsel geliebt. Meine Söhne auch. Ich musste immer neue für sie erfinden. Ich hatte, ehe ich gestorben bin, vier Söhne. Den Benny hat man mir gelassen. Ihn haben sie nicht gekriegt. Er lebt in Detroit und hat eine Frau und drei Kinder. Ich hab das erst vor vier Wochen erfahren. Ein amerikanischer Soldat brachte mir einen Brief von ihm und Fotos. Und ein ganzes Pfund Kaffee. Er hat eine wunderschöne blonde Frau. So eine hat er sich immer gewünscht. Schon als kleiner Junge wollte Benny immer nur Märchen vorgelesen haben, in denen die Frauen blond waren und lange Haare hatten. Wie Rapunzel. Nebbich, wie Rapunzel. Das muss man sich vorstellen. Haben Sie schon einmal von Detroit gehört?«
»Ja«, schwindelte Hans, »das muss eine schöne Stadt sein.« Es bewegte ihn, wie sehr es die Greisin drängte, von ihren Söhnen zu sprechen, doch es gelang ihm nicht, seinen Kopf zu heben. Er fixierte den Fußboden und zählte die Risse im Stein. Noch während die Frau von dem einen Sohn erzählte, der leben durfte, wurde ihm klar, dass es in Deutschland nie mehr so sein würde wie früher. Wer als Deutscher jüdische Menschen nach ihrer Familie und ihrer Vergangenheit fragte, riss Wunden auf, die nie verheilen würden.
»Nie«, sagte Hans.
»Was haben Sie denn?«, fragte die Frau. »Sie sehen ja aus

wie Braunbier und Spucke. Das hat meine Mutter immer gesagt. Jetzt gibt es ja nur noch die Spucke.« Sie klopfte mit ihrem Stock auf dem Boden. Noch war die Neugierde in ihr, die es den Menschen möglich macht, sich an der Sonne zu freuen. »Wie haben Sie das bloß geschafft, mit einem Bein zu überleben?«

»Bei Kriegsausbruch hatte ich zwei«, sagte Hans. Er suchte nach einem Scherz, doch ihm fiel keiner ein.

Sie brauchte nicht die verlegenen Scherze der Dummköpfe, um zu verstehen. »Ach so«, erkannte sie. »Sie sind einer, der für sein Vaterland sterben durfte. Nicht einer, den sie zum Sterben ins KZ gesteckt haben. Das war ein gewaltiger Unterschied. Das können Sie mir glauben. Entschuldigen Sie, ich hab's nicht bös gemeint. Ich bin eine alte Frau. Ich vergesse oft, dass auch andere Menschen Opfer geworden sind. Nicht nur wir.«

Der Heimweg wurde ein Kampf in einem eiskalten Dauerregen. Hans trug schwer an der Last, die er als Mutlosigkeit und Ungeschicklichkeit verkannte, statt sie als die Bürde derer zu erkennen, die an der Schuld leiden, die nicht die ihre ist. »Mir war«, gestand er Anna, »der Hals wie zugeschnürt. Ich hätte Sie doch einfach fragen können, ob sie eine Frau Sternberg kennt, aber ich hab's nicht fertiggebracht. Dein Mann ist der größte Feigling, der in Frankfurt herumläuft. Ich könnt ihm von jetzt bis übermorgen in den Hintern treten.«

»Wehe, du sagst nur ein böses Wort über meinen Mann«, tröstete Anna. »Die Prügel verdient deine Frau. Von jetzt bis übermorgen. Ich hätte von Anfang an wissen müssen, dass ich in die Gagernstraße gehen muss und nicht du, aber ich hatte Angst.«

»Ich bin heilfroh, dass wir wenigstens schlau genug waren,

das Maul zu halten, und Fanny nichts erzählt haben. Stell dir ihre Enttäuschung vor, wenn sie auch noch den Namen falsch verstanden hat und Betsy doch nicht in der Gagernstraße wohnt.«

»Fanny ist kein Kind mehr. Wir können sie nicht vor Enttäuschungen schützen. Morgen gehen sie und ich zusammen hin. Vielleicht wird sie mich schützen müssen, wenn alles umsonst war. Du kannst dir nicht vorstellen, wie sehr ich mir wünsche, dass Betsy noch da ist. Ich hab schon früher die meiste Zeit vergessen, dass sie nicht meine Mutter ist.«

»Wenn ich mir das nicht vorstellen könnte, wäre ich ja zu gar nichts mehr zu gebrauchen. Was willst du Fanny denn sagen?«

»Die Wahrheit. Das sind wir ihr schuldig. Sie stammt aus einer Familie, in der man nicht gelogen hat. Ich übrigens auch, wenn du die ersten acht Jahre meines Lebens abziehst.«

Sie redeten wenig an diesem Montag der Erwartung. Anders als am Tag zuvor war das Wetter herbstwarm, das Licht hell. Die Wolken sahen aus wie Lämmer, die Pfützen wie Spiegel. Eichhörnchen brachten ihre Wintervorräte ein. Wann immer Fanny zum Himmel schaute, versprach sie Gott, nie mehr an seiner Weisheit zu zweifeln, ließe er das Wunder geschehen, um das sie täglich betete. »Meinst du, Großmutter wird mich erkennen?«, fragte sie. »Wenn es sie gibt, meine ich. Ich hab mal gelesen, man darf nie von der Zukunft sprechen. Findest du das auch?«

»Da müsstest du jemand fragen, der klug ist.«

»Mir bist du klug genug«, sagte Fanny.

Die Maximilianstraße war noch weniger belebt als am Tag zuvor. Windeln und Küchenhandtücher flatterten an Holz-

gestellen, die vor den Fenstern in den oberen Etagen angebracht waren. Frauen in vergilbten weißen Kittelschürzen und mit Tüchern auf dem Kopf, die zum Turban geknotet waren, schauten zum Fenster hinaus und starrten ins Leere. Ihre Arme hatten sie auf Kissen gebettet.
»Genau wie früher«, sagte Anna. »Dein Onkel Erwin konnte solche Frauen nicht ausstehen. Glotzziegen hat er sie genannt. Komm, wir haben es geschafft. Da ist schon das Altersheim.«
»Ich hab plötzlich Angst«, sagte Fanny.
»Ich auch. Aber nicht plötzlich. Komm, wir sind ja zu zweit. Uns kann nichts passieren. Gar nichts.«
»Das hast du mir schon einmal gesagt, Anna.«
»Wann?«
»Als du mir den Mantel mit dem gelben Stern ausgezogen hast.«
»Das hast du nicht vergessen? Nach all der Zeit!«
»Nein.«
Sie hielten einander an der Hand wie Kinder, die auf einer Sommerwiese toben, doch sie lachten nicht. Zu groß war die Furcht, das Schicksal könnte es schlecht mit ihnen meinen. Im Garten war Leben, der Rasen frisch getränkt vom Regen. Die Schafe standen dicht beieinander, ihre Körper sahen aus, als wären sie zusammengewachsen.
»Von den Schafen hat Hans mir erzählt. Weißt du, er war gestern schon mal hier.«
»Ich weiß«, sagte Fanny, »seitdem der Krieg vorbei ist, flüstert ihr nicht leise genug.«
Dunkel gekleidete Frauen, in Decken gehüllt, und ein alter Mann, der mit seinem Stock Löcher in die Erde grub, saßen auf den Bänken, die um das Gras standen. Es war ein friedliches, tröstendes Bild, obgleich sich die Frauen im befeh-

lenden Ton von Schwerhörigen unterhielten. Eine alte Frau, auffallend groß, sehr abgemagert und mit rotem Gesicht, stand auf. »Nein, ich täusche mich nicht. Ich werde ihn bis zum Ende meiner Tage sehen«, erklärte sie. »Er war der beste Freund meines Sohns. Von Anfang an. Falk hieß er. Falk von Wangenheim. Er war zwölf Jahre alt und der höflichste Junge, der mir je begegnet ist. Und dann hat er in der Kristallnacht vor meinen Augen die Schublade mit dem Silberbesteck aus unserer Wohnung geschleppt und meinem Buben in den Leib getreten. In diesem Augenblick habe ich gewusst, dass es für uns keine Hoffnung mehr gab.«
»Schau mal«, flüsterte Anna, »die Frau dort auf der Bank. Die, die ganz allein sitzt und liest. Mein Gott, lass mich recht haben. Nur dieses eine Mal. Sie hat immer gelesen.« Ihr Körper spannte sich, sie zerquetschte Fannys Hand und hetzte mit ihr los, denn sie wusste, dass sie ins Ziel lief. »Komm, Fanny, es ist geschehen.«
Betsy schaute erst hoch, als sie die beiden atmen hörte. Eine Ewigkeit lang glaubte sie, es wäre der Wind, den sie hörte, doch sie ging auf sein Spiel ein und legte das Buch auf die Bank. Ihr Körper erstarrte. War es Freude, war es Schock oder war es der Tod? Die Augen glaubten nicht, was sie sahen, und doch breitete Betsy ihre Arme aus. Sie umklammerte Anna und Fanny, roch deren Haut und fühlte deren Jubel, und sie war betäubt von einem Glück, für das es keine Worte gab. Das Buch fiel auf dic Erde; es lag offen da, der Wind blätterte in den Seiten und erzählte im Himmel wundersame Geschichten. Die übrigen Bänke waren verlassen, nur eine graue Decke lag noch da. Die Schafe blökten mit erhobenem Kopf. Im ersten Stock stand eine junge Frau am Fenster und schwenkte eine goldfarbene

Glocke. »Frau Sternberg, Mittagessen«, rief sie, »haben Sie denn heute gar keinen Hunger?«
Betsy machte keine Bewegung. Auch weinte sie nicht, denn sie scheute sich, der einzigen Gnade, die ihr je widerfahren war, Tränen zuzumuten. Ihr Herz raste sich jung, ihre Hände waren so warm wie lange nicht mehr, als sie Anna an sich drückte. »Du bist«, sagte sie, und für Anna klang es, als würde sie singen, »das Beste, das mir in meiner Ehe je widerfahren ist. Ich hätte es Johann Isidor beizeiten sagen sollen. Komm, Fanny, setz dich. Ich muss dich fühlen, um zu begreifen, was geschehen ist. Obwohl ich nicht geglaubt habe, dass wir uns je wiedersehen, hat nur der Gedanke an dich mich am Leben gehalten.«

6
Begegnung an der Haustür
November 1945

Betsy war es immer wichtig gewesen, weder ihrem Temperament nachzugeben noch dem ersten Impuls. Schon als Kind hatte es sie nicht in den Mittelpunkt gedrängt – trotz der Konkurrenz ihrer vielen Geschwister um die Aufmerksamkeit des geliebten Vaters. »Wer im Schatten steht, den blendet die Sonne nicht« wurde später ihr Lebensmotto. Ihren kapriziösen Töchtern, die es immerzu nach Glanz und Bewunderung gelüstete, predigte sie, wenn auch selten mit Erfolg, Bescheidenheit, Rücksicht und Diskretion. Forsches Auftreten und wichtigtuerisches Gehabe billigte sie ausschließlich Männern zu, eitle Menschen machten sie nervös, Egozentriker waren ihr zuwider. Selbst in guten Zeiten hatte sie spontan geschlossenen Freundschaften misstraut; nach der Rückkehr aus Theresienstadt mochte sie sich gar nicht mehr auf Fremde einlassen. Berichte von Schicksalsgenossen, die wie sie im Konzentrationslager gewesen waren und ihre Familie überlebt hatten, konnte sie nicht ertragen, aber auch banales Geplauder quälte sie.
Die angesehene Madam Sternberg, Gattin eines Mannes von Vermögen und Reputation, war nie klatschsüchtig gewesen, auch nicht neugierig. Im Altersheim kam ihr also gar nicht die Idee, irgendeiner würde sich mit ihr beschäftigen. »Ich fühl mich hier so wohl, weil keiner von mir Notiz

nimmt«, erklärte sie Anna. »Ich nehme an, wir alle haben im Lager verlernt, uns für andere Menschen zu interessieren.«
So gründlich hatte sich Betsy selten geirrt. Sie wurde ständig beobachtet. Besonders von den Frauen. Die waren sich einig, »dass die Sternberg doch beneidenswert frisch für ihre dreiundsiebzig wirkt«. Man rätselte, ob die »Dame wohl von einem geheimen Gönner Extrazuteilungen oder stärkende Medikamente kriegt oder ob sie irgendwelche Kontakte zu den Amerikanern hat«. Frau Olschowsky, eine Putzmacherin aus Wiesbaden, die drei Jahre lang von ihrer nichtjüdischen Freundin in einem Bodenverschlag versteckt worden war und die in dieser Zeit nur mit ihrer Lebensretterin hatte reden können, drückte es trotz ihrer Sprachstörungen am deutlichsten aus: »Sie sieht aus wie früher die reichen Leute, wenn sie aus der Sommerfrische kamen. Dabei hat sie doch angeblich todkrank vier Monate lang in einem deutschen Krankenhaus gelegen.«
Dr. Goldschmidt, der die Heiminsassen medizinisch betreute und jeden Mittwoch Sprechstunde hielt, schien ähnlich zu denken. Als er Betsy das erste Mal untersuchte, sagte er: »Wenn Sie so weitermachen wie bisher, Frau Sternberg, überleben Sie uns noch alle.« Betsys Reaktion auf die außergewöhnliche Diagnose, zufällig von der alten Frau Friesländer miterlebt und mit erhobener Hand bezeugt, wurde Tagesgespräch. Sie hatte dem Arzt, der gerade ihre Pulsschläge zählte und der nicht dazu neigte, seine Worte mit Bedacht zu wählen, verärgert die Hand entzogen und ihn schroff belehrt: »In Theresienstadt habe ich ein für alle Mal gelernt, dass es beim Überleben weder auf die Konstitution noch auf den eigenen Willen ankommt, Herr Doktor.«
Unmittelbar nach dieser Begebenheit entflammte ein für

die Zeit typischer Tauschhandel die Fantasie der Menschen im jüdischen Altersheim. Das Geschäft (»äußerst seltsam, wenn Sie mich fragen«) führte zu einer Flut von Gerüchten. Die zahlenmäßig kleine, doch sehr aktive Gruppe der in Frankfurt stationierten jüdischen Soldaten hatte zum bevorstehenden Chanukkafest im Dezember jedem Heiminsassen eine Dose koschere Wurst, ein Pfund Kaffee und ein hebräisch-englisches Gebetbuch gestiftet. Zwei Tage später überließ Betsy ihre Salami Herrn Mahlke, »von dem selbst die Schafe hier wissen, dass koschere Wurst zu ihm so gut passt wie Schweinefleisch zu einem Rabbiner«.

Von Siegesmund Mahlke, einem grauköpfigen, nervösen Oberstudienrat ohne Anstellung, wurde gemunkelt, er sei als Parteigenosse der ersten Stunde aus dem hessischen Schuldienst geflogen. Zuständig war Mahlke für die Buchführung im Heim und für Verhandlungen mit Ämtern. Ob Parteigenosse oder ein zu Unrecht Verdächtigter, er stimmte spontan Betsys Vorschlag zu, sich von Stefan Zweigs Essaysammlung »Sternstunden der Menschheit« zu trennen. Weil die »Sternstunden« eine Erstausgabe und somit wertvoll waren, hatte Mahlke trotz seiner Führertreue und trotz starker Gewissensbisse das berühmte Buch der Bücherverbrennung vom Mai 1933 entzogen. Von dem Schatz in seinem Keller hatte er Betsy nur deswegen erzählt, weil sie ihn stets grüßte – im Gegensatz zu anderen Heimbewohnern. Als er einmal stark erkältet gewesen war, hatte sie ihm auch gute Besserung gewünscht.

»Ich hab doch so viel nachzuholen, ich muss so viel zurückholen«, soll Betsy »sehr verlegen« gemurmelt haben. Frau Simon war (»ganz ohne Absicht, das können Sie mir glauben!«) Zeugin des verblüffenden Tausches geworden. Keiner konnte es fassen: Eine Frau, die den tödlichen Hunger

von Theresienstadt erlebt und selbst vierzig Pfund abgenommen hatte, gab Wurst für ein Buch her. »Noch dazu ein ganz dünnes«, berichtete Frau Simon. »Hüten wir uns vor den Gebildeten! Das hat mein seliger Mann schon immer gesagt.«
Obwohl ihr Mann und ihre beiden Töchter mit je zwei kleinen Kindern umgekommen waren, hatte sich Henny Simon sowohl ihren scharfen Blick für Nebensächlichkeiten als auch die Lust am Fabulieren bewahrt. Sie wusste als Erste, dass »die Sternberg'sche Professorin für Literatur an der Frankfurter Universität gewesen war. Ganz hoch angesehen, habe ich gehört. Ihr sollen sogar zwei Dienstzimmer zur Verfügung gestanden haben. Mit seidenen Vorhängen.«
Zwei Tage später berichtete Frau Simons Zimmernachbarin Frau Feigenbaum, die ihrer Schwerhörigkeit wegen zu Verwechslungen der schwerwiegendsten Art neigte, man hätte Betsy ihre alte Position wieder angeboten, sie habe aber mit der Begründung abgelehnt, sie hätte nur ein einziges Paar Schuhe, und das mit durchgelaufenen Sohlen. Die Einschätzung von Betsys Schuhsituation stimmte: Sie hatte zu große Füße, um von einer Aktion profitieren zu können, in der Schuhwerk unbekannter Herkunft in der Gagernstraße verteilt worden war.
Auch die Männer im Heim wussten Erstaunliches von der »meschuggenen Sternberg mit dem Lesetick«. Sie hätte »trotz Hitler und der Arisierung immer noch genug Grundbesitz in Frankfurt, um das ganze Altersheim aufzukaufen«. Als Betsy dann beim Sabbatessen zwischen der Suppe aus ausgekochten Rinderknochen und den Graupen mit scharf gerösteten Kohlstreifen erwähnte, sie hätte früher in der Rothschildallee gewohnt und sie wolle so schnell wie möglich einmal dorthin, um nachzusehen, »ob unser al-

tes Haus überhaupt noch steht«, kam umgehend ein Gerücht auf, das keinen ihrer Schicksalsgenossen unbewegt ließ. Frau Sternberg sei eine geborene Rothschild, hieß es, und hätte Verwandte in aller Welt.
»Selbst in Venedig«, wusste Frau Feigenbaum. Sie hatte Tränen in den Augen, und ihre Schultern bebten. »Wir waren 1929 zu unserer silbernen Hochzeit dort. Auf dem berühmten Kanal sind wir gefahren. Im Mai und bei Mondschein und mit Gesang. Mein Mann hat noch an unserem letzten Abend davon gesprochen, obwohl er da kaum noch atmen konnte.«
Menschen, die erlebt hatten, wie die Ehepartner, ihre Kinder und Geschwister, die Enkel und die greisen Eltern verhungert waren oder dass sie wie Schlachtvieh in die Züge in den Osten verladen wurden, stellten sich immer wieder die eine qualvolle Frage: Warum waren ausgerechnet sie verschont geblieben? Die Verzweifelten, deren Los das Leben war, litten an Schuldgefühlen, die sie nie verließen, und sie litten an einer Einsamkeit, wie sie vor der Zeit in den Konzentrationslagern noch nicht einmal vorstellbar gewesen war. Dennoch verlangte es diese Leidenden und Verzagten, im Gegensatz zu Betsys Annahme, noch immer nach dem Leben der anderen. Verwandte im Ausland zu haben, das bewegte einen jeden. Verwandtschaft bedeutete den Halt und den Funken Hoffnung, den der ins Leben Zurückgestoßene brauchte, um sich nicht aufzugeben. Nur die eigenen Leute wussten, wer man gewesen war; sie waren die Brücke von der Vergangenheit in die Gegenwart.
Isaac Birnbaum, in Frankfurt geboren und trotz der dort erlebten Pein noch immer in der gemütvollen Sprache seiner Heimatstadt zu Hause, dreiundachtzig Jahre alt und ehedem erfolgreicher Immobilienmakler, gab bereitwillig Aus-

kunft über seine Vaterstadt. »Die Sternbergs«, erinnerte er sich, »hatten drei Geschäfte. Eins größer als das andere. Richtige Goldgruben waren das. Dem Johann Isidor Sternberg von der Posamenterie in der Hasengasse und mit dem Weißwarengeschäft auf der Glauburgstraße hat keiner was vormachen können. Meine Frau, die nie ganz zufrieden war mit dem, was sie hatte, hat ihn mir immer vorgehalten. ›Der Sternberg hat Ellbogen‹, hat sie gesagt, ›und den richtigen Riecher fürs Geschäft.‹ Und die richtigen Freunde. Wir hatten denselben Arzt, er und ich. Dr. Meyerbeer, hieß er. Er war ein ganz feiner Kerl und klüger als wir alle zusammen. Er hatte die Courage, sich umzubringen, als er den Deportationsbefehl erhielt. Seine Frau auch. Ich hab im Lager oft mit Sternberg über Meyerbeer und seine Frau gesprochen. Was haben wir die beiden beneidet. ›Gott belohnt die Mutigen‹, hat Sternberg gesagt, ›ich hab zugelassen, dass meine Frau das Gift ins Klo geworfen hat.‹«
Dass Betsy Familie in Frankfurt hatte, obwohl es doch hieß, sie hätte »ihre ganze Familie in Theresienstadt verloren«, wurde zum Dauerthema. »Nanu, so plötzlich?«, fragte Herr Weisshaupt ironisch, als er von Anna und Fanny erfuhr. Frau Olschowsky sagte gar: »Chuzpe.« – »Kommen einfach hier vorbei und setzen sich bei uns auf die Bank«, fasste Frau Simon das Wunder in Worte. Gusti Bielmann, ursprünglich in Kassel zu Hause, wo ihr früh verstorbener Ehemann zwei Mietshäuser und einen Laden für feine Aussteuer besessen hatte, lieferte mit ihrer berüchtigten spitzen Zunge den spontanen Beweis, dass das Sprichwort der Neider sowohl gute als auch schlechte Zeit überdauert. »Wo was ist, kommt was dazu«, zog die Lästerin Bilanz. Auch Alfred Grün, wahrlich nicht als zungenflink bekannt und schon gar nicht als vulgär, wusste: »Der Teufel scheißt im-

mer auf den größten Haufen.« Frau Schotten fragte: »Wieso hat die gute Frau Sternberg überhaupt noch eine Tochter und Enkelkinder? Wenn Sie mich fragen, kann das nicht mit rechten Dingen zugehen. Wo kommt die Mischpoche plötzlich her? Ist die Tochter mit dem gelben Stern auf dem Mantel durch Frankfurt spaziert, und haben ihr die Leute freundlich auf die Schulter geklopft und ihr Platz auf den Bänken mit den Schildern ›Für Juden verboten‹ gemacht?«
Trotz der Lawine von Klatsch, trotz Neid und Verwunderung freuten sich die Menschen in der Gagernstraße an Annas Besuchen – auch jene, die von Betsy nicht mehr wussten, als dass »die Glückliche in Theresienstadt die ganze Zeit im Kinderhaus gearbeitet hat«. Anna kam jeden zweiten Nachmittag, immer mit Erwin im Bollerwagen und meistens mit Sophie, die unterwegs Zweige für den Küchenherd sammelte. Oft war Lena dabei, die schüchterne Freundin aus Breslau. Gewöhnlich redete Lena ja nicht mit Fremden, im Garten des Altersheims erzählte sie jedoch bereits bei ihrem zweiten Besuch einem Mann mit Augenklappe und Holzkrücken, dass ihre Mutter auf der Flucht aus dem Osten verhungert war. »Mein Opa«, berichtete das Kind, »sagt, dass sie ein ganz heller Stern ist. Er kennt den lieben Gott.« Der Mann, der dies erfuhr, weinte mit dem einen Auge, das ihm nicht ausgeschlagen worden war. Er war einst Gymnasiallehrer für Geschichte gewesen und hatte bei der Befreiung aus Dachau geschworen, sich an jedem Leid zu erfreuen, das ein Deutscher erlitten hatte.
Trotz Novemberregen und der frühen Kälte, die den Winter des Grauens ankündigte, spielten die Kinder im Garten. Von den Männern wurden die Kleinen mit nachdenklichen, melancholischen Blicken beobachtet, von den meisten Frauen seufzend an die ausgemergelten Körper gedrückt,

geherzt, geküsst und mit altmodischen Koseworten bedacht, die sie nicht verstanden. Sophie und selbst Lena ließen die Liebe der Alten bereitwillig zu, denn den Küssen und geflüsterten Beschwörungen pflegten häufig ein Bonbon, ein harter Keks oder ein Stück getrockneter Apfel zu folgen.
Liebling der beiden Mädchen war eine humpelnde, schwarz gekleidete Frau. Sie war nicht größer als ein zwölfjähriges Mädchen, hatte einen winzigen Kopf, wirr abstehendes graues Haar, von dunklen Ringen umschattete schwarze Augen und einen gelblichen Teint; Sophie hatte die Greisin trotz Hexenbuckel und verkrüppelter Hände spontan als die dreizehnte Fee ausgemacht, die einst an Dornröschens Wiege ein schlimmes Schicksal abgewehrt hatte. Die Fee mit dem Buckel trug den Kindern warmen Pfefferminztee in den Garten, mit so viel Sacharin gesüßt, wie nötig war, damit sie glaubten, sie wären mit Honig und Kandiszucker gelabt worden. Die kinderbesessene Wohltäterin schenkte ihren Zaubertrunk aus einer hohen silbernen Kanne ein. »Die Kanne«, erzählte sie, » habe ich unter einem Rosenbusch gefunden. Am Röderbergweg. Der dicke Göring hat sie dort versteckt. Ich hab ihn mit eigenen Augen gesehen. Jetzt sitzt er bei den Amerikanern im Gefängnis, der Mistbock. Pfefferminztee kriegt er dort bestimmt nicht.«
Die silberne Kanne reizte auch Betsy; wenn sie die Frau den Tee ausschenken sah, erinnerte sie sich an die sonntäglichen Kaffeenachmittage im Wintergarten der Rothschildallee; anders als sie befürchtet hatte, taten ihr die Bilder wohl. An einem Sonntagmorgen erzählte sie der Frau von den gelben Begonien auf dem Fensterbrett und vom bemalten Tontopf mit den Tränenden Herzen, die Victoria

gehätschelt hatte. »Sie hat sie immer Zauberblumen genannt«, fiel ihr ein. Noch während sie sprach, sah Betsy die sechsjährige Vicky in einem blauen Samtkleid mit Spitzenkragen auf dem Balkon stehen. Betsy schaute zu lange hin, sie wurde blind und stumm. Die Frau mit der Silberkanne weinte mit ihr.

Nachmittags erzählte Betsy ihrer wiedergefundenen Tochter: »Es ist kaum eine dabei, die im KZ nicht Kinder und Enkelkinder verloren hat. Immer wieder nennen sie die Zahl. Als wäre nicht ein ermordetes Kind schon entsetzlich genug. Und ich sitze hier und kann nicht begreifen, dass du Fanny gerettet hast. Für den Rest meines Lebens werde ich mit Gott hadern, dass dein Vater es nicht erfahren hat. Er hat dich so sehr geliebt und war so stolz auf dich.«

Beim nächsten Besuch vertraute sie Anna an, was mit Salo geschehen war. »Vicky hielt das Kind die ganze Zeit an der Hand. Das hab ich noch gesehen, doch sie muss Salo in dem Moment losgelassen haben, als sie in den Zug gedrängt wurde. Ich hab ihn schreien hören, nein wimmern. Eine ganz schwache dünne Stimme hatte er. Ich höre sie immer noch und werde sie mein Lebtag nicht vergessen. Die weinenden Kinder waren grausamer als alles andere. Er war ohne Kraft, unser Salo, ohne Leben. Johann Isidor war noch dabei, aber auch er war schon tot, obwohl sie ihn erst vier Wochen danach geholt haben. Was rede ich denn da? Wie ein Waschweib. Ich hab mir geschworen, nie mit jemand, der nicht dabei war, von Theresienstadt zu sprechen. Ich bin eine abscheuliche Person geworden.«

»Ich bin nicht jemand«, schluckte Anna, »ich bin deine Tochter.«

»Das bist du wahrhaftig. Gott schütze die Ehebrecher.«

Sie lachten beide, als Betsy das sagte. Es war das erste Mal,

dass sie gemeinsam lachten, seitdem sie einander wiedergefunden hatten; später lachten sie wieder, denn Betsy beschrieb – so genau, als wäre dies am Tag zuvor geschehen –, wie Johann Isidor vor ihr gestanden hatte, verlegen, aber aufrecht, die achtjährige verschüchterte Anna an der Hand, im gleichen Kleid, das der Vater auch Victoria aus Paris mitgebracht hatte. »Mehr brauchte ich nicht zu sehen«, erinnerte sich Betsy. »Auch wenn er die Ehe gebrochen hat, wie man damals zu sagen pflegte, war er ein guter Ehemann. Nur als Lügner hat er nicht viel getaugt.«
»Aber als Vater«, sagte Anna.
Betsy schaute in den Garten. Bäume, Schafe und Bänke waren vom Nebel eingehüllt. Trotzdem presste sie ihr Gesicht an die Fensterscheibe. Ihr war es wichtig, dass Anna ihre Augen nicht sah, wenn die Vergangenheit auf sie einschlug. »Ich fürchte«, sagte sie schließlich, »ich hab mich nicht verändert. Kein bisschen. Ich stelle immer noch Fragen, die zu nichts führen. Meinst du, dass Fanny irgendwann nach ihrer Mutter fragen wird? Oder nach ihrem Vater und Salo? Ich hab schon gedacht, ich muss die Initiative ergreifen. Doch woher soll ich wissen, was ich ihr zumuten darf? Bis jetzt bin ich nicht einmal dahintergekommen, ob sie noch ein Kind ist oder nicht. Wie erklärt man einem Kind ein KZ?«
»Sie ist kein Kind, Betsy, aber sehr unsicher und ängstlich. Die Zeit hat ihr nicht gutgetan, in der sie noch nicht mal bis zum Briefkasten gehen durfte und wir bei jedem Geräusch zusammengezuckt sind und auf den Schlag gewartet haben. Sie hat von Anfang an alles mitbekommen. Sie fürchtet sich immer noch vor Fremden. Deswegen will sie ja auch nicht in die Schule gehen.«
»Wem tut das schon gut, als Maulwurf zu leben? Vielleicht

kann ich ihr am eigenen Beispiel begreiflich machen, dass Überleben Verpflichtung bedeutet. Vielleicht könnte ich ihr vorschlagen, mich in die Rothschildallee zu begleiten? Ich muss das Haus sehen, jetzt, wo ich euch wiederhabe, mehr denn je. Und ich möchte Fanny dabeihaben. Ich brauche sie. Du siehst, sie haben es geschafft, Anna. Aus der couragierten Frau Sternberg, die Angst für eine Charakterschwäche hielt und ihren Sohn in den Krieg ziehen ließ, ohne sich eine einzige Träne zu gestatten, ist eine Maus geworden, nein, ein Mäuschen. Ich brauche ständig einen Arm, an dem ich mich festhalten kann. Und ein Taschentuch. Und jemand, der mir sagt, was ich tun und was ich lassen soll und wer ich bin. Am liebsten würde ich schon zum Frühstück Baldrian trinken, nur den bekommt man ja nirgends.«
»Du bist mutiger als wir alle, Betsy.«
»Ich habe geschehen lassen, Anna. Dazu braucht man keinen Mut. Du hast gehandelt. Das ist ein Riesenunterschied.«
Am Dienstag, den 20. November, morgens um neun – es war der Tag vor dem Buß- und Bettag – machte sich Betsy Sternberg mit ihrer Enkeltochter zu dem Haus auf, in das sie vor fünfundvierzig Jahren mit ihrem Mann und ihrem ältesten Sohn eingezogen war. »Vier Kinder hab ich dort zur Welt gebracht.«
»Ich denk, es waren fünf. Otto, Erwin, Clara«, zählte Fanny an ihren Fingern ab, »Victoria und Alice.« Sie sprach den Namen ihrer Mutter leise aus, ihre Augenlider flatterten, doch Betsy gab vor, sie hätte nichts gemerkt.
»Otto war schon da. Er wurde noch im Sandweg geboren und war vier Jahre alt, als wir dort weg sind. An Kaisers Geburtstag haben wir das erste Mal in der Rothschildallee

gefrühstückt. Der Himmel war so blau wie seitdem nie mehr. Die Sonne strahlte. Richtiges Kaiserwetter.«
»Deutschland hat mal einen Kaiser gehabt?«, staunte Fanny. »Ich dachte, es gab immer nur den Hitler.«
»Der war nur zwölf Jahre da«, erklärte ihr Betsy, »aber die Hölle hat ihre eigene Zeitrechnung. Für uns war es eine Ewigkeit. Die wird nie vorbei sein.«
Der 20. November war, was Betsy allerdings erst am Abend erfuhr, als sie mit Hans und Anna am Radio saß, für Deutschland ein bedeutender Tag. Vor dem Internationalen Militärgerichtshof in Nürnberg begann der Prozess gegen einundzwanzig führende Repräsentanten des nationalsozialistischen Regimes. Unter ihnen waren der ehemalige Reichsmarschall und Luftfahrtminister Hermann Göring, Julius Streicher, bei den Nazis Herausgeber des antisemitischen Hetzblattes »Der Stürmer«, Rudolf Hess, der Stellvertreter Hitlers, und Generalfeldmarschall Wilhelm Keitel, der ehemalige Chef des Oberkommandos der Wehrmacht.
Die Vergangenheit stand an diesem Dienstag auch in Lüneburg vor Gericht. Der ehemalige Kommandant des KZ Bergen-Belsen, Josef Kramer, und zehn weitere Angeklagte wurden von einem britischen Militärtribunal zum Tode verurteilt. Ebenfalls am 20. November 1945 veröffentlichte die amerikanische Militärregierung in Frankfurt eine Liste, auf der über tausend Namen bekannter deutscher Persönlichkeiten aufgeführt wurden; das Dokument war als Grundlage für die im Kulturbereich zu beschäftigenden Personen vorgesehen. Als ehemalige Sympathisanten der Nazis aufgeführt und nun mit Berufsverbot belegt waren unter anderem Wilhelm Furtwängler, der Dirigent der Berliner Philharmoniker, der Pianist Walter Gieseking, der

Schauspieler Emil Jannings und der Schriftsteller Ernst Jünger.
»Wetten, dass du nach so langer Zeit nicht mehr ohne mich in die Rothschildallee finden würdest«, neckte Betsy.
»Verloren. Ich hab mir als Kind die Strecke sogar aufgemalt. Auch die ins Philanthropin, wo ich zur Schule gegangen bin, und zur Günthersburgallee, wo meine Eltern gewohnt haben. Ich hab immer Angst gehabt, ich könnte vergessen, wer ich bin.«
»Gott schütze dich, Fanny. Wenn ich eine jüdische Großmutter wäre, wie meine eine war, würde ich dich segnen. Aber ich weiß nicht, wie das geht. Ich hab's schon bei meinen Kindern nicht gemacht. Wir Sternbergs haben uns zu früh von Gott abgesetzt.«
Sie liefen die Habsburgerallee entlang. An der Arnsburger Straße blieb Betsy stehen. »Hier hat unser Kohlenhändler gewohnt«, fiel ihr ein. »Ein hochanständiger Mann. Er hat uns im Ersten Weltkrieg so beliefert, als wären wir mit ihm verwandt, und 1933 hat er so getan, als hätte ihm niemand gesagt, dass Juden Aussätzige sind. Schau doch mal, der wunderbare Rosenkohl in dem Garten vor dem Haus mit den vernagelten Fenstern. Da läuft mir das Wasser im Mund zusammen. Rosenkohl mit Sahnesauce und Muskat. Josepha hat das so wunderbar hingekriegt.«
Sämtliche Vorgärten dienten der Ernährung. Die Kartoffeln waren abgeerntet, der Weißkohl noch nicht. Lauchstangen steckten noch in der Erde. Petersilie und Schnittlauch wuchsen in kleinen Töpfen. Auf den Balkons der oberen Etagen trotzten gehätschelte Tabakpflanzen dem Winter. Schilder, mit Draht auf den eisernen Zäunen angebracht, warnten: »Diebe werden ohne Ansehen der Person umgehend der Polizei übergeben.«

»Nebbich«, spottete Betsy, »als ob die deutsche Polizei nichts anderes zu tun hat, als deutsche Kohlköpfe zu schützen. Entschuldige, Fanny, du hast wirklich eine verkalkte Großmutter. Die hat soeben total vergessen, dass du das Wort Nebbich ja gar nicht mehr kennen kannst.«
»Doch! Mein Onkel Erwin hat immer Nebbich gesagt. Daran kann ich mich noch ganz genau erinnern.«
»Dein Onkel Erwin ist mein Sohn.«
»Ich weiß, aber ich hab mir das nie so richtig klargemacht, bis du gekommen bist. Dabei bete ich jeden Abend, dass er uns schreibt. Anna wünscht sich das so. Manchmal denk ich, dass sie in Erwin verknallt war.«
»Von den Geschwistern hatte er das größte Herz und den besten Charakter. Es wird mich bis zu meinem letzten Tag beschämen, dass Anna das so viel eher erkannt hat als ich.«
»Anna hat auch ein riesengroßes Herz«, sagte Fanny.
»Wem sagst du das? Komm, lass uns mal rüber zu dem Wasserhäuschen gehen. Ich hab keins mehr gesehen seit damals. Wasserhäuschen waren immer typisch für Frankfurt. Die Kinder haben dort jeden Pfennig, den sie hatten, für Brausepulver und Lakritzschnecken ausgegeben. Nur unsere Alice nicht. Sie schwärmte für glitschige grüne Gummischlangen, und später hat Erwin gesagt, die Gummischlangen seien schon die Vorbereitung auf Südafrika gewesen. Gott schütze mich vor meinem Gedächtnis!«
Das Wasserhäuschen aus ungehobelten Brettern stand auf dem Grasstreifen, der die Habsburgerallee teilte. Vor einer breiten Öffnung war ein Brett angebracht, das als Tresen diente und auf dem noch »Vorsicht, Gift!« zu lesen war. Ein gelbgesichtiger Mann mit grauer Pudelmütze und einer Brille, die durch ein Stück Gummi von einem Einweckglas gehalten wurde, stützte seine Ellbogen auf dem Tresen auf.

Er nickte, noch ehe Betsy und Fanny seine Bude erreicht hatten. Seine Rechte steckte in einem zerlöcherten Wehrmachtshandschuh; mit dem Zeigefinger deutete er auf ein mit Rotstift beschriftetes Pappschild, auf dem in Blockbuchstaben »Heißgetränk, jederzeit frisch« stand. Vor der Tür glühte ein kleiner Holzkohlenofen, aus einem schwarzen Suppentopf mit wackligem Deckel stieg Dampf. »In fünf Minuten heiß, heiß wie die Hölle«, lockte der Mann. »Die Heißgetränke von Theo Tausendsassa wärmen von Kopf bis Fuß und wieder zurück. Da begreift man, dass es sich gelohnt hat, den verdammten Krieg zu überleben. So was hat's auf der Tour nach Stalingrad nicht gegeben. Da haben wir Schneewasser erhitzt und sind an der Ruhr verreckt.«
»Wenn das so ist«, sagte Betsy, »dann nehmen wir zwei Portionen. Was wärmt denn besser, grün oder rot?«
»Hauptsache, nicht braun«, wieherte Theo. Er ließ den Brillengummi gegen seine Wange schnappen. »Braun haben wir ja hinter uns. Behaupten jedenfalls die Leut, die alles besser wissen. Besser als Gott und die Amis. Jetzt haben wir die Demokratie. Da darf jeder Idiot sagen, was er denkt. Dabei denken wir ja doch alle dasselbe. Ein Schmalzbrot beim Adolf war tausend Mal gesünder als der Hunger in der Demokratie. Von frommen Sprüchen ist noch nie ein Mensch satt geworden.«
Sie drückten den Rücken gegen die Budenwand und schlürften das dampfende erdbeerrote Getränk, zu stark mit Sacharin gesüßt und deshalb zu bitter, aus zerbeulten Blechbechern. Betsy fiel schon beim ersten Schluck Hans Fallada ein. »Wer einmal aus dem Blechnapf frisst«, murmelte sie. Sie sah sich auf der mit rotem Plüsch bezogenen Récamière im Wintergarten sitzen. Falladas Buch lag auf

dem weiß lackierten Wiener Kaffeehaustisch, den Johann Isidor ihr zum fünfzehnten Hochzeitstag geschenkt hatte. Fanny lachte so sehr, dass sie ihren Becher abstellen musste. »Ich hab immer gedacht, nur Hunde dürfen fressen sagen«, prustete sie. In ihren Augen leuchtete die Heiterkeit der Sorglosen; für einen Moment, der nach nur zwei Lidschlägen verging, sah sie aus wie ein Kind.

»Ich hab das Gefühl, dass wir beide gute Freunde werden, Mademoiselle Feuereisen«, sagte Betsy. »Es ist das erste Mal, dass ich dich lachen höre. Du kannst dir gar nicht vorstellen, was das für mich bedeutet. Dich fröhlich zu sehen ist mehr, als ich je vom Schicksal erbeten habe. Außerdem musst du wissen, bin ich heilfroh, dass ich nicht eine Großmutter der herkömmlichen Art sein muss. Mit silbernen Löckchen und Spitzenkragen. Eine, die mit Bällen wirft, Puppenjäckchen häkelt und »Backe, backe, Kuchen« singt, bis sie nicht mehr bis drei zählen kann. Das hab ich alles lange hinter mir.«

»Ich auch«, erwiderte Fanny, »nur anders. Ich weiß gar nicht, ob ich je Puppen hatte, die Jäckchen brauchten.«

»Sie haben bestimmt Jäckchen gebraucht, nur Hitler war dagegen. Wir hatten nicht mehr den Kopf, um Kinder zu verwöhnen und Fantasiewelten aufzubauen. Mit dir hat auch keiner mehr gesungen.«

Fanny rieb den Schmerz, der sich als Schweiß tarnte, von der Stirn und ihre Augen trocken. Zur Großmutter, die sie noch nicht einmal drei Wochen kannte, sagte sie: »Mein Vater konnte wunderschön singen.«

»Das hast du nicht vergessen? Nach all den Jahren weißt du noch, dass er eine großartige Stimme hatte! Wir haben immer gesagt, mit der Stimme kannst du auch deinen Lebensunterhalt als Kantor verdienen, Fritz, und er hat jedes Mal darauf geantwortet: ›Jüdisch Brot ist hartes Brot.‹ Du warst doch noch so klein, als er ging. Wir haben alle gedacht, dass du nichts mitbekommen hast. Du hast nie nach ihm gefragt.«

»Ich hab nichts vergessen. Schon gar nicht meinen Vater. Nur meistens fehlen mir die Worte, um das zu sagen, was ich will, und dann halt ich lieber den Mund. Außer, wenn ich mir dir zusammen bin, da steckt meine Zunge nicht fest; das ist mir schon beim allerersten Mal aufgefallen. Und jetzt verrate ich dir was: Ich weiß genau, wo wir gerade sind. Wenn du deine Augen zumachst und dich von mir führen lässt, liefere ich dich in der Rothschildallee ab. Wir werden vor dem Haus stehen und so tun, als wären wir nie weg gewesen. Unsere Sophie will immer, dass ich mit ihr Blindenhund spiele.«

»Um Himmels willen! Wenn ich je meine Augen gebraucht habe, dann in der nächsten Viertelstunde. Mir ist ganz schlecht. Das ist die Aufregung.«

»Mir auch. Aber nur ein bisschen. Der Rest von mir passt auf dich auf.«

Sie überquerten die einst geschäftige Berger Straße, in ganz Frankfurt als »Bornheimer Zcil bckannt« und der Stolz des Viertels. Vor dem Krieg hatte es geheißen, man finde auf der Berger Straße alles vom Kragenknöpfchen bis zum Sargnagel. Am Gemüsegeschäft, an das sich Betsy noch gut erinnerte, weil es immer eine Woche vor der Konkurrenz Spargel verkauft hatte, verkündete ein Schild »Laufmaschenaufnahme«. Auf vier Ziegeln lag ein Brett, drauf stand eine Handnähmaschine. Auf einem Hocker saß eine magere junge Frau mit blutrot geschminkten Lippen. Sie wirkte erschöpft, doch winkte sie mit einer grauen Herrensocke, als sie Betsys Aufmerksamkeit bemerkte.

»Laufmaschenaufnahme«, schüttelte Fanny den Kopf, »die

hat man wohl als Kind zu heiß gebadet. Woher sollen wir denn Laufmaschen nehmen, wenn wir keine Strümpfe haben?«
Vor einem Haus, von dem nur der erste Stock und das Parterre erhalten geblieben waren, saßen zwei schwarzhäutige Soldaten und aßen lange Würste zwischen dicken Weißbrotscheiben, aus denen Tomatenketchup tropfte. Die fröhlichen GIs hatten drei junge, begierig blickende blonde Fräuleins und eine Schar bettelnder Kinder angelockt; die Buben brüllten abwechselnd »Chewing Gum« und »Camels«, kleine Mädchen in verwaschenen Strickjacken riefen »Candy« und streckten ihre Hände vor.
»Noch fünf Minuten«, sagte Betsy, »dann haben wir's geschafft, wir sind schon in der Höhenstraße.«
Trotz der vielen zerstörten Häuser gab es noch Geschäfte, die sie von früher kannte; einige waren geschlossen, bei anderen ließ sich nicht ausmachen, was sie verkauften. Ein Messerschleifer mit zerlöchertem Hut stand vor einem zerbombten Haus. Er hielt abwechselnd ein Tranchierbesteck und eine Schneiderschere hoch. Ein Kriegsversehrter mit Krücken bot in einem aufgeweichten Pappkarton kleine geschnitzte Holzpferde an. »Können sogar wiehern«, sagte er, als Fanny stehen blieb. In einem ehemaligen Kolonialwarenladen, der für seine große Auswahl an Kaffeesorten bekannt gewesen war, lockte ein mit bunten Wollfäden verziertes Schild: »Geprüfte Wahrsagerin und Handleserin. Leistungen nur gegen Brot- oder Fleischmarken oder in Naturalien. Auch gut erhaltener Kindermantel gesucht.«
»Ich glaube, Wahrsager haben Hochkonjunktur. Es gibt so viele Menschen, die vermisste Familienmitglieder suchen.«
»Wenn ich Fleischmarken hätte«, sagte Fanny, »würde ich auch hingehen. Ich suche ja auch jemanden.«

»Uns kann kein Wahrsager helfen. Was wir brauchen, ist die Wiederaufnahme des Postverkehrs mit dem Ausland.«
Vor dem Bäcker an der Kreuzung zur Heidestraße wartete die übliche Schlange graugesichtiger, mutloser Menschen. An der Schaufensterscheibe klebten ein winziger Tannenzweig und die Bekanntmachung: »Wegen Backverbots im Haushalt keine Annahme von hausfremdem Kuchenteig zum Ausbacken«. Vor dem Milchladen standen hauptsächlich Frauen und Kinder, alle mit Kannen, Henkelmännern aus Wehrmachtsbeständen, Krügen oder Einmachgläsern.
»Dort«, sagte Betsy, »haben wir auch immer gekauft. Um nichts in der Welt hätte Josepha die Butter woanders geholt. Noch nicht mal in der Freßgass. Der Inhaber war grundsätzlich schlechter Laune, aber kein Nazi. Weiß Gott nicht. Er hat mich bis zum letzten Tag gegrüßt. Du lieber Himmel, da steht er. Das kann doch nicht wahr sein. Es hat sich nichts verändert, die Welt dreht sich weiter, als hätte es die Nazis und die KZs nie gegeben. Fanny, lass dich anfassen. Sag mir, dass ich lebe und dass es dich gibt. Ich hab das Gefühl, ich löse mich gleich in Luft auf. Oder ich falle um.«
Fannys Augen strahlten Freude. Noch nie war sie Stütze für eine Schwache gewesen, immer hatte sie die Arme ausgestreckt und Halt gesucht. Zunächst spürte sie nur den Stolz, der sie wärmte; dann durchströmte sie eine Liebe, die sie stark machte und sicher. Diesmal wunderte sie sich nicht, dass sie kein einziges von den Worten auszusprechen vermochte, die in ihr drängten.
»Wir sind auf der falschen Seite«, bemerkte Betsy. »Komisch, ich bin immer auf dieser Seite gegangen und die Mädchen auf der anderen. Warum fallen mir solche Nebensächlichkeiten überhaupt ein? Und warum tun sie so verdammt weh?«

An der Kreuzung von Rothschildallee und Burgstraße erkannte sie die Drogerie, in der Josepha jedes Frühjahr frische Fliegenfänger, Mottenkugeln, Einmachgewürz und Spiritus für den großen Hausputz gekauft hatte. Die Tür war offen, die Inhaberin in einem blau-weiß gepunkteten Wollkleid und mit fest geflochtenem Nackenknoten stand mit verschränkten Armen vor ihrem Laden. Betsy merkte, dass die Frau sie sofort erkannt hatte; sie wirkte fassungslos, schien verwirrt, griff sich an den Kopf. Dennoch machte sie eine Bewegung, als wollte sie auf Betsy zugehen.
»Komm weiter, Fanny, schnell! Wenn ich jetzt reden muss und dann noch mit ihr, kann ich mich nicht mehr halten. Weder auf den Beinen noch im Kopf. Sie war immer so penetrant neugierig. Ich hab das damals schon nicht ertragen können. Ich sehe sie noch, wie sie uns beobachtet hat, als wir aus dem Haus mussten. Sie hat nichts gesagt, aber man kann auch auf Menschen losgehen, ohne ein Wort zu sagen. Noch eine Minute, dann haben wir's geschafft. Jetzt und für immer. Darf man das überhaupt, nach hinten schauen, in der Vergangenheit blättern wie in einem Buch? Werde ich finden, was ich suche, oder werde ich wie Frau Lot zur Salzsäule erstarren?«
Vor dem Haus, in dem sie achtunddreißig Jahre lang besitzerstolz gelebt, gehofft, gelitten und für immer Abschied von der Illusion genommen hatte, Deutschland wäre ihr Vaterland und Frankfurt ihre Heimat, wurde Betsy tränenblind. Ihr Körper ertaubte, die Lippen zitterten; sie presste die Linke eisenfest aufs Herz und spürte doch mit jedem Schlag wieder die Angst und die Verzweiflung vom letzten Tag im geliebten Haus. Aufs Neue loderten die Scham und die Verzweiflung, zu den Ausgestoßenen und Verdammten zu gehören. »Ich musste kommen«, flüsterte sie, »ich hab

nicht vergessen können.« Sie legte ihre Hand auf die Mauer.
Die Bilder, die Betsy sah, trieben sie in den Keller und auf den Speicher, vor die Türen der Mieter, in die eigene Wohnung mit den bordeauxroten Schabracken an den Fenstern des Salons und schließlich zu dem Kirschbaum im Hinterhof. »Wir wollen dieses Jahr die Kirschen beizeiten einmachen, Josepha. Man weiß nie, wann die Spatzen zuschlagen.«

»Nicht nur die Spatzen«, wusste Erwin. Johann Isidor schlug ihm auf die Schulter. »Der Sohn war klüger als der Vater«, sagte er. »Es war alles ein Irrtum, aber ich hab's nicht besser verdient. Ich hab an Deutschland geglaubt.«

»Nicht nur du, Vater.«

»Ich hab nicht gewusst, dass ich so an dem Haus hänge, Fanny«, schluckte Betsy, als die Welt der Schatten sie endlich freigab. Sie umklammerte einen Gitterstab vom Zaun; ihre Knöchel waren weiß. »Dem Fliederbaum«, sagte sie, »ist es schnurz, für wen er blüht. Ich hab immer gesagt, dass die Natur kein Gewissen hat. Die Vögel haben auch in Theresienstadt gezwitschert, und die Sonne ist dort genauso aufgegangen wie in Venedig und in Timbuktu. Schau mal, das Haus muss einen Treffer abgekriegt haben. Der dritte und der vierte Stock fehlen.«

Über der zweiten Etage war ein Notdach aus Holz und Wellblech errichtet worden. In der Wohnung im ersten Stock, in der die Familie Sternberg noch im Schicksalsjahr 1933 vom Volk der Dichter und Denker gesprochen hatte, dem es zu vertrauen galt, war nur in den Fenstern zur Vorderfront Glas. Die Fenster an der Seitenmauer waren mit Brettern zugenagelt. Im asphaltierten Hof wucherte störrisches Gras zwischen den Steinplatten, im Vorgarten wuchsen Kohlköpfe im ehemaligen Rosenrondell. An der Hecke war ein Rattenloch. Die Haustür, einst Johann Isidors Stolz, weil sie künstlerisches Profil hatte und dem Prachtbegehren der Gründerzeit widersprach, war notdürftig instand gesetzt worden. Die Bleielemente fehlten, das Glas war zersplittert, den Türknauf, ursprünglich aus Messing, hatte man durch einen schäbigen Griff aus Bakelit ersetzt. Die Briefkästen im Hof waren verkratzt, verbogen und mit mehr Namen versehen, als früher Mieter im Haus gewohnt hatten. Auch die Namensschilder an den Klingeln, zum Teil mit Kopierstift geschrieben, zeigten an, dass mehr als die ursprünglich sechs Parteien im Haus lebten.

»Neugebauer«, buchstabierte Betsy. »Grundgütiger Himmel, die sind noch da. Die ganze Bagage! Sie waren Nazis bis zum Gehtnichtmehr. Im Fenster die Hakenkreuzfahne, aber jeden Sonntag in die Kirche. Ich glaube, der Mann ist beim Grundbuchamt gewesen. Ach, wie schön! Im Parterre steht noch ein Name. Jensen. Also hat die feine Frau Neugebauer, die ihre Jungs mit der Hundeleine prügelte und vor der wir zum Schluss solche Angst hatten, dass wir uns erschrocken in die Ecke verdrückten, wenn wir sie sahen, Zwangseinquartierung gekriegt. Offenbar gibt es doch noch Gerechtigkeit. Hoffentlich haben die Untermieter vier Kinder. Mögen sie alle Keuchhusten haben und Wände beschmieren. Wer ist wohl in unserer alten Wohnung gelandet?«

Sie kam nicht mehr dazu, sich mit dem Namensschild vom ersten Stock zu beschäftigen. Die Haustür wurde so heftig von innen aufgerissen, dass Betsy, den Türknauf in der Hand, sich nur mit Mühe auf den Beinen halten konnte. Der Mann, das sah Betsy, während sie noch überlegte, ob sie Grund hatte, sich zu entschuldigen, hatte einen dunkel-

grünen Ledermantel an. Der Mantel erinnerte sie spontan an die Mäntel, die die Gestapoleute getragen hatten.
Fanny, blass, dünn, mit zugekniffenen Augen und offensichtlich in Angst, drückte sich an die Hausmauer. Betsy wollte auf sie zugehen, denn sie wusste besser als andere, wie tödlich es war, Kinder nicht an die Hand zu nehmen.
»Doch«, sagte sie. Ihre Stimme war fest, obwohl es der Moment war, in dem sie Zeit und Raum verwechselte. Sie hielt Fanny für Claudette. »Du bist doch längst in Palästina«, sagte sie.
»Ich bin doch bei dir«, widersprach Fanny. Sie stand nicht mehr an der Hauswand. Auch war sie nicht mehr klein, und sie kniff die Augen nicht mehr zu.
Der Mann nahm seinen Hut ab. Er hatte dichtes graues Haar, eine tiefe Falte auf der Stirn, graue Augen und buschige Brauen; er mochte um die fünfzig sein und hatte augenscheinlich sehr abgenommen. Der Mantel war ihm zu weit, die Hose zu lang. Sein Hals war dünn und faltig. Links trug er einen orthopädischen Schuh.
Betsy wusste sofort Bescheid. Trotzdem schaute sie nach dem rechten Arm des Manns und sah, dass er schlaff nach unten hing. »Ach«, sagte sie. Ihr wurde schwindlig und übel. Sie spürte Fannys Hand auf ihrem Arm. Ob sie ihm würde erklären müssen, wer sie war? Wie ihn anreden, wie überstehen, was zu überstehen war?
»Frau Sternberg«, sagte er. Seine Stimme, so wohltuend für ein musikalisches Ohr, hätte Betsy unter Hunderten erkannt. »Das ist ein Freudentag für uns alle. Nie hätte ich das erwartet. Sie haben sich kein bisschen verändert. Kein bisschen. Ich weiß gar nicht, was ich sagen soll.«
»Am besten gar nichts, Theo. Sie haben genug gesagt, als wir uns das letzte Mal gesehen haben.«

»Aber ich will doch wissen, wie es Ihnen ergangen ist in dieser furchtbaren Zeit. Ihrem Herrn Gatten vor allem. Er war immer korrekt. Ich hab ihn schon als Junge bewundert. Mein Gott, ich sehe ihn vor mir.«
»Meinen Gatten haben sie im Konzentrationslager ermordet. Vermutlich in Auschwitz. Victoria und ihren kleinen Sohn auch.«
»Ich weiß gar nicht, was ich sagen soll.«
»Das haben Sie eben schon gesagt.«
Er hieß Theodorich Rudolph Berghammer. Seit seinem sechsten Lebensjahr wohnte er in der Rothschildallee 9. Er war Ottos einziger Freund gewesen, hatte die siebzehnjährige Clara verführt und war der Vater von Claudette. Im Ersten Weltkrieg hatte Theo seinen Fuß, die Kraft seines rechten Arms und seinen Lebensmut verloren, bei den Nazis sein Gewissen und seinen Anstand. Dass er nach dem Krieg nicht nur gut für seine Familie sorgen konnte, sondern auch ein zufriedener, selbstsicherer Mann war, verdankte Theo seiner Frau Waltraud, die ihm vier Kinder geboren und ihn in den Wirren des Bombenkriegs gedrängt hatte, die Wohnung des ehemaligen Hausbesitzers zu okkupieren. 1945 hatte der Kriegsversehrte Theodorich Berghammer auf dem Wohnungsamt mithilfe von einem Kilo Speck und einem Kilo Schweineschmalz glaubhaft darlegen können, dass er Vater einer jüdischen Tochter wäre, die nach Palästina hatte auswandern müssen und die er »in naher Zukunft nach Hause zu holen« beabsichtige. Der Beamte hatte ein weiteres Kilo Speck verlangt und dann Theo die Wohnung seines einstigen Hauswirts »bis auf Weiteres zur Nutzung überlassen«.
Er hoffe, sagte Theo zu Betsy, »Sie schon der früheren Zeiten wegen bald bei uns empfangen zu dürfen. Auch meine

Frau wird sich sehr freuen. Ich habe ihr viel von der Familie Sternberg erzählt.« Beim Sprechen sah er Betsy an. Es hatte ihm nie an Schneid und Flexibilität gefehlt.

»Wenn ich nur wüsste, an was ich mich zu erinnern habe, Theo!«, erwiderte Betsy. »Dass Sie der beste Freund meines Sohns gewesen sind oder dass Sie mir im Hausflur mein Einkaufsnetz aus der Hand gerissen und mich eine verfluchte Judenschlampe genannt haben.«

7
Der Paukenschlag
Dezember 1945 bis März 1946

»Der liebe Gott schmeißt Bomben auf unser Haus«, schrie Sophie, »wir müssen ganz schnell in den Keller.«
»Nein«, beruhigte sie ihr Vater, »das sind nur die bösen Gewitterteufel. Die wollen uns Angst machen, aber wir fürchten uns nicht. Wir wissen, dass es nie wieder einen Krieg geben wird. Kein Kind muss sich mehr im Keller verstecken.«
»Lena sagt, die Russen kommen. Sie jagen Frauen in den Wald und kochen Kinder in ganz großen Töpfen.«
»Nicht im Frieden, Sophie. Sag das Lena.«
In Frankfurt verabschiedete sich das Elendsjahr 1945 mit einem gewaltigen Sturm. In der verwundeten Stadt bebten die zerstörten Häuser, Ruinen fielen in sich zusammen, notdürftig reparierte Haustüren lagen auf der Straße, die wenigen Trambahnen, die wieder in Betrieb waren, standen still. Die ganze Nacht trieb der peitschende Wind riesige Stücke von Dachpappe, die wie monströse Drachen aussahen, durch die lichtlosen Straßen. Auf den Gehwegen stürzten Menschen über Steine und Äste. Einbrecher nutzten die Gunst des Unwetters, stiegen in fensterlose Keller ein und raubten den Hungernden die letzten Vorräte, stahlen Kartoffeln und Krückstöcke, rostige Fahrräder, Kinderwagen ohne Räder und den Schrott, den die Besitzer selbst

gerade gestohlen hatten. »Ein ganz schlechtes Omen für 1946«, unkten die Abergläubischen. »Gottes Strafe«, wussten die Frommen.
Das Unheil hatte sich lange vor Weihnachten angekündigt. Von Tag zu Tag war die Versorgungslage schlechter geworden, die Verzweiflung größer. Unermüdlich hatten Zeitungen, Rundfunk und öffentliche Verlautbarungen darauf hingewiesen, dass die täglichen 1500 Kalorien, die bis dahin jedem Erwachsenen zugestanden hatten, selbst in der amerikanischen Besatzungszone, die als besser versorgt galt als die drei übrigen, nicht mehr gehalten werden konnten. Metzger, Lebensmittelhändler und Bäckersfrauen standen hinter leeren Theken und bekamen Volkes Zorn zu spüren. Es hieß, die Milch für Säuglinge und Kleinkinder wäre gepanscht, das Mehl mit Insektenpulver versetzt, die Margarine mit Wasser verlängert und die Schweineschnitzel, wenn es sie gab, vom Pferd. Den Bäckern wurde unterstellt, sie würden die Rationen für Normalverbraucher auf dem Schwarzmarkt verschieben; von den Metzgern erzählte man, sie äßen schon zum Frühstück Speck und stopften ihre Babys mit Leberwurst. In den Warteschlangen vor den Läden und auf den Fluren der Ämter schimpften die Menschen im Flüsterton auf die Amerikaner und verteufelten lautstark die Demokratie. Sie scheuten sich nicht, öffentlich zu bejammern, dass sie sich »beim Adolf wenigstens hatten satt essen können«. Ungeniert schwärmten sie von der guten Butter, die ihre Ehemänner und Söhne aus dem besetzten Holland »nach Hause geschickt« hätten. Sie trauerten der »guten polnischen Knoblauchwurst« nach und der feinen belgischen Schokolade.
»Und den Cognac aus Frankreich und den Lachs aus Norwegen wollen wir nicht vergessen«, höhnte Hans, als er auf

der Berger Straße für fünfzig Gramm Fleischmarken die einmalige Zuteilung von fünfhundert Gramm Fisch (ungeputzt, mit Kopf und Schwanz) abholte. »Die Ironie«, beklagte er sich später bei Betsy, »hat keiner gemerkt. Ich hätte sie alle beuteln können, alle, wie sie da standen, diese Gesinnungssäue.«
»Hungrige Menschen haben keinen Sinn für Ironie«, sagte Betsy. »Und Schamgefühl haben sie schon gar nicht. Das hab ich in Theresienstadt begriffen.«
Böse und bösartige Geschichten machten die Runde. Das »Flüchtlingspack aus dem Osten, das uns das bisschen wegfrisst, das uns noch geblieben ist«, hätte Krätze und Läuse in den Westen eingeschleppt, die »Leut aus denen KZs« Fleckfieber, Cholera und Tuberkulose, und von den »Amis hat jeder zweite die Syphilis«. Von alten Menschen wurde berichtet, die in ungeheizten Stuben erfroren wären, von rachitischen Kindern, die ihre Eltern zum Betteln in die Sperrgebiete der Amerikaner tragen müssten, und von gewissenlosen Schiebern, die die Stärkungsmittel für untergewichtige Säuglinge und selbst Entlausungspulver auf dem Schwarzmarkt verhökerten. »Moral und Anstand nur auf Bezugsschein«, wusste der Volksmund.
Ein jeder hatte Verwandte oder Nachbarn, die zum Wohl der darbenden Familie hamstern gefahren waren und denen Polizei und Feldjäger in den Bahnhöfen und Zügen die Hamsterbeute wieder abgenommen hatten. Auf dem Schwarzmarkt katapultierten die Preise in neue Höhen. Die sieche Reichsmark war nicht mehr das Papier wert, auf dem sie gedruckt war; nur aus »Amizigaretten« wurden Butter, Mehl, Kleiderstoffe, Schuhe und ein Stück Lebenswille. Und doch hungerten die Menschen nicht nach Brot allein. Sie standen stundenlang Schlange vor den wenigen Kinos,

die wieder geöffnet waren, Zeitungen, die nur zwei Mal in der Woche erschienen, wurden von so vielen Leuten gelesen, dass sie aufgebügelt werden mussten. Mit leerem Magen, in Hut und Schal bibberten die Frankfurter im ungeheizten Börsensaal – und lachten Tränen, weil ein gewisser Herr Harpagnon mit Zipfelmütze in einem Lehnstuhl hockte und sorgenvoll in einen Nachttopf aus feinem Porzellan starrte. Siegfried Nürnberger hatte Molières unsterbliche Komödie »Der eingebildete Kranke« inszeniert. Für Theaterkarten standen die Menschen ebenso lange an wie für Brot, doch man war sich einig, dass die Strapazen sich lohnten. Zu Weihnachten gab es für die Kinder, die in den Trümmern spielten und die keine Väter mehr hatten, die Geschichte vom »Lügenpeter«.

»Das ist ein Weihnachtsmärchen«, erklärte Betsy.

»Kann man das essen?«, fragte Sophie, die noch nie eine Banane gesehen hatte.

»Nur mit den Augen, aber mit den Augen zu essen macht noch mehr Freude als mit dem Mund«, wusste Betsy. Sie dachte an Victoria, die in der Nazizeit, als Juden noch nicht einmal mehr auf öffentlichen Bänken hatten sitzen dürfen, im Schutz der Dunkelheit zu den Festspielen auf dem Römerberg geschlichen war. »Ihr Leben für Florian Geyer aufs Spiel gesetzt«, murmelte Betsy, »das glaubt einem heute niemand mehr.«

Obwohl sie rechtzeitig die Augen schloss, sah sie Victoria in Theresienstadt in den Zug steigen und hörte Salo nach der Mutter rufen. Victorias Tochter aber schickte sie mit Sophie zum »Lügenpeter« – die Stadt Frankfurt war bestrebt zu zeigen, dass die Zeiten anders geworden waren, und hatte dem jüdischen Altersheim zwei Karten zur Premiere geschickt. Für eine Märchenaufführung war allerdings bei

Menschen, deren Enkelkinder im Konzentrationslager ermordet worden waren, kein Bedarf gewesen.

Am vorletzten Tag des Jahres, das im Krieg begonnen hatte und trotzdem als ein Friedensjahr bezeichnet wurde, war die Familie Dietz so gut gestimmt, als hätte sie in der Lotterie des Lebens den Hauptgewinn gezogen. Hans hatte zwei Kilo Brot, ein Glas Erdnussbutter, zwei Dosen weiße Bohnen in Tomatensoße und einen Liter amerikanischen Whisky beschafft. Auf der Flasche stand sowohl der Hinweis »Bourbon« als auch »Property of the US Army«.

»Was ist denn Bourbon?«

»Keine Ahnung. Frag Mister Morgenthau. Der weiß alles. Sogar wie man aus Deutschland einen Agrarstaat macht, damit wir nie mehr behaupten, uns gehöre die Welt. Stell das Zeug bloß weg, Anna. Wenn einer die Flasche sieht, denkt er, ich hab unsere Befreier bestohlen.«

»Das kann dir doch egal sein. Hauptsache, dein Gewissen belästigt dich nicht.«

»Das hat es noch nie getan. Wer von unseren Landsleuten kann das von sich behaupten?«

Anna gestattete Hans fünf Riechproben, dann sagte sie, sie wolle aus dem Bourbon eine Bowle machen. »Das ist eine Barbarei«, protestierte er, »so ein Whisky ist Medizin.«

»Willst du ihn etwa allein saufen? Zu Silvester muss der Mensch teilen. Das war schon immer so. Sonst wird es ein schlechtes Jahr.«

Anna streckte den Whisky mit reichlich Wasser und dem letzten Rest von ihrem selbst gebrauten Berberitzensaft, süßte die Mixtur mit Sacharin und fügte zur Geschmacksabrundung einen Eierbecher echten Bohnenkaffee hinzu sowie drei Tropfen von der kostbaren Backessenz mit Rumaroma, auf die es Sophie abgesehen hatte. Zur Silvesterfeier wurde die Meisterkreation in ein bauchiges grünes Kristallgefäß umgegossen, das Anna aus dem Sternberg'schen Haushalt hatte retten können.

Betsy zwang sich, die Bowlenschale anzuschauen, ohne dass die Erinnerungen brannten. »Dingen, die man mit Geld kaufen kann, weint man nicht nach«, sagte sie zu ihrer Enkeltochter, und obgleich Fanny den Lebenslauf der Bowlenschüssel nicht kannte, wusste sie, dass ihre Großmutter nicht von Geschirr sprach. Sie schaute zu Boden und sagte: »Das finde ich auch.«

Auf die jüngsten Festteilnehmer hatte der Silvestertrunk eine berauschende Wirkung. Sophie, die am Glas von Vater und Mutter hatte nippen dürfen, war so kinderfroh, dass sie sämtliche Lieder aus ihrem umfangreichen Repertoire vortrug, einschließlich Zarah Leanders »Ich weiß, es wird einmal ein Wunder geschehen«, gefolgt von »Der Wind hat mir ein Lied erzählt« und dem brandneuen Erfolg der Gosse »Oder, Neiße, alles Scheiße«.

»Lass das«, befahl ihr Vater, »und zwar sofort!«

»Lass sie!«, widersprach Betsy, »Kinder haben keine bösen Lieder.«

Erwin war nach dem ersten Schluck Bowle so friedfertig, dass er sich widerstandslos von seiner Schwester die Hälfte seines mit Erdnussbutter bestrichenen Brots abnehmen ließ. Fanny lachte ihren Hals heiser, als Anna erzählte, dass es in der Familie Sternberg früher Brauch gewesen war, zu Silvester einen Kreppel mit Senf statt mit Pflaumenmus zu füllen. »Ich kann mir gar nicht mehr vorstellen, dass es so viel zu essen gab, dass man Senf in Kreppel gestopft hat.«

»Ich auch nicht«, sagte Anna. »Auch nicht, dass wir alle um Schlag zwölf an den Fenstern gehangen haben, um Feuerwerk zu gucken. Die arme kleine Alice ist auf den Balkon gerannt und hat festgestellt, dass dort der Himmel auch brannte. Sie hat herzerweichend geweint.«

»Die arme kleine Alice hat immer herzerweichend geweint«, erinnerte sich ihre Mutter. »Hoffentlich hat sie sich das in Südafrika abgewöhnt.«

»Wie sieht denn Feuerwerk aus?«, wollte Fanny wissen.

»Genau wie das Zeug, das unsere Befreier uns auf den Kopf geschmissen haben«, sagte Hans. »Nur haben wir bei den Luftangriffen im Keller gehockt, nichts gesehen und fromm gebetet, die Bomben mögen aufs Nachbarhaus fallen. Erinnerst du dich nicht mehr, Fanny? Frau Schmand hat von der Wunderwaffe geschwärmt, und unsere Anna war eine richtige Spielverderberin. Sie hat nicht erlaubt, dass ich der Schmand den Hals umdrehe.«

»Ich weiß noch alles. Ich hab mir immer ausgemalt, Frau Schmand trifft der Schlag, ich stehe ganz ruhig auf, packe ihre Grünen Bohnen in unsere Nottasche und futtere vor ihren starren Augen ihre Erdbeermarmelade.«

»Braves Kind.«

»Ich war nicht in keinem Keller«, wusste Sophie, »ich hab mit den Engeln gespielt.«

»Du bist doch selbst ein Engel«, lächelte Betsy, »die wissen auch nicht, was eine doppelte Verneinung ist.«

Sie war es, die den Abend zu einem sehr besonderen machte. Zehn Minuten vor Mitternacht stellte sie ihr Glas auf den Tisch. Sie schaute Hans und Anna an, griff nach Fannys Hand und erklärte in einem Ton, der Bewegung verriet, obwohl sie gerade das nicht wollte: »Ihr habt alle recht gehabt, von Anfang an habt ihr klar gesehen. Nur die kluge Frau Sternberg musste tagelang mit sich selbst Krieg führen, bis sie zu dem Ergebnis kam, dass Gott sie nicht hat Theresienstadt überleben lassen, damit sie in einem Altersheim vor sich hindämmert und die Schafe auf dem Rasen zählt. Wenn ihr es euch wirklich gut überlegt habt, ob ihr euch eine alte Frau antun wollt, die einen Sack voll Albträumen auf dem Buckel schleppt und die noch nicht einmal mehr einen Suppentopf halten kann, ohne dass jeder um sein Mittagessen fürchtet, würde ich sehr gern zu euch ziehen. Jedenfalls bis ein Wunder geschieht und man den Juden, die die Nazis nicht mehr beizeiten haben umbringen können, zurückgibt, was man ihnen gestohlen hat. Das kann allerdings dauern. Generationen, nehme ich an. So, das war eine überlange Rede. Es soll nicht wieder vorkommen. Alte Frauen quatschen zu viel.«

Ihre feuchten Augen, setzte sie hinzu, hätten nichts mit ihrem Entschluss zu tun, in die Thüringer Straße zu ziehen. Die Tränen kämen ausschließlich von der Bowle. »Meinen letzten Alkohol habe ich in der Rothschildallee getrunken, und sehr trinkfest war ich nie.«

»Einmal hast du zu Silvester sogar vergessen, dass ich nicht deine Tochter bin«, lächelte Anna.

»Das vergesse ich immer noch. Nicht nur zu Silvester.«

Um Mitternacht waren in der erschöpften Stadt trotz des fauchenden Winds Kirchenglocken zu hören, vereinzelt sogar Stimmen, die den Frohsinn vergessener Zeiten ahnen ließen. Im Haus auf der gegenüberliegenden Straßenseite hatte die Frau, von der es hieß, sie hätte drei Söhne gehabt und alle wären an der Ostfront gefallen, eine Schallplatte aufgelegt und ein Fenster aufgemacht. Heinz Rühmann, Willy Fritsch und Oskar Karlweiss sangen »Ein Freund, ein guter Freund«.

»Die drei von der Tankstelle«, schluckte Betsy. »Mein Gott, auch das noch. Johann Isidor hat für Rühmann geschwärmt. Wir sind zwei Mal ins Kino gegangen, um den Film zu se-

hen, und zu seinem Geburtstag habe ich ihm die Schallplatte geschenkt. Stimmt, jetzt weine ich tatsächlich.«
»Ich auch«, sagte Anna, »hört das denn nie auf?«
»Nie. Das Gedächtnis ist ein Sadist.«
Im fahlen Licht einer Laterne, die sonst nur bis abends um zehn brennen durfte, standen einige Halbwüchsige, schwenkten dürre Zweige und lachten. Ihr Gelächter war so dürr wie sie selbst. Einer machte eine Bewegung, um einen der Stöcke anzuzünden, die anderen hielten ihn zurück; Brennstoff war mehr wert als die kurze Freude an einer Fackel. Trotzdem brüllten zwei Jugendliche: »Prost Neujahr.« Sie warfen ihre Mützen in den dunklen Himmel und sprangen ihnen nach, und einen Moment wirkten sie, als hätten sie jeden Tag genug zu essen und einen warmen Wintermantel im Schrank.
»Ist das Frieden?«, fragte Fanny.
»Und ob!«, bestätigte Betsy. »Schon meine Großmutter hat gesagt, Fröhlichkeit vertreibt Leid.«
»Ich hab gedacht, früher hat man gar nicht gewusst, was Leid ist.«
»Juden haben immer gewusst, was Leid ist. Vierzig Jahre durch die Wüste zu laufen und das gelobte Land zu suchen war auch kein Vergnügen. Da kann es noch so viel Manna vom Himmel regnen.«
Erwin schlief, am Daumen nuckelnd, im Sessel, Sophie schlummerte vor dem Ofen, der durch zwei zusätzliche Briketts das Jahr der Erwartung mit Flammen empfing. Hans versorgte den bockigen Küchenherd mit den Überresten einer Bank, die er zerhackt in der Habsburgerallee aufgespürt hatte, ehe der Missetäter seine Beute hatte abschleppen können. Anna wärmte eine Suppe aus getrockneten Brennnesseln, getrocknetem Löwenzahn, frischen Kartoffelscha-

len und eigens für Silvester gehüteten Streifen von Wirsing auf. Den Mitternachtsschmaus bezeichnete sie als Gulaschsuppe, denn zum Würzen hatte sie sowohl echten Pfeffer als auch den ungarischen Paprika genommen, den Hans als Zugabe zum Whisky erhandelt hatte. Betsy sah so entspannt aus wie an keinem Tag seit ihrer Rückkehr aus der Hölle. Sie löschte die Kerze im blauen Porzellanhalter. »Wir wollen sparen«, sagte sie, »wo es jetzt einen Esser mehr in der Familie gibt.«

»Ich freue mich so schrecklich«, raunte Fanny ihr zu, »ich kann dir gar nicht sagen, wie glücklich ich bin. Mir ist noch nie ein Wunsch in Erfüllung gegangen. Jedenfalls nicht mehr seit dem Tag, als du gesagt hast, ich muss mir die Schuhe für die große Reise putzen. Weißt du denn noch, dass du das gesagt hast? Ich hab damals auch Salos Stiefel geputzt. Du hast es gesehen, aber ich weiß nicht mehr, ob du was gesagt hast.«

Es war das erste Mal, dass Fanny den Namen ihres Bruders aussprach. Betsy presste Fanny so fest an ihren Körper, wie sie keines ihrer Kinder je gedrückt hatte. Sie dankte Gott, dass er sie wieder lieben ließ, und warnte Fanny: »Freu dich nur nicht zu früh, mein Kind. Am Ende bringt deine Großmutter den Mut auf, dir ihren Herzenswunsch zu verraten.«

»Tu das. Wirklich! Du musst dich nur trauen. Du wirst auch nicht enttäuscht sein. Ich kann nähen, stricken, sticken und häkeln. Ich kann vorlesen, ohne müde zu werden, und ich kann ganz gut malen und zeichnen. Jedenfalls hat mich meine Lehrerin im Philanthropin oft gelobt. Schade, dass Papier so knapp ist, und ich weiß schon gar nicht mehr, wie ein Tuschkasten aussieht. Also muss ich mir Malen verkneifen, bis die Zeiten besser werden.«

»Ich fürchte, du hast dir die falsche Großmutter ausgesucht.

Schon als Mutter war ich nicht nach dem Geschmack meiner Kinder. Ich bin nicht in Entzückensschreie ausgebrochen, wenn sie mit ihren selbst gemachten Geschenken anrückten. Die Bilder, die sie gemalt haben, habe ich nicht in die Küche gehängt, die Ketten und Armbänder, die sie für mich fädelten, wanderten in Kästchen und die Kästchen irgendwann auf den Speicher. Ich war keine jiddische Mamme, ich hielt meine Kinder nicht für Genies. Heute schäme ich mich, dass ich noch nicht einmal die Begabung von deinem Onkel Erwin erkannt habe. Ich schaute mir seine Bilder an, sagte ›schön, schön‹ und steckte sie in die Schublade.«
»War er da nicht schrecklich traurig?«
»Bestimmt, aber ich hab's nicht gemerkt. Weiß Gott, wo ich mit meinen Gedanken war. Übrigens tu ich mich besonders schwer mit Gehäkeltem, aber versuch dir vorzustellen, wie viele Topflappen vier Töchter im Laufe ihrer Kindheit häkeln. Zu jeder Gelegenheit, und manchmal zwei auf einmal. Später war Claudette das fleißige Lieschen. Meine erste Enkeltochter hat mehr Topflappen produziert, als ich Töpfe hatte. Für jeden Blumentopf hat sie ein Deckchen gestickt, sämtliche Taschentücher hat sie mit Häkelrand versehen. Du siehst, Fanny, mit Leuten, die alles schon mal erlebt haben, hat man es schwer. Jedenfalls brauchst du für meinen Herzenswunsch weder Tuschkasten noch Wolle. Nur Courage, aber davon jede Menge. Ich wünsche mir nämlich so sehr, dass du in die Schule gehst. Nur was man im Kopf hat, können sie einem nicht nehmen.«
»Ich weiß«, sagte Fanny. »Das habe ich schon damals gespürt, als alles zu Ende war. Es ist ja auch nicht so, dass ich nicht lernen will. Aber ich habe Angst vor den Mädchen, mit denen ich lernen muss. Und Lehrerinnen, die noch nie eine

jüdische Schülerin gesehen haben, kann ich mir schon gar nicht vorstellen.«
»Ich leider doch«, seufzte Betsy, »Theo Berghammer aus der Rothschildallee 9 war eine gute Einführung in das Thema. Es ist gut, dass du dabei warst.«
Betsys Habe passte immer noch in den kleinen braunen Fiberglaskoffer, den ihr die amerikanische Krankenschwester mit der harten Stimme und dem weichen Herzen bei der Befreiung aus Theresienstadt in die Hand gedrückt hatte. Auf dem Koffer stand, genau wie auf der Whiskyflasche, »Property of the US Army«. Selbst die Monate im Krankenhaus hatte der wehrhafte Koffer überdauert – im Gegensatz zu dem ebenfalls in Theresienstadt überlassenen Rock. Auch die eine der beiden Blusen war Betsy im Hospital gestohlen worden, zuletzt die ihr von einer jungen Ärztin überlassenen zehn Aspirintabletten. Ihr jüngster Schatz war ein Ausschnitt aus der »Münchner Zeitung« mit der Silvesterrede des von den Nazis verfolgten Kabarettisten Werner Finck. Der von Betsy schon in den frühen Dreißigerjahren bewunderte Meister der Pointe verabschiedete das alte Jahr mit den Worten: »Können wir diesem fünfundvierzigsten Produkt des zwanzigsten Jahrhunderts eine Träne nachweinen? Nein, denn wir haben keine mehr.« An das Jahr 1946 richtete Finck die Bitte: »Wende unsere Not, gib uns neue Illusionen!«
Am Donnerstag, dem 3. Januar, verabschiedete sich die viel beneidete Frau Sternberg, von der das Gerücht weiterhin wissen wollte, sie sei eine geborene Rothschild und entsprechend vermögend, von ihren Schicksalsgenossen im Altersheim. Mit dem Koffer in Erwins Bollerwagen und Anna als Stütze auf dem Weg in einen neuen Lebensabschnitt lief Betsy kräftigen Schrittes und berührten Herzens auf die

Thüringer Straße 11 zu. Eisblumen glitzerten an den Fensterscheiben, Reif lag auf den Bäumen und auf den letzten Rosenkohlpflanzen in den Vorgärten. An einer kleinen Tanne vor einem heil gebliebenen Haus flatterten Lamettafäden.

»Ich möchte bloß wissen, wo die das Zeug herhaben.«

»Den ganzen Krieg über gehütet«, mutmaßte Betsy, »so wie ich meine Kopfbilder. Warum ist Fanny nicht mitgekommen?«

»Sie putzt zum zigsten Mal Erwins Zimmer, in dem du ja jetzt schlafen wirst.«

»Und was sagt Erwin dazu, dass er durch eine alte Frau vertrieben wird, die ihm seine Eltern als Oma andrehen?«

»Nichts. Seine Schwester hat ihn gut erzogen. Außerdem nörgeln Kriegskinder nicht so viel wie wir früher.«

»Du hast nie genörgelt, Anna. Das haben die anderen für dich besorgt. Die haben aus dem Vollen geschöpft, wenn ihnen was gegen den Strich ging. Ist Fanny immer so fleißig und genau?«

Fanny scheuerte keine Fußböden, sie klopfte weder Bettvorleger noch Kissen aus. Sie saß am Küchentisch, lutschte einen gelben Knopf, von dem sie sich vorstellte, er wäre ein Zitronenbonbon, und bemalte ein Stück Pappe, das ihr Hans in allerletzter Stunde verschafft hatte, mit Primeln, Rosen und Vergissmeinnicht. In roter Blockschrift schrieb sie: »Willkommen zu Hause, Betsy Sternberg!« Das Ausrufezeichen war tintenblau. Obendrauf saß eine Schwalbe mit einem Brief im Schnabel. In ihrer Aufregung war der eifrigen Gestalterin entfallen, dass ihre Großmutter ein getrübtes Verhältnis zu jungen Menschen hatte, die sich mit Farbstift und Pinsel ausdrückten.

»Darf ich das Schild behalten?«, fragte Betsy dennoch. Se-

kunden später verdoppelte sie gar Lob und Herzenswärme; sie zwinkerte Fanny zu.
Mit dem Auszug aus dem Altersheim wurde sie die, die sie gewesen war. Wenn sie lachte, schämte sie sich nicht ihrer Heiterkeit, sie konnte an die Zukunft denken, ohne sich zu ängstigen, sie würde das Schicksal herausfordern. In guten Momenten war sie sicher, sie würde bald von Erwin und Clara hören und Alice würde aus Südafrika schreiben. In Tagträumen sah sie Claudette, die ihren Großvater »Opa Bär« genannt hatte, Orangen in Palästina pflücken. Nachts aber betete sie um das Wunder, Fannys Vater hätte in Holland überlebt. »Wenn wir nicht bald was von ihm hören«, sagte sie zu Hans, »ist es vorbei mit der Hoffnung.«
»Ich wollt, ich könnte dir widersprechen.«
Am 7. Januar, es war der erste Montag im Jahr, verließ Betsy die Wohnung morgens um acht. Auf dem gleichen Polizeirevier, in dem sie im Jahr 1938 hatte melden müssen, dass die Familie Sternberg nicht mehr in ihrem eigenen Haus in der Rothschildallee 9 wohnhaft war, gab sie nun ihre neue Adresse an. »Als Untermieterin bei meinem Schwiegersohn Hans Dietz«, sagte sie.
»Das gehört nicht hierher«, knurrte der Beamte, »wir sind nicht das Standesamt.« Er lutschte an einer Brotrinde, denn er hatte seit Wochen Schwierigkeiten mit seiner Prothese und keine geeignete Tauschware, um den Zahnarzt an seine Pflicht zur Hilfe zu erinnern. »Das gehört nicht hierher«, wiederholte er.
»Für mich schon«, betonte Betsy.
Der Mann in Uniform starrte auf seinen tintenbefleckten Schreibtisch; sein Gesicht zeigte an, dass Privatgespräche nicht erwünscht waren. Trotzdem fragte Betsy nach Fräulein Josepha Krause. Die hätte bis zum Jahr 1938 in der

Rothschildallee 9 gewohnt. Der Befragte fuhr sich mit dem Ärmel über den Mund. Er schüttelte den Kopf und zeigte Zahnfleisch. »Wenn Sie Auskunft über lebende Personen zu erhalten wünschen, müssen Sie sich zum Einwohnermeldeamt begeben«, kaute er.
»Ich hab gedacht ...«, wagte es Betsy.
»Wenn die Leut nur nicht so viel denken würden. Dann könnt unsereiner in Ruhe arbeiten. Warum muss heutzutage jeder auch noch betonen, dass er denkt?«
»In einer Demokratie steht Denken nicht unter Strafe.«
Es verblüffte Betsy, dass ausgerechnet sie das gesagt hatte. Gewöhnlich taten das Leute, die die Demokratie für ihre missliche Lage verantwortlich machten. Der Beamte stierte vor sich hin. Sein Gesicht war rot, die Augen ohne Leben. Er stopfte den Rest der Brotrinde in seine Jackentasche, stellte die vielen Stempel um einen Blechbecher mit einer kaffeebraunen Flüssigkeit und hauchte mehrere Male auf ein eingetrocknetes Stempelkissen. Aus einer Schublade holte er eine auffallend dicke Akte, machte Anstalten, in ihr zu blättern, klappte sie aber wieder zu und schüttelte erneut den Kopf – nicht so heftig wie zuvor, eher beschwörend und verlegen. »So hab ich's doch nicht gemeint«, stellte er klar. »Kein bisschen. Ich bin froh, dass wir eine Demokratie haben. Und beleidigen habe ich Sie erst recht nicht wollen.«
»Es wäre Ihnen nicht gelungen, mich zu beleidigen«, versicherte Betsy. »Zum Beleidigen gehören nämlich zwei: einer, der beleidigt, und einer der sich beleidigen lässt.«
Der verlegene Ton des Mannes tat ihr wohl. Sie sah, dass seine Lider flatterten und er blass geworden war. Das Gefühl, dass ein deutscher Beamter an seinem Schreibtisch saß, Angst vor ihr hatte und sie nicht vor ihm, belebte sie, machte sie stark, auf eine beängstigende Weise sogar ver-

wegen. Selbst die Erkenntnis, dass auch Menschen zu Sadismus fähig sind, die Bosheit und Brutalität verabscheuen, beunruhigte sie nicht. Es war die Erinnerung an das, was geschehen war, die Betsy freisprach. Sie dachte an das Jahr 1938, als Juden in deutschen Amtsstuben schikaniert, gedemütigt und gequält worden waren. Johann Isidor Sternberg, der Furchtlose und Unbeugsame, hatte sich nicht getraut, die Familie im »Judenhaus« anzumelden. Betsy war es, die damals zum Polizeirevier gegangen war. Sie hatte drei Stunden auf dem Flur stehen müssen, und wen immer sie nach einer Toilette gefragt hatte, war wortlos weitergegangen. Der junge Uniformierte mit Rechtsscheitel und Schnurrbart wie sein Führer, der die Ummeldung endlich vorgenommen hatte, hatte Betsy geduzt und sich, mit einem Taschentuch vor Mund und Nase, bei seinem Kollegen beschwert: »Die Schlampe stinkt zehn Meter gegen den Wind nach Zwiebeln.«
»Das tun sie doch alle. Das steht schon bei Wilhelm Busch. Die Zwiebel ist des Juden Speise.«
»Ich kann noch mehr. Kennst du das, Sara? Und der Jud' mit krummer Ferse, krummer Nas' und krummer Hos' schlängelt sich zur hohen Börse, tief verderbt und seelenlos.«
»Vielleicht können Sie mir die Adresse der Jüdischen Gemeinde geben«, sagte Betsy. Weder Stimme, Gesicht noch Hände deuteten darauf hin, dass sie den Weg zu den Gespenstern zurückgegangen war, Gespenstern, die nie aufhören würden, sie zu peinigen. »Die Gemeinde muss hier ganz in der Nähe sein«, sprach sie weiter. »Oder habe ich die Anschrift anderswo zu erfragen? Vielleicht beim Bestattungsamt. Oder beim Gartenamt? Eine ganze Menge von uns war ja zur Zwangsarbeit auf den Friedhöfen verpflichtet, ehe man uns auf die Reise schickte. Die letzte Reise.«

Sie sah den Herrscher am Schreibtisch wie eine Marionette einknicken, bei der ein Faden gerissen ist. Er umklammerte seinen Becher, die Knöchel wurden weiß. »Jüdische Gemeinde«, wiederholte er. Zwischen dem ersten und dem zweiten Wort atmete er ein. Seine Oberlippe zitterte. Er starrte Betsy an, als hätte sie ihn von hinten angesprungen und würde ihn mit einer Waffe bedrohen. Einen Moment lang war sie gar sicher, der Mann hätte sich weggeduckt und würde versuchen, sein Gesicht mit den Händen zu schützen. Ihre Fantasie hielt sie in der Welt fest, in der es nur Rache und Niederträchtigkeit gab und in der auch Menschen zu Monstern wurden, die an Gott glaubten, ihre Kinder liebten und abends gestickte Deckchen über den Vogelkäfig hingen. Betsy spürte den Druck im Kopf, der Tränen vorausging. Ihre Rachegelüste beschämten sie, und doch ließ das Verlangen nicht nach, weiter nach dem Mann zu treten, der am Boden lag und sich nicht wehren konnte. Nicht wehren durfte. Nicht mehr. Würde sie fortan immer vom Zwang besessen sein, Menschen die Angst einzujagen, die sie selbst hatte erdulden müssen?

»Können Sie mir sagen, wo hier die Toilette ist«, bat sie.

»Für Damen im ersten Stock, zweite Tür links«, antwortete ihr Opfer. Er ließ den Becher los, schob ihn zum Rand des Schreibtischs, suchte Halt bei einer rostigen Schere.

»Danke. Es muss nicht gleich sein. Ich wollt's nur wissen. Für alle Fälle. Ich nehme an, die Toiletten sind für alle zugänglich.«

»Nur für Besucher des Hauses«, betonte der Korrekte, »nicht für Fremdpersonen.« Er blätterte in einem handschriftlich beschriebenen Heft, in dem jede Zeile mit Rotstift unterstrichen war. Das Heft erinnerte Betsy an die Kladde, in der Oberlehrer Gotthold Grundig aus Pforzheim die Verfehlungen und Missetaten von sechsjährigen Kindern eingetragen hatte. Das Wiedersehen mit Oberlehrer Grundig verwirrte sie über alle Maßen. Es war das erste Mal in achtundsechzig Jahren, dass Grundig sich in ihr Leben drängte. Er war ein Hüne mit Goldzahn und Monokel gewesen, hatte einen Oberlippenbart wie Kaiser Wilhelm II. gehabt und einen Rohrstock mit blutrotem Griff. »Hand aufs Pult«, befahl Gottfried Wilhelm Grundig, »ausgestreckt!« Seine Stimme war immer noch donnerlaut, und wenn er schrie, wurde sein Kaiserbart regennass und Hass verbrannte sein Gesicht.

»Hier haben wir's«, sagte der Beamte, »Baumweg 5 bis 7.«

»Wie bitte?«, fragte Betsy.

»Die Juddegemeinde. Sie haben doch gesagt, dass Sie die Adresse haben wollen. Hier steht allerdings jüdische Hilfsstelle. Na ja, geholfen wird uns ja allen, sag ich immer. Fragt sich nur, wann und von wem.«

Betsy, die Bescheinigung in der Handtasche, dass sie sich von der Gagernstraße 36 in die Thüringer Straße 11 umgemeldet hatte, erreichte nach nur einer Viertelstunde den Baumweg. Sie erinnerte sich sofort an die kurze Straße; bei einem Gemüsehändler an der Ecke zum Sandweg hatte sie vierzig Jahre lang Frühkartoffeln und die ersten Erdbeeren aus Kronberg gekauft. Im Gegensatz zum Gemüseladen war die Linde noch da, die besonders früh und besonders üppig geblüht hatte. In der Freude, dass dem Baum im Krieg kein Leid widerfahren war, unterließ es Betsy, ihr Herz zu schützen. Sie sah sich mit dem noch nicht einmal vierjährigen Otto, damals noch umhätscheltes Einzelkind und schon Thronfolger mit Klassenbewusstsein, zur Berger Straße laufen, um den Karpfen für die hohen Feiertage zu holen. Es war das letzte Rosch Haschana im 19. Jahrhun-

dert. Otto hatte seinen ersten Matrosenanzug bekommen; die Mütze durfte er bereits in der Woche vor den Feiertagen tragen. »Otto, heb deine Füße beim Laufen. Du willst doch ein ordentlicher Soldat werden. Der Kaiser ist ganz traurig, wenn du mit den Füßen schlurfst.«
Im Baumweg hatten die Häuser, die den Krieg überstanden hatten, stark beschädigte Dächer und Mauern, von denen der Putz bröckelte. Die Fenster waren nur notdürftig repariert, in manchen Vorgärten lag noch Schutt, in einem zwei Gartenzwerge ohne Kopf. Die Litfaßsäule aber, vor dem Ersten Weltkrieg gegenüber einer Schreinerei aufgestellt, war unversehrt und so beklebt wie in Zeiten des Wohlstands. Auffallend war ein Plakat, das eine ausgebombte Kirche zeigte. »Alle Kirchen sind vernichtet, das hat Hitler angerichtet«, stand unter dem Bild.
»Nicht nur die Kirchen!«, entfuhr es Betsy.
Eine alte Frau in einem schwarzen Mantel und mit einem Kopftuch, das noch in der januarkalten Luft nach Mottenpulver roch, stellte ächzend ihre Tasche auf den Boden. Sie stützte sich auf ihren Krückstock und nickte.
»Zunächst haben sie die Synagogen niedergebrannt«, sagte Betsy. »Die zerstörten Kirchen sind nur die Quittung. Gottes Strafe, könnte man sagen.«
»Davon weiß ich nichts«, murmelte die Frau. »Für die Politik hab ich mich nie interessiert. Ich hab fünf Kinder gehabt und einen Mann mit Staublunge. Da hat man keine Zeit, in die Kirche zu gehen. Mein Gustav hat immer gesagt, Gott braucht uns nicht.«
Sie starrte Betsy wütend an, griff nach ihrer Tasche und humpelte weg.
Das Haus im Baumweg hatte zwei Stockwerke und graue Mauern, zwischen Tor und Haustür war ein langer Gang,

der in einen Hinterhof führte. Die Kriegsschäden waren nicht zu übersehen, doch das Gebäude war auf dem Weg in den Frieden – fast jedes Fenster schon mit Glas, an einigen waren graue Gardinen angebracht und die Rahmen gestrichen. Auf einem kleinen Metallschild, am schwarzen Eisenzaun mit Draht befestigt, stand »Jüdische Gemeinde. Hilfsstelle. Besuch nur nach Vereinbarung«.

»Nicht mit mir«, sagte Betsy. »Ich hab genug Besuche in meinem Leben vereinbart.« Sie war betreten, als sie sich reden hörte, überlegte, ob sie lediglich erschöpft war oder bereits in dem Alter, in dem alte Menschen Selbstgespräche führen, weil ihnen keiner mehr zuhört. »Vorübergehend altersgemäß erschöpft«, entschied sie, »noch nicht meschugge.«

Die Ironie, die Pointe, dass sie sich nun bewusst für das Selbstgespräch entschieden hatte, und das vertraute Wort »meschugge« aus der erschlagenen Zeit belebten sie. Sie ging auf die Haustür zu, merkte, dass die nicht ins Schloss gefallen war, und stieß energisch gegen das dünne Holz. Ihre Sicherheit verlor Betsy erst, als sie im düsteren Hausflur stand und im Parterre drei geschlossene Türen entdeckte, jede mit einem kleinen, handgeschriebenen Schild beklebt. Zu sehen war niemand. Der Wind stieß ein Fenster auf. Betsy stellte sich auf die Zehenspitzen, machte es zu und rief so laut, wie sie sich getraute: »Hallo! Ist da jemand?«, doch niemand gab ihr Antwort.

Weil sie ein Klappern hörte, das sie als das Geräusch einer Schreibmaschine deutete, ging sie die steile Treppe nach oben. Eine von vier Türen stand offen. Betsy schaute in einen kleinen Raum, der offenbar ungeheizt war, denn auf dem Ofenrohr hingen Küchentücher und ein dunkelgrüner Männerpullover. Eine Stehlampe mit einer einzigen Birne und einem grünen Glasschirm, der den größten Teil des

Lichts schluckte, war die einzige Leuchtquelle. An einem mit Wachstuch überzogenen großen Tisch saß ein grauhaariger, bärtiger Mann in Mantel, Schal und Hut. Er stapelte Akten aufeinander, die er stöhnend vom Boden aufhob, und brabbelte fortwährend vor sich hin. Betsy versuchte herauszuhören, ob er Deutsch, Jiddisch oder Polnisch sprach. Auch Tschechisch erschien ihr möglich – seit Theresienstadt hatte sie ein Ohr fürs Tschechische. Auf einem dicken Buch mit blauem Einband war ein graufarbener Becher abgestellt, der genauso aussah wie der auf dem Polizeirevier.

»Nein«, wehrte sich Betsy, »nicht wieder. Das kann ich nicht.« Sie begriff, dass es ihre Panik war, die Bilder und Emotionen verzerrte, doch es gelang ihr nicht mehr, aus der Hölle der Gewalt zu fliehen. Der Becher wurde zu einer mit Nägeln gespickten Keule, die Wand hinter dem Tisch wankte. Sturmstimmen brüllten Befehle, der Himmel brannte. Als Erstes starben die Kinder.

Betsy wurde taub und stumm und blind; noch aber wusste sie, dass es wichtig war, sich zu erinnern, was sie vorgehabt hatte, doch ihr Gedächtnis lief gegen die Mauern von Theresienstadt und versiegte. Sie suchte die Tür, durch die sie gekommen war, wollte sich entschuldigen und den Raum verlassen. Ihre Arme waren brettsteif, die Füße am Boden festgewachsen.

Der Mann schaute hoch. »Nu«, sagte er.

Diese schwingende, vertraute Silbe, ein Wort der Vergangenheit, lange nicht mehr gehört und nie vergessen. Johann Isidor hatte bei schwierigen Verhandlungen das fragende, von Nichtjuden häufig missdeutete Nu gebraucht, um dem Gesprächspartner Bedenkzeit zu gewähren und sich selbst zu besinnen. Betsy presste ihre Hände aneinander, sie spür-

te wieder Leben, war erlöst, atmete ohne Schmerz und Anstrengung. Den Mann, der sie mit seinem Nu von den Toten zurückgeholt hatte, schaute sie an, als wäre nichts mit ihr geschehen. »Ich bin gekommen, um meine Enkeltochter bei der Gemeinde anzumelden«, sagte sie.
Er nahm seinen Schal ab, knöpfte den Mantel auf, begann wieder nicht zu Verstehendes zu murmeln und fasste sich an die Stirn. »Ist sie denn jüdisch?«, fragte er.
»Wer?«
»Na, die Enkeltochter. Sprechen wir hier von Roosevelt oder von Moses?«
»Würde ich meine Fanny hier anmelden, wenn sie nicht jüdisch wäre? Finden Sie es denn ein Vergnügen, jüdisch zu sein?«
»Mich hat keiner gefragt, wie ich's finde.«
»Ich und meine Enkelin sind auch nicht gefragt worden.«
Der Mann hatte im Oberkiefer nur zwei Zähne, die unteren waren schwarze Stumpen. Seine Augen berichteten von Erlebnissen, die sich der Sprache verweigerten. Trotzdem schien es Betsy, als hätte er gelächelt. »In Frankfurt«, erklärte er, »gibt es Juden, und es gibt Milchbüchsenjuden. Vor Milchbüchsenjuden muss sich die Gemeinde hüten. Sie sind wie Blutegel. Blutegel mit Zähnen.«
»Was in aller Welt ist ein Milchbüchsenjude?«
»Sagen Sie nur, das wissen Sie nicht? Wo kommen Sie denn her? Ein Milchbüchsenjude hat erst gemerkt, dass er Jude ist, nachdem ihm ein anderer Milchbüchsenjude erzählt hat, dass es bei der Jüdischen Gemeinde Frankfurt ab und zu eine Sonderzuteilung gibt. Meistens eine Spende von den Amerikanern. Zu Chanukka haben die einen ganzen Sack von Geschenkpaketen hier angeschleppt, und keine acht Tage später haben sich eine Menge Leute erinnert,

dass sie zu Pessach immer Matze gegessen und die Nazis vom ersten Augenblick an gehasst haben. Sie haben alle versucht, die brennenden Synagogen zu löschen, und alle sind sie von guten Deutschen in Gartenlauben versteckt worden. Jetzt danken sie Gott auf den Knien, dass sie endlich wieder jüdisch sein dürfen. Wie soll ich wissen, ob Ihre Enkeltochter nicht auch erst vor einer Woche jüdisch geworden ist?«
»Wir hatten Pech. Wir waren von Anfang an jüdisch. Mein Mann, meine Tochter und mein Enkelsohn sind in Theresienstadt umgekommen. Und die Mutter von meinem Schwiegersohn. Meine beiden Schwestern sind in Südfrankreich verhungert. Nur ich hab überleben müssen. Und eben meine Enkeltochter. Fanny ist in der Nazizeit tatsächlich versteckt worden. Von Menschen, für die das Wort gut eine Untertreibung ist.«
»Meine Enkelkinder hat keiner versteckt. Ich hatte fünf. Nein, fünfdreiviertel. Meine Tochter war im siebten Monat schwanger. Nur meine Frau hat Glück gehabt.«
»Gott sei Dank. Wo hat Ihre Frau denn überlebt?«
»Auf dem Friedhof in der Eckenheimer Landstraße. Sie ist 1936 gestorben.«
»Entschuldigen Sie, dass ich so dumm gefragt habe.«
»Haben Sie nicht. Mir tut's gut, mit einem Menschen zu reden, dem ich nichts erklären muss. Erklärungen sind wie Messer, die man sich ins Fleisch stößt. Schauen Sie, da! Ich sag's ja, auch bei uns gibt's gute preußische Ordnung. Frau Betsy Sternberg geborene Strauß wird seit Juni 1945 als Mitglied der Jüdischen Gemeinde Frankfurt geführt.«
»Seit 1894«, sagte Betsy, »da habe ich geheiratet und bin von Pforzheim nach Frankfurt gezogen.«
Sie zeigte dem Mann ein Foto von Johann Isidor, ein klei-

nes vergilbtes Bild. »Das Foto ist ein Gottesgeschenk«, erzählte Betsy, »meine Tochter Anna hat es die ganze Zeit in einem französischen Lexikon versteckt. Dabei kann keiner in der Familie Französisch.«
»Sie haben Glück. Meine Familienbilder muss ich alle im Kopf tragen.«
Als der alte Mann Fanny Mathilde Feuereisen als Gemeindemitglied eintrug, sah Betsy die eintätowierte Häftlingsnummer von Auschwitz auf seinem Arm. Sie spürte ein starkes Bedürfnis, ihm etwas zu sagen, das der Situation angemessen gewesen wäre, doch jedes Wort, das ihr in den Sinn kam, erschien ihr blasphemisch. »Wenn Anfragen oder Suchanzeigen bei der Gemeinde eintreffen«, fragte sie, »werden die auch beantwortet?«
»Natürlich. Was denken Sie, was ich den ganzen Tag hier mache? Ich schreib den Leuten, dass Gott leider keine Gelegenheit hatte, Wunder zu tun.«
»Fannys Vater ist ganz früh nach Holland emigriert. Auch wir klammern uns an die Hoffnung, dass ein Wunder geschieht und wir ihn wiedersehen.«
»Ich hab gehört, Holland ist nicht das Land gewesen, in dem Wunder an den Juden geschehen sind.«
Dennoch wurde der 10. März, ein sonniger Sonntag, ein Wundertag. Mittags um zwei stand Sophie auf der Straße und erklärte ihrem Bären das Leben. Vor den beiden bremste ein Jeep. Dem entstieg ein baumlanger Soldat schwarzer Hautfarbe, auf dem Kopf ein Stahlhelm und in der Hand ein Paket, das Sophie größer als alle Pakete erschien, die sie in ihrem viereinhalbjährigen Leben gesehen hatte. Der Riese in Uniform lachte gewitterlaut, er holte einen Zettel aus der Hosentasche, zeigte ihn Sophie und fragte nach »Dietz«, wobei das Wort in seiner Kehle erstick-

te und Sophie ihren Namen nicht erkannte. Obwohl sie nur »Candy«, »Cookies«, »Chesterfield« und »Thank you« sagen konnte und er auf Deutsch nur »Frollein«, führte ihn Sophie zum Haus Nummer 11 und klingelte so anhaltend, als wäre der Teufel hinter ihr her.

Verlegen, verwirrt und stumm standen Anna und Hans, Betsy und Fanny um den behelmten Hünen. Erst sagte er »Hi«, dann »From Frizzie«. Er stellte das Paket, verschnürt mit einer wunderbar festen Schnur, wie es sie in Deutschland schon lange nicht mehr gab, auf den Boden, schaute jeden der Anwesenden an – Fanny in ihrem zu engen Pullover aufmerksamer als die übrigen –, steckte Sophie ein Päckchen Kaugummi in die erwartungsvoll geöffnete Hand und ging, weil sich immer noch niemand zu rühren wagte, unbegleitet zur Tür. »Wer ist Frizzie?«, rief Hans durch das eilig aufgerissene Fenster, doch da fuhr der Jeep schon ab.

Anna, die Familie im Gänsemarsch hinter ihr, trug das Paket in die Küche, packte es aus, ohne dass einer ein Wort wagte, und stellte die Schätze auf den Küchentisch: Kaffee, Eipulver in einer gelben, Milchpulver in einer weißen Dose, Corned Beef, Butter, Schweinefleisch, Speck, Haferflocken, Kakao, Backpflaumen, Puddingpulver und Ananas in Dosen. Zwei Stangen »Camel« tauchten auf. Hans fand seine Zunge und sagte, die Zigaretten würden reichen, um Brot für ein Jahr zu beschaffen.

»Und Schuhe für Sophie«, träumte Anna.

Sie holte zwei Pfund Rosinen aus dem Karton, Trockensuppen in Tüten und vier Tafeln Schokolade. Auf drei Packungen waren Kuchen abgebildet, alle mit rosa Zuckerguss überzogen und mit riesigen Walnüssen dekoriert. »Nur Milch, Eier und Butter zufügen«, übersetzte Betsy beim Lesen der Rezepte. »Na, die haben Nerven.«

»Schau mal!«, sagte Anna. Sie packte eine Dose Erdnüsse aus. »Es wird immer spannender.«
Auf dem Deckel klebte ein brauner Briefumschlag, adressiert an Frau Betsy Sternberg. Sie erkannte die Schrift nicht, und doch setzte ihr Herz sofort an, aus dem Körper zu springen. Obwohl ihre Hände zitterten, gelang es ihr, vier Seiten Luftpostpapier aus dem Kuvert zu holen. Sie las nur die Anrede, dann fiel ihr der Brief aus der Hand.
»Er lebt«, weinte sie. »Er lebt, Fanny. Er ist in Nürnberg.«
Sophie sah, dass auch ihre Mutter und Fanny weinten und dass ihr Vater auf dem Küchenschemel saß und sich nicht mehr bewegte. Seine praktische Tochter glaubte, er wäre gestorben. Sie nahm den Kaugummi aus ihrem Mund, steckte das Kügelchen sorgsam in ihre Schürzentasche und holte die erste der vier Tafeln Schokolade vom Küchentisch.

8
Die Imponderabilien des Lebens
April 1946

Der Zivilangestellte der amerikanischen Besatzungsstreitkräfte Friedrich Feuereisen wurde bei seinem Arbeitgeber als staatenloser Dolmetscher mit »guten Sprachkenntnissen in Englisch und Niederländisch, fließenden Deutschkenntnissen in Wort und Schrift und abgeschlossenem Jurastudium« geführt. Seit Januar 1946 lebte dieser Dolmetscher in einer vom Krieg geschundenen Straße in der Nähe der Nürnberger Frauenkirche. Die Stadt war im Bombenkrieg bis ins Mark getroffen worden; seine Bürger und auch die in die Stadt geströmten Ostflüchtlinge sprachen bei Gelegenheiten, die sie als noch niederdrückender als die üblichen Tiefpunkte ihres Daseins in Not und Hoffnungslosigkeit empfanden, von einem »unmenschlichen Racheakt der Sieger an unschuldigen Zivilisten«.

Das Haus der Kriegerwitwe von Hochfeld, in dem die US-Armee Friedrich Feuereisen zwangseinquartiert hatte, war der Zerstörung entkommen – die auffälligen Einschüsse an den Außenmauern hatten keine Menschenleben gekostet. Sie stammten von ausgelassenen jungen Helden aus Texas, die im August 1945 den Abwurf der Atombomben über Nagasaki und Hiroshima mit altem Bocksbeutel und noch älterem französischen Cognac gefeiert und Frau von Hoch-

felds kriegsverschontes Haus als Zielscheibe für ihre mitternächtlichen Schießübungen genutzt hatten; der Bocksbeutel in den bauchigen Flaschen, die sie selbst im leeren Zustand als »souvenirs from fucking Germany« schätzten, war den texanischen Hünen bei der Erstürmung einer stadtbekannten Weinstube in die Hände gefallen, der Cognac nebst einer wertvollen Sammlung bayerischer Bierseidel und ebenso kostbarer Feuerwaffen aus dem 18. Jahrhundert bei der Beschlagnahmung einer Villa in Fürth.
Der staatenlose Zivilist Feuereisen lebte, wie er seiner Schwiegermutter in dem Brief mitteilte, der die beiden nach den Jahren der Todesangst und erloschener Hoffnungen wieder zusammenführte, »auf fürstlichem Fuß, und jeden Morgen fragt mich Gott: ›Fritz, wo nimmst du bloß die Chuzpe her?‹ Mein neuer Wohlstand und der Gewinn an gesellschaftlicher Reputation sind ausschließlich dem Umstand zu verdanken, dass ich berechtigt bin, im sogenannten PX einzukaufen, dem Paradies für amerikanische Soldaten und Armeebedienstete. Hier kann man alles bekommen, was wir auch in Holland seit Jahren nicht mehr gesehen haben. Einschließlich Selbstvertrauen und Lebensmut. Auch der Inhalt meines Pakets an Dich und Anna stammt aus diesem unglaublichen Teil Amerikas. Es kann sich höchstens um ein paar Wochen handeln, da macht mir meine adelige Wirtin deswegen einen Heiratsantrag. Nebbich!«
Bei ihrer Schwägerin pries Frau von Hochfeld ihren Mieter als »das einzige Geschenk, das der Himmel mir je hat zukommen lassen«. Sie tat ihr Bestes, damit sich Fritz in ihrer Wohnung und vor allem in ihrer Gegenwart »wie zu Hause« fühlte. Behaftet mit den üblichen Gedächtnislücken, die zu dieser Zeit der Mehrheit der deutschen Bevölkerung zu

eigen waren, entging ihr, dass Menschen wie Fritz nirgendwo mehr zu Hause waren und dass sie das Wort »Heimat« als besonders schmerzlich empfanden.
Von dem Tag an, da die Wehrmacht in Holland einmarschiert war, bis zur Befreiung der Alliierten im Jahr 1944 hatte Fritz Feuereisen um sein Leben gefürchtet und keine Hoffnung mehr für das seiner Familie gehabt. Bereits im Dezember 1945 hatte er durch das Rote Kreuz erfahren, dass seine Frau, seine Tochter, sein Sohn, seine Mutter und seine Schwiegereltern aus Frankfurt deportiert worden waren. Obwohl er sich fortwährend Vorwürfe machte, er hätte nicht die Charakterstärke, das Land der Mörder zu meiden, hatte er sich sofort entschlossen, das Angebot anzunehmen, als Dolmetscher nach Nürnberg zu gehen. »Ein Zufallstreffer«, berichtete er Betsy, »aber ich empfand ihn als einen Fingerzeig des Himmels.«
Zum ersten Mal seit dem Tag seiner Emigration hatte der ehemalige Rechtsanwalt und Notar in Nürnberg ein regelmäßiges Einkommen und eine Unterkunft, deren er sich nicht schämte. Er bewohnte das größte Zimmer in Frau von Hochfelds Wohnung. Es war ein großzügig geschnittener, mit dem Kunstgeschmack der Hochgebildeten eingerichteter Raum, der noch im Hungerwinter 1945/46 vom Selbstbewusstsein des deutschen Adels zeugte. Die cremefarbenen Tapeten hatten eine feine Samtstruktur, die Bücherschränke waren mit Klassikerausgaben und Kunstbänden bestückt, die Ledersessel erinnerten an die Stühle in elitären englischen Clubs. An der Wand hingen in Goldrahmen gefasste Kopien von Adolph Menzels »Flötenkonzert in Sanssouci« und Böcklins »Toteninsel«. Fritz kannte beide Bilder; sie hatten im Wohnzimmer seiner Eltern gehangen. Zu seiner Verblüffung erzählte er ihr, als sei dies selbst-

verständlich für einen Mann mit seiner Vergangenheit, von der Begeisterung seiner Mutter für Böcklin. Obwohl Frau von Hochfeld zu diesem Zeitpunkt lediglich Fritzens Namen kannte und durch die Einweisung wusste, dass er »bei den Amis« in Diensten stand, hatte sie mehr verstanden, als er ihr hatte mitteilen wollen. »Entschuldigung«, sagte er verlegen, »ich rede sonst nicht so viel.«

»Ich finde es gut, wenn Menschen miteinander ins Gespräch kommen«, beruhigte ihn Frau von Hochfeld.

Genau wie es seine Mutter getan hatte, bezeichnete sie ihre Gardinen als »Portieren«. Auch die Art, wie sie eine silberne Schale zurechtrückte und dass in einem Biedermeierschrank silberne Messerbänkchen standen, setzten Erinnerungen frei.

»Fehlt Ihnen was?«, fragte sie besorgt.

»Nur Haltung.«

»Wie können Sie so was sagen? Die meisten Leute können das Wort noch nicht einmal mehr buchstabieren.«

Obwohl Fritz es zunächst nicht wahrhaben wollte, hatte er nach seinem Einzug bei Frau von Hochfeld sehr bald das Gefühl, er wäre trotz allem, was die Nazis ihm angetan hatten, in seine alte Welt zurückgekehrt. Er schämte sich seiner Wehmut, und noch mehr beschämte ihn seine Zufriedenheit. Am meisten beunruhigte ihn jedoch seine Sympathie für eine Frau, deren Mann nicht nur für Hitlerdeutschland gekämpft, sondern auch daran geglaubt hatte. Frau Adelheid scheute sich nicht, die Wahrheit zuzugeben. Fritz, immer noch geübt im objektiven Denken, das sein Berufsbild so lange bestimmt hatte, sträubte sich indes, der Witwe die Sünden ihres Gemahls anzulasten.

Adelheid von Hochfeld hatte die tiefe, melodische Stimme, die ihn seit jeher bei Frauen erregt hatte, und sie hatte

Brüste, denen die Mangelernährung wenig von ihrer Festigkeit und nichts von der Anziehungskraft auf einen Mann in noch guten Jahren genommen hatte. Ihre Vornamen – nebst Adelheid noch Beatrix, Alexandra und Louisa-Marie – kamen Fritz vor, als entstammten sie einem Drama von Kleist, noch in seiner Studentenzeit sein Lieblingsdichter. Frau Adelheid türmte ihr üppiges blondes Haar zur Hochfrisur und trug eine moosgrüne Trachtenjacke, die Fritz an die Wanderungen mit seinen Eltern in Oberbayern erinnerte. Die kinderlose Witwe war in Fritzens Alter, wirkte allerdings jünger, als sie war, und sehr viel jünger, als er sich fühlte. Sie war groß und vollschlank und dies, obgleich sie zu den »Normalverbrauchern« zählte, von denen es in allen vier Zonen hieß, ihre Rationen wären zu knapp zum Leben und zu groß zum Sterben. Frauen mit einem Hang zur Üppigkeit hatten Fritz schon früh fasziniert; dass sich sein Geschmack so wenig verändert hatte, machte ihn nachdenklich.

Noch mehr als ihre äußere Erscheinung gefiel Fritz, dass Frau Adelheid es nie versäumte, ihn mit seinem Doktortitel anzureden. Kurz nach seinem Einzug sagte er ihr, dies sei er durch seine Zeit in Holland absolut nicht mehr gewohnt, sie widersprach ihm jedoch mit dem Charme, von dem er fand, er sei beredter Ausdruck von Bildung und Kultur. »Für Ihren Doktor«, erklärte sie, »haben Sie gearbeitet. Darauf haben Sie Anspruch.«

Fritz imponierte, dass Adelheid von Hochfeld ihr Los nicht bejammerte. Schon gar nicht versuchte sie, ihre Vergangenheit zu retuschieren, und mit der Gegenwart arrangierte sie sich geschickt und klug. Durch die Umstände war sie gezwungen, ihr gepflegtes Heim mit Flüchtlingen aus dem Osten zu teilen, die sie in der Zeit der überschaubaren

Wertfeststellungen allenfalls als »Leute« bezeichnet hätte. In der herrschaftlichen Wohnung logierte nun die Witwe eines Spenglers aus Oppeln. Laut wohnungsamtlicher Auflage stand der Frau ein Zimmer mit »täglicher Küchenbenutzung zu und ein Mal in der Woche die Benutzung des Bads mit Bezug von heißem Wasser, soweit dies möglich ist«. Frau Konietzkys harte oberschlesische Stimme empfand ihre Wirtin wider Willen als Kränkung für bayerische Ohren, die achtjährigen Zwillinge Konietzky als Zumutung für gottesfürchtige Menschen. Die Kinder hatten beide Keuchhusten, vergaßen grundsätzlich, in der Toilette die Wasserspülung zu ziehen, wachten nachts schreiend auf und brüllten markerschütternd »Die Polen sind da«.

Den »kleinen Salon« mit einer künstlerisch bemerkenswerten Sitzgruppe aus den Deutschen Werkstätten hatte Frau von Hochfeld an den ehemaligen Oberlehrer Hugo Winter und seine Ehefrau Edeltraut abtreten müssen. Dem Paar stand ebenfalls Bad- und Küchenbenutzung zu. Die Winters waren aus Königsberg nach Nürnberg geflüchtet; obgleich ihre Vermieterin sie korrekt behandelte, ließen sie immer wieder durchblicken, dass sie Bayern für einen noch nicht zivilisierten Teil des Deutschen Reichs und seine Bewohner für sprachlich retardiert und unbegründet arrogant hielten.

Anders als viele ihrer Bekannten und beide Schwägerinnen hatte Adelheid von Hochfeld ihren Adelstitel nicht erheiraten müssen; ihre Familie war seit Jahrhunderten in der Würzburger Gegend ansässig und hatte durch den Krieg nichts verloren außer ihren Glauben an Führer und Vaterland. Dass sich ausgerechnet Frau von Hochfelds Wohnverhältnisse so sehr zum Nachteil veränderten, hing nicht allein mit dem Umstand zusammen, dass die Offiziellen für

Wohnraumbewirtschaftung schonungslos mit der besitzenden Klasse verfuhren. Bei der Witwe von Hochfeld hatte sowohl das städtische Wohnungsamt zugegriffen als auch das amerikanische Besatzungsamt. Anders als der Jurist Friedrich Feuereisen, der schon in der Mittelstufe des humanistischen Lessinggymnasiums in Frankfurt Objektivität und Gerechtigkeit als Maß der Dinge zu schätzen gelernt hatte, empfanden die Amerikaner Sippenhaft durchaus als legitim im Umgang mit den Besiegten. Generalmajor Victor Franz Ludwig von Hochfeld, hochdekoriert im Feldzug gegen Russland und dann in der letzten Kriegsphase in der Normandie nach einem Luftangriff auf sein Dienstfahrzeug ums Leben gekommen, war Parteimitglied der allerersten Stunde gewesen. Im Zivilleben Architekt und ein Stadtplaner von überlokalem Renommee, hatte von Hochfeld in seiner Vaterstadt viel dazu beigetragen, um den Erfolg des Marksteine setzenden Nürnberger Reichsparteitags vom Jahr 1935 zu sichern.
Es blieb nicht aus, dass nach dem Krieg gerade dieser Einsatz seiner Witwe angelastet wurde. Dass ihr von den Amerikanern ein Mieter jüdischen Glaubens zugewiesen wurde – nach nur knapp einer Woche war sie sich über dessen Konfessionszugehörigkeit im Klaren –, empfand sie keineswegs als eine ironische Pointe des Schicksals. Ganz im Gegensatz zu dem, was ihr ihre Freunde hämisch unterstellten, wertete sie die Einquartierung des »hochgebildeten Mannes aus Amsterdam« als Vertrauensbeweis »unserer werten Herren Befreier«. Sie sei, ließ sie ihre grinsenden Verwandten und Bekannten wissen, »weiß Gott mehr als zufrieden«.
Dr. Feuereisen gefiel Frau von Hochfeld unabhängig von allen politischen Überlegungen und den zeitüblichen An-

strengungen, der Demokratie Reverenz zu erweisen. Fritzens Augen, die Frau von Hochfeld in ihrem Tagebuch poetisch als »dichternah und weltverloren« bezeichnete, rührten sie. Seine Zurückhaltung und seine Höflichkeit taten ihr gut. Nie ließ er sie fühlen, dass er zu den Siegern zählte und sie zu den Besiegten. Dass Fritz Dolmetscher bei den Nürnberger Prozessen war, imponierte ihr. »Ein ganz hohes Tier«, berichtete sie ihrer Schwägerin Sieglinde, die nicht allein zu Neid, sondern auch zu unglaublichen Gehässigkeiten neigte. »So einer wird nicht irgendwo einquartiert.«
»Nur bei ehemaligen Parteimitgliedern, hab ich mir sagen lassen«, erwiderte die Schwägerin. Politisch war sie in einem Zustand, den die Umgangssprache als »fein raus« umschrieb. Ihr Mann hatte sich trotz ihres ständigen Drängens nicht dazu aufraffen können, Mitglied der NSDAP zu werden; nun galt er als »politisch nicht belastet«. Nirgends war vermerkt worden, dass der verbeamtete Hochbauingenieur zur Wiederverwendung 1938 in der Nacht der brennenden Synagogen als einer der ersten die Wohnung seines ehemaligen jüdischen Hausarztes geplündert hatte.
Frau von Hochfeld stellte den schönen Empireschreibtisch von ihrem Schlafzimmer, wohin sie ihn vor den oberschlesischen Zwillingen gerettet hatte, in den »Salon vom Herrn Doktor«. Der saß am frühen Nachmittag des dritten Freitags im April an dem Prachtstück bayerischer Handwerkskunst und las zum wiederholten Mal den unfassbaren, sein Herz zersprengenden Brief aus seiner einstigen Heimatstadt.
Es war Karfreitag. Einige der zerstörten Kirchen hatte man mit Notdächern versehen, vor vielen war gekehrt worden. Viele dunkel gekleidete Frauen waren unterwegs, klapperdürre Greise und junge Kriegsversehrte in umgefärbten

Uniformmänteln und auf Krücken. Kinder mit sorgfältig gezogenem Scheitel liefen an der Hand der Mutter. Die Ermahnung »Heb deine Füße« hatte zwei Weltkriege, Inflation und Hungersnot überdauert. Kleine Mädchen hatten Puppen im Arm, die besser gekleidet waren als sie selbst, Buben schauten sehnsüchtig zu den Trümmergrundstücken, in denen sie sonst tobten. Wenn die Mutter es nicht sah, winkten sie einem vorbeifahrenden Jeep nach. In den Kirchen, in denen es hieß, Gott höre alles, beteten sie, er möge ihnen eine Schiffskarte nach Amerika unter das Kopfkissen legen. Zu Ostern hatte es in der amerikanischen Zone für Kinder über sechs Jahren eine Sonderzuteilung von einem Ei gegeben.

Für das Militärgericht in Nürnberg war der Karfreitag ein gewöhnlicher Werktag. Morgens erklärte sich der ehemalige Generalgouverneur Polens, Hans Frank, vor dem internationalen Tribunal als erster der sechsundzwanzig Angeklagten für schuldig. In der Mittagspause wurde dem Dolmetscher zur speziellen Verwendung, Friedrich Feuereisen, der auf der Poststelle für Zivilbedienstete irrtümlich als »Fredric Fereisen« geführt wurde, trotz der falschen Eintragung ein Brief aus Frankfurt ausgehändigt.

»Aus Polen«, wunderte sich der Postverteiler, schaute Fritz streng an und fasste sich an die Stirn. Der Mann stammte aus Minnesota und galt in den Augen der Armee als exzellenter Kenner Europas. In diesem Fall hatte Corporal Kingston allerdings übersehen, dass es nicht nur das nun zu Polen gehörende Frankfurt an der Oder gab. Fritzens Vaterstadt, in der das Hauptquartier der amerikanischen Zone untergebracht war, war keine zweihundert Kilometer entfernt.

»Am Main«, murmelte Fritz in seiner Muttersprache. »Po-

len hat mir der liebe Gott erspart.« Seine Lippen brannten, als er das sagte. Auch sein Kopf fing Feuer.
Er verzichtete auf das den Dolmetschern zustehende Mittagessen und sogar auf die beiden Tassen Kaffee, auf die er sich jeden Tag aufs Neue freute. Erleichtert stellte er fest, dass die Sitzung ausfiel, für die er am Nachmittag eingesetzt war. Wie ein Mann, der um sein Leben rennt, hetzte er zu Frau von Hochfelds Wohnung. Der Regulator in seinem Zimmer schlug drei, als er den Brief aus Frankfurt aufriss. Als die Sonne unterging, die den Tag zu einem besonderen gemacht hatte, saß er immer noch, tränenblind und betäubt, am Schreibtisch.
Einmal meinte Frau von Hochfeld, sie hätte ihren Untermieter schluchzen gehört, jedoch hatte sie ihrer Lebtag nicht ohne Not zugegeben, dass sie die Angewohnheit hatte, an fremder Menschen Türen zu lauschen. So musste sie auf die Bekundung einer Teilnahme verzichten, die sie als ihre Pflicht empfand – in Anbetracht der Konfession ihres Mieters mochte Frau von Hochfeld weder in Gedanken noch in dem daraus resultierenden Selbstgespräch von »Christenpflicht« sprechen.
»Komm uns so bald wie möglich besuchen«, hatte Betsy an ihren Schwiegersohn geschrieben. »Und wenn du nachts um drei vor der Tür stehst. Ehe wir Dich nicht sehen und anfassen können, werden wir nicht wirklich davon überzeugt sein, dass es Dich gibt. Dass Gott gleich drei Wunder in einer einzigen Familie getan hat und unsere Fanny, Dich und mich alte Frau hat überleben lassen, das werde ich bis zu meiner letzten Stunde nicht begreifen. Er muss sich verzählt haben, unser unfehlbarer Allmächtiger. Wir aber werden den Rest unseres Lebens nötig haben, um einander zu erklären, warum es uns noch gibt. Wie hätte ich Deiner

lieben Mutter gewünscht, dass sie das hätte erleben können. Sie hat bis zuletzt die Hoffnung nicht aufgegeben, Dich wiederzusehen. Ich weiß gar nicht, ob ich Dir das schreiben darf. Auch das ist typisch für uns: Wir wissen nie, ob wir reden dürfen oder ob wir schweigen müssen. Ich zum Beispiel bringe es nicht fertig, mit Fanny über ihre Mutter und ihren Bruder zu reden und als sie es neulich doch tat, konnte ich nicht über Victoria und Salo sprechen. Und auch nicht über Johann Isidor, der lange bevor er in Theresienstadt an Hunger starb, gesagt hat: ›Ich hab mich selbst überlebt.‹

Erst nach langem Grübeln ist mir klar geworden, dass Du von der hiesigen Jüdischen Gemeinde meine Adresse erhalten haben musst, ehe ich im Baumweg war, um Fanny dort anzumelden. Anna und Hans sind gar nicht auf den Gedanken gekommen, das zu tun. Sie haben jahrelang gezittert, einer könnte dahinterkommen, dass Fanny jüdisch ist, und sie dann an die Gestapo verraten. Fanny wird heute noch blass, wenn sie im Hausflur der Hausmeisterin von damals begegnet, obgleich die inzwischen Angst vor uns hat. Hans und Anna wohnen seit Kriegsende in ihrer Wohnung und sie mit ihrem Gatten, dem gnadenlosen Herrn Blockwart, in der Mansarde. Falls Du Dich erinnerst: In Frankfurt hat Justitia am Gerechtigkeitsbrunnen vor dem Frankfurter Römer nie eine Augenbinde getragen! Erwin hat mich darauf aufmerksam gemacht. Ach Fritz, Erinnerungen, nichts als Erinnerungen, die einem das Herz brechen! Du wirst über Fanny staunen. Nicht nur weil sie nach meinem Dafürhalten Dir so ähnlich sieht, wie nur eine Tochter ihrem Vater ähnlich sehen kann. Sie ist auch sonst von Deiner Art, zurückhaltend, bedächtig und auch klug. So nach und nach merke ich (wir beide kennen uns ja noch kein

Vierteljahr), dass sie trotz allem, was sie erlebt hat, auf das Leben zugeht. Zwar lacht sie selten, doch hat sie Humor und zwar einen, der mich manchmal an den von Erwin erinnert. Ach, wie sich mein unerreichbarer Sohn freuen würde, Fritz, dass Du überlebt hast. Er hat seinen Schwager sehr geschätzt – solange wir miteinander in Verbindung stehen konnten, hat er Dich immer erwähnt. Bisher ist es mir noch nicht einmal gelungen herauszufinden, ob man nach Palästina schreiben kann oder ob von dort Briefe nach hier befördert werden. Hans geht jede Woche zur Post, um sich zu erkundigen.
Komm, lieber, lieber Fritz, komm. Komm, ehe es Mai wird und die Ungeduld uns alle umbringt. Die Ungeduld und die Freude! Mein Gott, dass Freude den Menschen so zu beuteln vermag wie Sorge und Angst. Fanny läuft jedes Mal aus dem Haus, wenn sie auf der Straße ein Auto sieht, und stundenlang sitzt sie am Fenster. Bisher wollte sie durchaus nicht zur Schule gehen, weil sie sich fürchtet, mit Menschen zusammenzukommen, die nichts von dem wissen, was ihr angetan wurde. Seit Deinem Brief ist sie jedoch fest entschlossen, sich für Dich zu überwinden. Sie betont das Wort Vater so, als sei sie der einzige Mensch auf der Welt, der einen Vater hat. Ich habe jedes Mal Mühe, meine Tränen zurückzuhalten. Stell Dich bloß darauf ein, Fritz, dass Deine Schwiegermutter nicht mehr die starke Betsy ist, die den Ton angibt, sondern eine alte Frau, die immer einen braucht, der ihr sagt, was sie zu tun hat.«
Fritz faltete den Brief zusammen. Immer wieder versuchte er, sich eine alte Frau vorzustellen, die Mann, Tochter und Enkelkind in den Tod hatte gehen sehen und die Gott zum Überleben verurteilt hatte. Aus den Mosaiksteinen seiner furchtbaren Fantasie wurde jedoch nie das Stück Wirklich-

keit, das er brauchte, um zu verstehen. Er merkte nicht, dass er fröstelte, dass er sich klein machte wie ein Mensch, der die Häscher anrücken sieht, sich aber nicht mehr bewegen kann, weil er bereits im Vorfeld der Hölle erstarrt ist. Die Zimmerdecke mit der üppigen Stuckverzierung stürzte auf ihn zu, von Menzels Bild vom Flötenkonzert in Sanssouci kamen beruhigende, vertraute, geliebte Weisen.
Noch waren die Erinnerungen ohne Schmerz, noch schaute Fritz ohne Angst zurück. Es gelang ihm gar, als wäre dies nach acht Jahren in einem Leben ohne Wurzeln und ohne Licht selbstverständlich, sich an seine Tochter zu erinnern. Er sah Fannys rötlich schimmerndes Haar, ihre grünen Augen, entdeckte den kleinen Lorbeerkranz auf ihrer Brust, den Victoria ihr zum ersten Geburtstag auf das weiße Kleid gesteckt hatte. Mit der bekränzten Tochter auf dem Arm stand Fritz vor dem Bild von Franz Marc. Drei Kühe in Rot, Senfgelb und Grün waren es gewesen. Ein meisterlicher Druck. »Eine Zumutung fürs Auge«, schimpfte Victoria, »du bist ja total übergeschnappt, einem kleinen Kind so etwas zu zeigen.«
Hatte Vicky nicht immer alles abgelehnt, was ihrem Mann gefiel? Bücher, Bilder, Menschen, seine Freunde. Hatte sie sich vielleicht deswegen geweigert, zu ihm nach Holland zu kommen? Mein Gott, Victoria, ich musste es versuchen. Sie haben es alle versucht, die Männer in meinem Alter. Es ist doch keine Sünde, wenn ein Mann hofft. Wer jene Hoffnung gab verloren und böslich sie verloren gab, der wäre besser ungeboren; denn lebend wohnt er schon im Grab. Gottfried Keller. Meine Mutter hat das Gedicht geliebt. Ich hab's extra für sie auswendig gelernt. Im Jahr 1938 habe ich doch geglaubt, wir würden es in Holland schaffen, Vicky. Alle vier.

Die Kerze, der Stromrationierung wegen allabendlich angezündet, brannte ihrem Ende entgegen; es war ihr flackerndes Licht, das Fritz in die Hölle der Verschonten trieb. Mit einem Mal war es ihm eine Frage von Leben und Tod, noch einmal das Gesicht seiner Frau zu sehen, doch Victoria, so erregend und katzengeheimnisvoll und mit dem Temperament einer Tigerin, so unnachgiebig und immer voller Widersprüche, erschien nicht. Hörte sie nicht, dass Fritz nach ihr rief, sah sie nicht, dass er die Arme ausstreckte? Nur ein einziges Mal kam sie zurück. Es war in Brixen auf der Hochzeitsreise. Die Sonne schien, der Ärmel ihrer Bluse blähte sich im Wind. Die schöne Grazile stand in einem Garten mit blühendem Mohn und gelben Rosen, doch sie hatte kein Gesicht. Verzeih, Vicky, verzeih die Hochzeitsnacht. Ich war jung. Und enttäuscht!
Als Fritz zu Bett ging, schlug eine Kirchenglocke zwölf Mal. Er zählte mit, verkroch sich beim letzten Schlag unter das schwere Federbett und malte sich ein Leben aus, in dem ein Mann sein Nachtgebet sprach, ehe er einschlief, doch obwohl alle sagten, Fritz Feuereisen hätte ein unglaublich gutes Gedächtnis, fiel ihm das Wort nicht ein, das er Gott zu sagen hatte. Später sah Fritz, dass der Kalender den 10. Mai 1940 anzeigte, die Deutschen waren in Holland einmarschiert.
In dem Moment, da er die Stiefel der Wehrmacht sah, färbte sich der Himmel sturmschwarz. Gott, zu dem er nicht hatte sprechen können, befahl Friedrich Feuereisen, sich auf der Stelle zu entscheiden, ob er glücklich war, dass seine Tochter lebte, oder ob er sterben wollte, weil die Nazis seinen Sohn ermordet hatten? Als Gott mit Blitz drohte, weil Fritz die Augen zumachte und den Kopf schüttelte, obwohl er als Jurist doch wissen musste, was vor Gericht eine

Verweigerung bedeutete, hörte er die Schreie. Er wusste sofort, dass die achtjährigen Zwillinge aus Oppeln um Hilfe riefen, denn ihr Vater war vor ihren Augen erschlagen worden. Es verwunderte ihn, dass die Mutter sich nicht über ihre Kinder beugte – wie es seine Mutter getan hatte, sobald er nachts in Not geriet. Er sagte sich jedoch, Frau Konietzky wäre zu sehr an Kindertränen gewöhnt, wahrscheinlich wäre ihre Seele stumpf geworden und sie gar nicht mehr fähig, mit einem weinenden Kind zu leiden. Über den jüdischen Vater jedoch, der nach seinem ermordeten Sohn rief, beugte sich Victor von Hochfelds Witwe.

Am letzten Urlaubstag seines Lebens hatte der Generalmajor den Keller aufgeräumt und eine Spätlese vom Rhein aus dem Jahr 1937 aufgestöbert. Auf leeren Magen hatte er die ganze Flasche ausgetrunken, und noch vor dem letzten Schluck hatte er in einer weinerlichen Stimmung, die seinem Naturell absolut nicht entsprach, seiner erschrockenen Frau vom »verdammt dreckigen Krieg gegen die Zivilbevölkerung« im Osten erzählt. »Aber keiner von uns«, hatte der deutsche Held auf der Kellertreppe der Gattin klargemacht, »darf sich heute zu schade sein, sich die Hände schmutzig zu machen. Auch wir Offiziere nicht. Wer vergisst, dass es die Juden sind, die schuld am deutschen Unglück sind, versündigt sich an seinen Vätern und an seinen Kindern.«

»Wer ist Salo?«, fragte Adelheid.

Sie trug einen Hausmantel aus schwarzer Seide, der mit goldenen Blumen und roten Vögeln bestickt war, und malte mit ihrer Taschenlampe einen Kreis von besänftigendem Licht an die Wand. Fritz erkannte die Königin der Nacht, während das Orchester noch die Ouvertüre zur »Zauberflöte« spielte. Obwohl er sich sofort die Ohren zuhielt und seinem Herzen Kraft, Würde und Anstand befahl, spürte er den Schmerz und machte sich bereit zu fliehen. Der Ritter fand den Graben, über den er zu springen hatte, aber die Dämonen der Versuchung waren nicht aufzuhalten. Salo hörte nicht auf zu schreien, und doch gelang es dem Flüchtenden, seinem Sohn klarzumachen, dass Gott Kinder in Not nie im Stich ließ. Fritz versprach dem zitternden Jungen, sie würden spätestens mittags beide in Sicherheit sein. Gemeinsam sprachen sie das Gebet für Menschen auf der Reise. In dem Moment jedoch, da dieser starke, mutige, zu allem fähige und zu allem entschlossene Vater sich aufrichten wollte, stolperte er und stürzte in die Dunkelheit zurück. Für immer.

»Ich bin deutsche Federbetten nicht mehr gewohnt«, sagte Fritz. »Sie sind so schwer. Da muss man ja Albträume kriegen.«

»Es wird alles gut«, sagte die, die gelernt hatte, nur nach vorn zu schauen.

Ihre Stimme war tief und weich. Im Schein der Taschenlampe hatte ihr Haar die Farbe des Sommers; es lag wie ein fein gewebtes Tuch auf ihren Schultern. Ihre Haut duftete wie Rosen in der Mittagssonne. Die Rosenseife hatte Fritz am Tag zuvor aus dem PX mitgebracht. Frau von Hochfeld war wie ein junges Mädchen errötet. Gelächelt hatte sie und den Schenkenden, der das Lächeln einer dankbaren Frau nicht mehr gewohnt war, an Mona Lisa erinnert. Nun beruhigten die Hände der Gioconda seinen bebenden Körper. Rosenhände rieben ihm die Verzweiflung und die Angst des Versagers von der Stirn.

»Was hast du?«, fragte sie. »Du musst geträumt haben. Du hast im Schlaf geschrien, als wären alle Furien der Welt hin-

ter dir her. Ich hab dich gehört, obwohl die Zwillinge wie die Wilden getobt haben.«
Dem Mann, der erst ein paar Stunden zuvor erfahren hatte, dass seine Frau und sein Sohn umgekommen waren, fiel nicht auf, dass sie ihn geduzt hatte. Dass ihn Fremde duzten, war Fritz aus Holland gewohnt. Am Anfang seiner Emigration hatte ihm das holländische Du Hoffnungen gemacht, er würde sein Heimweh überwinden lernen und vergessen, dass ihm seine Heimat die Lebenswurzel abgeschlagen hatte, doch er hatte sehr schnell gemerkt, dass Vergessen nur ein Wort wie andere ist und dass sich der Mensch nie von seinen Erinnerungen befreit.
Im Moment des Geschehens ließ die Frau mit dem Lächeln der Mona Lisa den charakterfesten Mann mit Grundsätzen vergessen, was er nie hätte vergessen dürfen. Er schloss die Augen und lief in das Land der Täter. Als wäre er ein Mann, von dem keiner Rechenschaft forderte, gab er seinem Körper nach, doch es gelang ihm keinen Herzschlag lang zu verdrängen, was er mit seiner Schwäche den Toten antat – seiner Frau, seinem Sohn, seiner Mutter, dem Schwiegervater und den Millionen Juden, die in Deutschland ermordet worden waren.
»Ich hab gedacht, das kann mir nicht passieren«, flüsterte Adelheid.
»Das denke ich immer noch«, sagte er.
Als sich das Licht der Nacht taggrau färbte und eine Amsel in einer frühlingsgrünen Linde jubilierte, stieg die Königin der Nacht von ihrem Thron. Sie wickelte sich in ihren Morgenmantel und zog behutsam die Tür vom Zimmer ihres Untermieters von außen zu. Ihr Schritt war leicht, aber der Besiegte hörte sie im Flur gegen eine Holzkiste stoßen. Er meinte, er würde auch sein Herz schlagen und in seinen

Schläfen die Trommeln des Zorns hören, doch da fragte er sich schon nicht mehr, weshalb er gestrauchelt war und warum sein Gefühl für Anstand, Würde und Respekt ihn nicht hatte zurückhalten können. Das Mal des Brudermords auf Kains Stirn fiel ihm ein. Der Schmerz spaltete Kopf und Körper, doch noch quälender als die Scham war ihm die Gewissheit, dass er sich die Nacht vom 19. auf den 20. April 1946 nie würde verzeihen können.

»Ich hab uns den Frühstückstisch nicht in der Küche gedeckt, sondern in meinem Zimmer«, sagte Adelheid. »Heute ist ja Ostersamstag. So ein bisschen Feiertagsgefühl braucht der Mensch. In schlechten Zeiten erst recht, sage ich immer. Weihnachten hab ich für mich ganz allein eine Kerze angezündet und Stille Nacht gesungen. Kannst du das verstehen?«

»Ich singe nie Stille Nacht.«

Das Wohnungsamt hatte Frau von Hochfeld nur ihr ehemaliges Schlafzimmer gelassen. Dort schlief sie, las, strickte aus den Pullovern ihres Mannes wollene Damensocken und wärmende Westen, stopfte Strümpfe und Unterwäsche, grübelte über Recht und Ungerechtigkeit nach und machte ihrem toten Mann Tag für Tag Vorwürfe, dass er »die Dinge, die kommen mussten, nicht hatte kommen sehen« und »bis zuletzt aufs falsche Pferd gesetzt« hätte. Mindestens zwei Mal in der Woche schrieb Frau von Hochfeld ausführliche Eingaben sowohl an die deutschen als auch an die amerikanischen Behörden. Es war ihr Bedürfnis, ausführlich darzulegen, dass sie weder in der Partei noch in einer anderen nationalsozialistischen Organisation gewesen war. Sie bat, »ihren berechtigten Anspruch auf die Benutzung eines weiteren Zimmers ihrer Wohnung wohlwollend zu prüfen«.

Ihr Schlaf-Wohnzimmer hatte Adelheid mit so vielen Möbeln eingerichtet, wie sie vor ihren aufoktroyierten Mietern hatte retten können. Von der breiten Chaiselongue, die sie in der Nacht hastig verlassen hatte, war das Bettzeug weggeräumt, die standesgemäßen Seidenkissen und das violette Wollplaid, das mit den Gardinen korrespondierte, lagen an ihrem Platz. Am Fenster stand ein zierlicher Damenschreibtisch aus dem späten 18. Jahrhundert, griffbereit in einem geblümten Porzellangefäß war ein Gänsekiel mit Schreibfeder. Auf das silberne Tintenfass, ein Erbstück ihrer Großtante Amalie in Würzburg, war sie besonders stolz. Noch vor einer Stunde hatte ein silberner Fotorahmen mit einem Porträt des toten Generalmajors in Uniform und mit allen Orden auf dem Schreibtisch gestanden. Als seine Witwe Kaffee einschenkte, stellte Fritz fest, dass das Bild verschwunden war. Obwohl er gerade das nicht wollte, lächelte er; es genierte ihn, als er gewahr wurde, dass Adelheid ihn beobachtete.

»Der Kaffee aus dem PX«, schwärmte sie beim ersten Schluck, »ist jede Sünde dieser Welt wert.«

»Nicht jede«, antwortete er.

»Wann willst du fahren und wie?«

»Wenn ich das wüsste, wäre mir wohler! Ich weiß nur, dass ich in acht Tagen zum ersten Mal vier Tage am Stück frei habe. Die muss ich unbedingt nutzen. Sonst heißt es sechs Wochen warten, bis ich wieder dran bin. Ich meine, ein Vater braucht mindestens vier Tage, um seine Tochter kennenzulernen. Wenn wir uns auf der Straße begegnen würden, würden wir aneinander vorbeigehen.«

»So ging's mir mit meinem Cousin, als er aus dem französischen Gefangenenlager im Badischen kam. Er war vollkommen verändert. Ich hab ihn nur noch an der Stimme erkannt.«

Es gab noch keinen regelmäßigen Eisenbahnverkehr zwischen Nürnberg und Frankfurt. In der Fahrbereitschaft für die Bediensteten des Militärtribunals gab es jedoch einen außergewöhnlichen Mann, dem es so viel Freude machte, Gutes zu tun, als wäre er gerade als Pfadfinder aufgenommen worden. Washington Gaylord Jones hieß er, war Corporal, stammte aus Charleston und hatte seiner Mutter, deren ältester Sohn in den Ardennen gefallen war, in die Hand versprochen, »jedem verfluchten Deutschen in seinen dreckigen Hintern zu treten«. Kaum im Feindesland, war Washington Gaylord allerdings wortbrüchig geworden. Für den Fall, er könnte abgerissenen Kindern mit bettelnden Augen oder gar einem schönen deutschen Frollein begegnen, das ihn seine Sehnsucht nach seinen drei kleinen Töchtern und dem Käsekuchen seiner »Mum« wenigstens kurz vergessen ließ, ging er nie ohne Kaugummi, Schokolade und Zigaretten auf die Straße.
Fritz hatte den passionierten Philanthropen durch einen jener absurden Zufälle kennengelernt, die typisch für eine Zeit waren, in der sich die Menschen weder auf ihre Erfahrungen noch auf ihren Instinkt und schon gar nicht auf ihre Hoffnungen verlassen konnten. Corporal Jones hatte ihn in der Kantine angesprochen und sehr ausführlich und sehr bewegend von seiner Heimat und seinem Heimweh erzählt. Er hatte sein Erdbeereis schmelzen lassen, drei Tassen Kaffee getrunken, die vierte über seine Hose gegossen, den Koch einen »bloody bastard« genannt und Fritz stammelnd gebeten, in seinem Namen einen Brief an seine Frau zu schreiben. Mrs Jones waren nämlich so starke Zweifel an der Treue ihres Mannes gekommen, dass sie ihm mit Scheidung gedroht hatte. Washington war indes ein Mann der Tat, nicht der Schrift – für das fällige Dementi nach

Charleston brauchte er, wie er klarsichtig erkannt hatte, »einen Mann mit Grips, der sich in der Welt auskennt«. Dass er mit Fritz die richtige Wahl getroffen hatte, bewies der Antwortbrief von Mrs Jones. Ihrem beglückten Mann schwor sie postwendend Liebe und Treue bis in den Tod. Zum guten Schluss zitierte sie zwei Zeilen aus einem Shakespeare-Sonett, was für Fritz, als er den Brief zu lesen bekam, ein todsicherer Beweis war, dass die entzückte Gattin ebenfalls einen Ghostwriter gefunden hatte.
Fortan nannte Washington den bewunderten Verfasser vom »schönsten Liebesbrief, den ich je in meinem Leben geschrieben habe«, Frizzie. Dem schlug er vor, er solle ihn »wie das Volk zu Hause« Washi nennen. Sehr glücklich war Washi mit der Bitte, er solle mit Fritz nach Frankfurt fahren. Dort hatte er nämlich auf einer Dienstreise ein besonders entgegenkommendes Frollein kennengelernt. Sie hatte einen Busen wie Jane Russell in dem Erfolgsfilm »Geächtet«, war blond, bereitwillig und immer fröhlich. Wenn sie »Auf der Lüneburger Heide« oder »Schwarzbraun ist die Haselnuss« sang, fühlte sich Washi Europas Kultur ganz nah. Träumte die schöne Blonde, was sie ihm in Ermangelung einer gemeinsamen Sprache allerdings nie verriet, dann stand sie in weißen Shorts an Bord eines Schiffs und reiste als Soldatenbraut nach Amerika.
Washi nannte seinen Frankfurter Sündenfall Veronika, obgleich sie Ortrud hieß. Für die Freuden auf ihrer schmalen Couch bedankte er sich mit Nylonstrümpfen, die spitze Entzückensschreie auslösten und die ihn ebenso stimulierten wie ihre festen Brüste. Aus Nürnberg brachte der Mann mit den vollen Taschen Stangen von »Chesterfield« und kiloweise Kaffee mit, Whisky für die depressive Mutter, die noch im Februar 1945 an die Wunderwaffe geglaubt hatte,

und Schokolade für Bruder Hermann-Dietrich. Der hatte so geschickte Finger, dass er bei jedem Besuch Washi die Packung mit Präservativen klaute, die Soldaten beim Verlassen des Militärgeländes ständig mit sich zu führen hatten. Washi war ein Meister der Organisation und Improvisation. Nach nur zwei Tagen hatte er Benzin für die Fahrt nach Frankfurt und zurück beschafft und für sich die Erlaubnis, einmal im Frankfurter PX einzukaufen und im Sperrgebiet vier Tage im Gästehaus für durchreisendes US-Militär zu übernachten. Der Weg in die Thüringer Straße 11 war ihm noch bekannt. Er war nämlich der dunkelhäutige Jeepfahrer mit dem imponierenden Helm und der ansteckenden Fröhlichkeit, der vor vier Wochen im Namen seines Freundes »Frizzie« das Paket abgeliefert hatte.
»Dem Paket verdanken wir unsere Reise«, erklärte ihm Fritz.
»Versteh ich nicht, aber meine Oma hat immer gesagt, man muss nicht alles verstehen.«
»Recht hat sie! Je weniger du von der Welt verstehst, desto besser ergeht es dir.«
Der 29. April, ein Montag, war bereits in den Mai gesprungen. Die Apfelbäume und der Flieder standen in voller Blüte, Schwalben flogen den Sommer ein, die Sonne vergoldete das noch unreife Korn auf den Feldern, das Wasser in Fluss, Bächen und Teichen und selbst die Trümmer in den Städten und die zerschossenen Häuser in den Dörfern. Die achtundachtzigste Zuteilungsperiode für Lebensmittel begann ebenfalls mit froher Botschaft. Zum ersten Mal seit Kriegsende erhielt die Bevölkerung eine Zuckerzuteilung. Die beliebte Revuetänzerin Marika Rökk, Star der Filme »Es war eine rauschende Ballnacht« und »Frauen sind doch bessere Diplomaten«, erhielt wegen ihrer Verbindungen zu

den Nationalsozialisten von der amerikanischen Militärregierung Auftrittsverbot. Washi traf auf eine deutsche Vogelscheuche, er nannte sie »a fucking German« und requirierte ihren grünen Jägerhut. Der Hut mit einer langen rotbraunen Feder löste seine Zunge noch mehr als sonst. Seinen Redestrom unterbrach er nur noch, um den Kaugummi zu wechseln.
Fritz musste sich Mühe geben, Washis verschlungenen Memoiren zu folgen. Weil beide Joseph hießen und Jake genannt wurden, verwechselte er den gefallenen Bruder häufig mit dem Vater, der die Familie verlassen hatte, während seine Frau bei ihrer sterbenden Mutter war und seine Kinder in der Kirche um die Genesung der geliebten Großmutter beteten. Bei der Fahrt durch das zerstörte Würzburg versuchte Fritz hartnäckig, sich vorzumachen, die Stadt wäre für ihn eine ohne Bedeutung, doch er hatte in Würzburg nicht nur den Frankenwein und das deutsche Barock kennengelernt, er hatte auch die Illusion begraben, seine Kommilitonen würden ihn als einen der Ihren empfinden. Seine Gedanken waren noch bei einem Studenten mit sanfter Stimme und ebensolchen Augen, den er bis zur Stunde der Erkenntnis für einen Freund gehalten hatte. Da stellte er fest, dass der Wegweiser Hanau und Offenbach anzeigte. An den Fingern zählte er ab, wie lange es her war, seit er aus seiner Vaterstadt geflüchtet war. »Acht Jahre«, sagte er in seiner Muttersprache, »nein, acht Jahre und sieben Monate.«
»Hi«, protestierte Washi, »wir haben doch ausgemacht, dass du nicht Chinesisch redest. Wen besuchst du eigentlich in Frankfurt?«
»Meine Schwiegermutter«, erwiderte Fritz. Noch brachte er es nicht über sich, mit einem Fremden über Fanny zu sprechen.

»O Gott, ich laufe meilenweit, um meine nicht zu sehen. Sie stinkt und beißt und geht mir an die Hose.«
»Ich habe meine Schwiegermutter das letzte Mal vor acht Jahren gesehen.«
»Das nennt man Glück.«
»Sie war in Theresienstadt.«
»Wo ist denn das schon wieder? Ich war nicht schlecht in Geografie, aber ich werde mich in diesem verdammten Europa meiner Lebtag nicht auskennen.«
»Theresienstadt war ein KZ. Kannst du mal bitte anhalten, Washi? Mir wird schlecht. Ich hätte heute Morgen doch lieber Tee trinken sollen.«
Mit den Trümmern von Frankfurt und dem Main schon im Blick stand Fritz würgend unter einer deutschen Eiche und erinnerte sich an Fräulein Farn mit dem Haarknoten und den vorstehenden Zähnen. Fräulein Farn hatte ihm befohlen, zehn Mal den Satz »Je größer die Stürme, desto fester wurzelt die deutsche Eiche« zu schreiben. »Das wird dich lehren, dich wie ein deutscher Junge zu benehmen«, schrie die Pädagogin.
Es entsetzte Fritz, dass er seinem Körper hatte nachgeben müssen und seine Fantasie nicht hatte bändigen können. Trotzdem war er ruhig und ohne Furcht, als er wieder in den Jeep kletterte. Nur um seinem Reisefreund die Situation zu erklären, sagte er: »Wir sind jüdisch.«
»Da sitzen wir ja im gleichen Boot«, erkannte Washi. »Neger und Juden haben beide nichts zu lachen, wenn die anderen auf die Jagd gehen.«
»Das hast du wunderbar gesagt, mein Freund. Tu mir einen Gefallen, Washi. Wenn wir an der Thüringer Straße sind, halt bitte an der Ecke an. Das letzte Stück möchte ich allein gehen.«

»Du sagst immer bitte, wenn du was willst. Das gefällt mir. So was ist unsereiner nicht gewohnt.«
Der Mann, der erst seit zehn Tagen und vier Stunden wusste, dass er seine Tochter hatte behalten dürfen, stand vor dem Haus Nummer 11 und blickte in die Richtung, in der der Jeep verschwunden war. Er hörte sich atmen und hatte das Bedürfnis, Washi zurückzuholen. Zunächst wurden die Arme steif, dann auch die Lippen. Er fragte sich – doch ohne Furcht –, ob ein Mensch es mitbekam, wenn sein Herz zu schlagen aufhörte.
Die Klingelleiste an der Haustür war weiß und auffallend. Fritz sah, dass auf einem der Schilder sowohl Dietz als auch Sternberg stand. Er buchstabierte beide Namen, ging auf die Tür zu, streckte die Hand vor, wagte aber nicht, den Klingelknopf zu berühren. »Ach«, sagte er. Schon das eine Wort verstopfte seine Kehle. Er stellte den Koffer auf den Boden, hob ihn sofort wieder hoch, senkte den Kopf und war sicher, er hätte zu atmen aufgehört.
»Wo willst du hin?«, fragte das Mädchen. Sie hatte eine geblümte Kinderschürze über ihrem blauen Kleid und eine weiße Haarschleife.
Sophie schob ihre Freundin Lena zur Seite, setzte die Puppe im rosa Ballkleid zwischen die Gitterstäbe des Zauns, hielt Fritz ihre Rechte hin und knickste tief, denn sie hatte ihn aus dem Jeep steigen sehen. Weil er den Koffer hatte abstellen müssen, wusste das schlaue Kind, dass der Koffer schwer war und dass sich Artigkeit empfahl. »Bist du ein Ami?«, fragte Sophie.
Fritz wollte sie anlächeln, ihre Puppe bewundern, ihr zu erklären versuchen, weshalb er gekommen war, doch seine Lippen klebten aufeinander. Sophie fing zu kichern an, erst leise, dann laut, schließlich mit hoch erhobenen Armen. Es

war der Moment, da Fritz stolperte, seinen Mut und die Orientierung verlor. Er sah den Koffer brennen, die Flammen lodern, verwechselte Zeit und Ort, verwechselte das Glück des Wiederfindens mit der Verzweiflung des Verlusts. Weshalb waren ihm die Augen nicht vertraut, in die er blickte, weshalb war seine Tochter so blond, so klein? Warum sah sie weder Vicky noch ihm ähnlich? Wie konnte sie nach allem, was ihr im Leben angetan worden war, mit einer Puppe spielen und wie ein kleines Mädchen knicksen? Trotzdem sagte er: »Ich bin dein Papa.«
»Mich legst du nicht rein«, wusste Sophie, »mich nicht.« Sie kicherte abermals, stampfte mit ihrem rechten Fuß auf, schüttelte den Kopf. Ihre langen Zöpfe schlugen ihr ins Gesicht. »Mein Papa hat nur ein Bein«, kreischte sie. »Und er ist nicht zu Hause.«
»Aber Fanny wohnt doch hier, oder nicht? Fanny Feuereisen.«
»Natürlich wohnt sie hier. Fanny ist doch meine Schwester. Aber Fanny ist auch nicht zu Hause. Sie ist in der Schule.«

9
DR. FRIEDRICH FEUEREISEN HAT DAS WORT
Mai 1946

Obwohl der Kastanienbaum auf der gegenüberliegenden Straßenseite schon seit zwei Wochen mit seinen Kerzen lockte und im Vorgarten vom Nachbarhaus ein kleiner Apfelbaum in voller Blüte stand, schmetterte Anna abwechselnd »Der Mai ist gekommen, die Bäume schlagen aus« und »Komm, lieber Mai, und mache die Bäume wieder grün«. Gewöhnlich war ihr weder die Freude am Gesang gegeben noch die Eigenschaft, der Natur wegen in Euphorie zu geraten. Seitdem aber ihr Schwager Fritz mit Sophie an der Hand vor der Tür gestanden hatte und sie einer Ohnmacht nahe gewesen war, weil sie einen Herzschlag lang gedacht hatte, Erwin wäre heimgekehrt, befand sich Anna im seelischen Hoch.

An dem sonnenvollen Tag, da sie sämtliche ihr bekannten Frühlingslieder aus dem Gedächtnis holte, war sie auch guter Hoffnung, dass in Würfeln getrocknete Steckrüben im Ofenrohr zu Rosinen mutieren könnten. Anna war dabei, einen Kuchen zu backen, der in einem zu Ostern veröffentlichten Rezept als Festtagstorte bezeichnet worden war. Das Rezept, das sich auf eine Freifrau von Hermannshofen berief, hatte es in einigen Exemplaren beim Bäcker anstelle der Schwarzmehlkekse gegeben, die ursprünglich für Kinder unter sechs Jahren in Aussicht gestellt worden

waren. Hergestellt wurde die adelige Festtagstorte aus Haferflocken, schwarzem Mehl, Eipulver, Sacharin, Malzextrakt und Honigersatz.
Die zeitgemäße Kuchenschöpfung sollte nicht nur den Besuch von Fritz krönen. Anna war schon seit zwei Wochen im Glücksrausch; das Schicksal hatte ihren größten Wunsch erfüllt. Wann immer sie mit Hans allein war, raunte sie ihm zu: »Jetzt sind wir wieder anständige Leute.« Worauf er jedes Mal sagte: »Erzähl's nur nicht weiter. Nur Narren arbeiten noch für ihr tägliches Brot.«
Der Kriegsversehrte Hans Dietz tat es. Sein ehemaliger Arbeitgeber hatte vom Nachrichtenkontrollamt der amerikanischen Militärregierung die Lizenz erhalten, die »Frankfurter Neue Presse« herauszugeben. Die erste Ausgabe war am 15. April erschienen. Sie wurde im Wäscheschrank unter der Damasttischdecke für zwölf Personen aus dem Hause Sternberg verwahrt und beim ersten gemeinsamen Essen mit Fritz von der Hausfrau triumphierend hochgehalten. Die Überschrift auf Seite eins lautete: »Der Mensch ist Diener des Rechts«.
»Das geht an meine Adresse«, sagte Fritz.
Da Hans Dietz dem Verlag noch bekannt war und er nachweisen konnte, dass er nicht nur politisch unbelastet, sondern auch im Konzentrationslager Dachau inhaftiert gewesen war, hatte man ihn umgehend als Drucker eingestellt. Vorerst konnte die »Frankfurter Neue Presse«, genau wie die »Frankfurter Rundschau«, wegen Papiermangels nur zwei Mal in der Woche erscheinen. Der neu eingestellte Drucker empfand das als besondere Schicksalsgunst. Ihm würde, wie er Fritz klarmachte, als Anna es nicht hörte, »genug Zeit bleiben, um die Familie anständig auf dem Schwarzmarkt zu versorgen«.

Sophie war am Tag der schönen Lieder ebenso fröhlich wie ihre Mutter. Dass es zum Frühstück lediglich bitteren Malzkaffee und trockenes Brot gegeben hatte und vom Brot längst nicht so viel, wie sie gern gehabt hätte, bekümmerte sie nicht mehr als gewöhnlich. Seitdem nämlich Onkel Fritz Sophies Lebensbühne betreten hatte, war sie eine Prinzessin mit einem eigenen Schlaraffenland geworden. Für Prinzessin Sophie wuchsen quittegelbe Marzipanbrote auf Schokoladenwiesen, und vor dem Schlafengehen aß sie so viele Würstchen mit schneeweißen Brötchen, »wie es gar nicht gibt«.
Im tatsächlichen Leben lutschte die fantasievolle Sophie schon morgens um neun grasgrüne Bonbons mit einem Loch in der Mitte. Die wurden ihr in den Mund gesteckt, wann immer sie auf den Wundermann mit den vollen Taschen traf, der keinem Kind widerstehen konnte und sie nie spüren ließ, dass er Fannys Vater und nicht der ihre war. Unmittelbar nach dem Frühstück begann Sophie, auf dem winzigen Rasenstück im Hinterhof für »König Fritz« Gänseblümchen, Löwenzahn und lila Kleeblumen zu pflücken. Auch das Lied vom Maikäfervater im Krieg wollte sie ihm vorsingen. »Der Maikäfer Sumsemann hat auch ein Bein verloren. Wie mein Papa«, erzählte die fleißige Pflückerin ihrer Freundin Lena.
Da Lena meistens an neuen Erkenntnissen zweifelte, tat Sophie so, als hätte sie dies schon immer gewusst. Tatsächlich kannte sie den fünfbeinigen Käfer aus dem Kinderbuchklassiker »Peterchens Mondfahrt« erst seit drei Tagen. Da hatten Betsy und Fanny nicht nur die neu eröffnete Tauschzentrale auf der Zeil gründlich besichtigt. Sie hatten ebenso ausdauernd und erfolgreich gehandelt wie Hans, wenn er Schrott und abgefahrene Autoreifen in Butter,

Speck, Kinderschuhe und Kleiderstoffe verwandelte. Aus Annas altem Waffeleisen, das schon deswegen nutzlos geworden war, weil es keine Zutaten gab, um Waffeln zu backen, und aus dem Einkochtopf, der im Hungerjahr 1946 nur den viel beneideten Schrebergärtnern von Nutzen sein konnte, hatten die unermüdliche Betsy und ihre staunende Enkeltochter einen ansehnlichen Bücherturm geschaffen. Jubelnd trugen sie Goethes »Goetz«, »Tasso« und »Egmont« sowie Schillers »Maria Stuart« und »Don Carlos« nach Hause, einen in grünes Leder gebundenen Band mit Gedichten aus drei Jahrhunderten und eine Sammlung Novellen des preußentreuen Schriftstellers aus der Bismarckzeit, Ernst von Wildenbruch, den Johann Isidor sehr geschätzt hatte. Dazu »Ein Kampf um Rom« von Felix Dahn, den erst Erwin und dann Clara und schließlich Vicky mit Taschenlampen unter der Bettdecke gelesen hatten, sowie Erich Maria Remarques berühmten Antikriegsroman »Im Westen nichts Neues«. Die Ausgabe hatte, wie der Besitzer eindrucksvoll berichtete, sowohl die Bücherverbrennung als auch die gesamte Nazizeit in einem ausgedienten Futtertrog im Schweinestall überlebt. Von der Freude seiner Kundinnen war er gerührt. Er überließ ihnen »Peterchens Mondfahrt«, obwohl sie ihr Punktekontingent aufgebraucht hatten.

Das berühmte Kinderbuch von Gerdt von Bassewitz löste noch in der Tauschzentrale bei Betsy eine Flut von Erinnerungen aus – und in der Nacht einen See von Tränen. Sie hatte die poetische Geschichte erst Alice, dann Claudette und schließlich der fünfjährigen Fanny vorgelesen. Einen Weltkrieg und einen Völkermord später war nun Sophie an der Reihe. Allerdings war sie die erste von Betsys gespannten Zuhörerinnen, die sich erkundigte, ob der Pfefferkuchenmann von der Weihnachtswiese essbar wäre und wem ein Bein ohne den dazugehörigen Maikäfer nutzen könnte. Im größten Teil von Fannys Kindheit hatte sich niemand gefunden, der ihre Fragen beantwortete; das hatte sie verschlossen und schweigsam gemacht. Als sie ihren Vater wiederfand, fehlten ihr die Worte, um zu sagen, was sie fühlte. Auch Fritz scheute sich, von Courage, Segen und Seligkeit zu sprechen. Im Moment der Überwältigung vermochten Vater und Tochter nur, sich anzuschauen und einander zaghaft zu berühren. Fanden ihre Hände zueinander, ahnten sie, was die Sorglosen und Zungenflinken meinen, wenn sie von Glück reden; sie jedoch fürchteten sich, das Wort auszusprechen.

»Kennst du die eindrucksvolle Darstellung von Michelangelo, in der Gott Adam berührt?«, fragte Fritz am Abend, als die Worte wieder an Selbstverständlichkeit gewonnen hatten.

»Ich kenne noch nicht mal Michelangelo«, antwortete Fanny. Sie wunderte sich, dass ihr der schwierige Name gelungen war, und wagte ihr erstes Tochterlächeln. »Ehe Großmutter kam, habe ich überhaupt keinen Menschen gekannt, der von Bildern spricht. Und von Musik. Ich werd das nie können.«

»Hast du eine Ahnung, was du alles können wirst! Warte nur, bis ich reich genug bin, um für uns beide eine Bahnfahrkarte nach Rom und Florenz zu kaufen. Und nach Paris. Ja, nach Paris fahren wir zuallererst. Zur Mona Lisa. Ihr ist das Lächeln nie vergangen. Und dann fahren wir nach Amsterdam. Amsterdam ist eine wunderschöne Stadt, wenn man keine deutschen Uniformen sieht und nicht Angst um sein Leben hat.«

»Was machen wir, wenn wir verreisen?«

»Wir holen alles nach, was die Nazis uns gestohlen haben.

Das Leben und die Kunst. Und das Lachen. Wir werden nie mehr traurig sein, du und ich, und wir kaufen uns ein fettes Huhn.«
»Zum Schlachten?«
»Wo denkst du hin? Zum Eierlegen. Goldene Eier in einem Nest aus Sternenstaub. Das Nest habe ich mir schon als kleiner Junge gewünscht.«
»Ich wünsche mir eine Bratpfanne. Für Anna. Ihre ist ganz verrostet.«
»Dafür müssen wir Fortuna nicht bemühen. Und den lieben Gott schon gar nicht. Bratpfannen gibt es im PX.«
Am ersten Tag auf der neuen Lebensroute reichte Fritz und Fanny die Gewissheit, dass er wieder Vater sein durfte und sie Tochter; bereits am nächsten Morgen gelang es beiden, einander anzuschauen, ohne dass sie fürchteten, das Schicksal halte sie zum Narren. »Ich kann es immer noch nicht glauben«, hatte Fanny geflüstert. Sie wollte ihrem Vater sagen, dass sie ihren Bruder nicht vergessen hatte und schon gar nicht ihre Mutter, doch es gelang ihr nicht, von denen zu sprechen, die die Mörder im grauen Todesnebel zur Frankfurter Großmarkthalle getrieben hatten. »Anna«, schluckte sie, »hat mich rausgezogen. Sie war schwanger. Mit Sophie.«
»Ich weiß, ich werde es immer wissen.«
»Sie hat mir auf der Straße den Mantel ausgezogen. Den mit dem Stern. Weißt du, dass Juden in Deutschland einen Stern auf ihre Kleider nähen mussten? Damit man uns erkennen konnte. Einen gelben Stern.«
»In Holland war es genauso.«
»Meinst du, man kann so was vergessen?«
»Hoffentlich nicht. Die Toten vergessen zu wollen war schon immer eine Sünde.«

»Ich meinte das, was sie uns angetan haben.«
»Wir können uns nicht aussuchen, was wir vergessen wollen, Fanny.«
Am dritten Tag sagte Betsy: »Auch dem Glücklichsten schlägt die Stunde. Ehe wir uns versehen, muss Fritz zurück nach Nürnberg. Warum geht ihr zwei nicht mal in den Zoo? Der ist ja um die Ecke, und ihr könnt richtig allein miteinander sein. Ihr könnt euch all das erzählen, was nur für vier Ohren bestimmt ist. Es gibt dort auch Bänke, hab ich neulich festgestellt, schöne altmodische Bänke wie früher, als die Leute nicht sofort an ihren Ofen oder an ihren Küchenherd dachten, wenn sie eine Bank sahen.«
»Sag nur, dass es schon wieder einen Zoo in Frankfurt gibt. Wo in aller Welt kriegen die Leute denn das Futter für die Tiere her, wenn das ganze Land hungert? Ich hätte gedacht, dass man in Deutschland eher Löwen schlachtet, als sie zu füttern.«
»Keine Sorge«, hatte Hans erklärt, »im Frankfurter Zoo wird keinem Tier ein Haar gekrümmt, doch leider sind so gut wie keine Tiere mehr da.«
So saßen Vater und Tochter auf einer Bank vor dem ehemaligen Löwengehege, in dem ein allerliebstes Löwenkind aus Plüsch auf einem blauen Kissen aus goldgelben Glasaugen in die Sonne schaute. Ein weißer Papierbogen mit einem Rahmen aus schwarzem Isolierband erinnerte an die beiden Löwen, die bei dem letzten großen Bombenangriff auf Frankfurt umgekommen waren. Von der Bank hatten Holzdiebe die Lehne abgesägt, und eine Narrenhand hatte mit einem Messer »Alles Kacke!« auf die Sitzfläche geritzt, aber solcher Pessimismus entsprach an dem warmen Maitag nicht der Stimmung. Das Gras um den Teich war kräftig, die Blumen blühten sommerrot, kornblumenblau und zitro-

nengelb. Primeln am Weg, Veilchen und Vergissmeinnicht hießen selbst die Verzweifelten hoffen. Bäume und Sträucher dufteten, als wäre die Stadt nicht tausend Tode gestorben; die Bienen und Schmetterlinge verstanden es noch immer, die Botschaften des Lebens zu entschlüsseln. Eine butterblumengelbe Sonne schaute aus leichten Wolkenstores hervor. Sie bestrahlte müde Knochen und verwundete Seelen. Menschen, die sich plagten, Fragebogen auszufüllen und dabei ihre Nazivergangenheit zu verschleiern, gaukelte die Sonne vor, das große Vergessen und die große Vergebung seien nur eine Frage von Energie und Zeit. Weil die Vögel im Bombenkrieg weder ihre Habe noch ihre Würde und Zuversicht verloren hatten, bauten sie Nester und zirpten Zukunftslieder.

»Hast du mir als Kind nicht ›Die Vögel wollten Hochzeit halten‹ vorgesungen?«

»In dem grünen Walde. Mein Gott, Fanny, dass du das noch weißt! Es ist ein Leben her.«

»Ich bin ja erst fünfzehn. Vielleicht erinnert man sich da noch besser als später.«

Es gab im Zoo handbetriebene Karussells mit weißen Rössern vor vergoldeten Kutschen, altmodische Schiffsschaukeln, die von Männern im Unterhemd angeschoben wurden, Losbuden und einen Dosenwurfstand. Man konnte bunte Papierblumen und Tütchen mit Brauseersatz gewinnen – im Glücksfall ein leeres Einweckglas, einen hölzernen Kochlöffel oder einen Becher, der vor Kurzem noch ein Stahlhelm gewesen war. Für junge Burschen, die auch in Mangelzeiten ihre Muskeln trainierten, um den Mädchen zu imponieren, war ein Hau-den-Lukas da – auf der Spitze der betagten Kraftprüfungsmaschine thronte ein beleibter Seemann im Ringelhemd und mit Admiralsmütze. Der

Zirkus Helene Hoppe gastierte mit zwei Vorstellungen täglich. Er warb mit einem farbenfrohen Plakat, das achthundert Tiere ankündigte. Wenn sie davorstanden, bestaunten die Frankfurter eine lächelnde Giraffe und einen geschmückten Elefanten, auf dem ein rot gekleideter Edelmann aus dem Morgenland saß.

»Ich reite auch auf einem Elefanten«, entschied ein sechsjähriger Knabe mit spindeldürren Beinen und narbenroten Händen. Er trug eine tintenbeschmierte Lederhose, die groß genug war, um ihm noch in drei Jahren zu passen.

»Wenn Papa kommt«, versprach die Mutter.

»Du sagst immer ›wenn Papa kommt‹, wenn ich mir was wünsche. Der Willi sagt, Papa ist tot. Mausetot, sagt Willi.«

»Willi bekommt heute Abend eine Tracht Prügel, die sich gewaschen hat. Das nächste Mal überlegt er's sich, ob er so von seinem Vater spricht.«

Im Zoo wurde auch Theater und Operette gespielt. Schauspieler hatten in Abgründe geblickt, nun hatten sie Träume statt Brot, doch ihre Augen lebten und ihre Stimmen wussten zu ergreifen. Sie rezitierten Gedichte, die trotz der Menschheitskatastrophe im Gedächtnis des Publikums geblieben waren, und die Texte, die sie lasen, kündeten von Glaube, Liebe und Hoffnung.

»Ich hab im Börsensaal den ›Gärtner von Toulouse‹ von Georg Kaiser gesehen«, erzählte Fanny, »und von Thornton Wilder ›Unsere kleine Stadt‹. Ich konnte die ganze Nacht nicht schlafen, so hat mich das Stück aufgeregt. Hast du schon mal von Thornton Wilder gehört?«

»Ehrlich gesagt, nein.«

»Der ist Amerikaner. Er hat noch ein Stück geschrieben. ›Wir sind noch einmal davongekommen‹ heißt es. Das würd ich für mein Leben gern sehen, aber unser Deutschlehrer

sagt, sie spielen es nur in Darmstadt. Ach, am liebsten würde ich jeden Tag ins Theater gehen. Ich weiß auch nicht, warum.«
»Ich schon«, sagte Fritz. Er kaute schwer an einem Seufzer, als Victoria erschien, dachte an die Tragödie seiner Ehe und seines Lebens und dass er seinen Zorn nie würde löschen können. Vicky war von ihrem Traum nie losgekommen, sämtliche Heldinnen der Bühnengeschichte zu spielen. Noch in ihrer zweiten Schwangerschaft hatte sie mit einer Nelke im Haar vor dem Spiegel mit dem Goldrahmen gestanden und Hamlets Ophelia geprobt. Würde Fritz je mit Fanny über ihre Mutter sprechen können, ohne dass sein Herz verglühte? Es gab kaum eine Nacht, in der er sich nicht richtete, weil er nicht energisch genug versucht hatte, Victoria ihre Illusionen auszureden.
»In der Schule lesen wir Wilhelm Tell. Das ist alles ganz neu für mich. Ich hab noch nie ein Theaterstück gelesen. Das Alte stürzt, es ändert sich die Zeit, und neues Leben blüht aus den Ruinen. Ich finde das wunderschön.«
»Wer gar zu viel bedenkt, wird wenig leisten«, fiel Fritz ein, »das war immer mein Lieblingszitat. Ich kann gar nicht fassen, dass ich es noch im Kopf hab. Die Axt im Haus erspart den Zimmermann.«
»Deutsch ist das einzige Fach, das mir Freude macht. Da komme ich mir nicht so vor, als hätte ich auf dem Mond gelebt und müsste mich dafür entschuldigen.«
»Würdest du eines Tages vielleicht selbst auf der Bühne stehen wollen?«
»Bloß das nicht. Ich kann gar nicht verstehen, wie einer überhaupt auf die Idee kommt, Schauspieler zu werden. Ich stelle es mir fürchterlich vor, wenn mich alle anstarren. Du hast ja Tränen in den Augen. Hab ich was Falsches gesagt?«

»Im Gegenteil. Du hast etwas Wunderbares gesagt, außerdem weißt du gar nicht, wie man etwas Falsches sagt. Das ist mir sofort an dir aufgefallen.«
Mütter schoben abgenutzte Kinderwagen mit eiernden Rädern, doch mit blitzsauberen Kissen und kleinen Federbetten in feinen Bezügen. Babys in Häkelmützen nuckelten an Schnullern aus Friedenszeiten, die schon ihre Geschwister beruhigt hatten. »Die sehen alle aus, als würde Mami sie durch das Land von Milch und Honig rollen«, fand Fritz.
»Mir wären Erdbeeren mit Schlagsahne lieber«, malte sich Fanny aus. »Ich weiß gar nicht mehr, wann ich das letzte Mal eine Erdbeere gegessen habe.«
»Heute«, versprach ihr Vater. »Wenigstens als Erdbeereis. Wenn wir in den PX gehen, um Anna die Bratpfanne zu kaufen, die nie rostet, wirst du dein blaues Wunder erleben. Nein, ein rotes. Erdbeeren sind ja rot. Die Amerikaner haben nicht nur den Blitzableiter, die Glühbirne und den Revolver erfunden. Sie machen herrliches Eis. Du darfst so viel essen, bis dir schlecht wird.«
»Muss das schön sein, wenn einem vom vielen Essen schlecht wird! Mir ist das noch nie passiert.«
»Dann wird's höchste Zeit, Madam.«
Buben in kurzen Hosen aus umgefärbten Uniformen und mit Hemden, die ihre Mütter aus Küchenhandtüchern geschneidert hatten, trugen Schuhe mit abgeschnittenen Spitzen und offenen Fersen, damit sie überhaupt hineinpassten. Ihre Suppen wurden aus Brennnesseln gekocht, sie klauten Kohlen von Lastwagen und Eisenbahnwaggons und stahlen Greisinnen die Lebensmittelkarten aus der Handtasche, doch sie glaubten an Gott und dass ihre in Russland vermissten Väter eines Tages an der Wohnungstür stehen würden.

An der rußschwarzen Mauer eines Wasserhäuschens, in dem es ursprünglich bunte Brause, Lakritzschlangen und Negerküsse, Sahnebonbons und Bier in Flaschen zu kaufen gegeben hatte, klebte ein großes Plakat mit dem mahnenden Text »Bauer, denk an die Not in der Stadt«. Ein Mann mit Schmerbauch, Hut, Lederweste und festen Stiefeln rauchte genussvoll eine lange Pfeife. Ein putziges kleines Mädchen, wie Rotkäppchen gekleidet und mit den gesunden runden Backen, die man den immer satten Bauernkindern nachsagte, biss in ein dick bestrichenes Butterbrot. Im Vordergrund stand die ausgehungerte Stadtbevölkerung Schlange vor einem Bäckerladen in einem Trümmerhaus.

»Komisch, die Deutschen glauben immer noch, an Plakaten könnte die Welt genesen«, stellte Fritz fest. »Das war im Ersten Weltkrieg schon so. Ich konnte mich als Schüler gar nicht satt lesen an den Dingern. Ein Plakat in gotischer Schrift klebte an einer Litfaßsäule, an der ich jeden Tag auf meinem Schulweg vorbeikam. ›Fort mit dem welschen Gruß, Adieu. Deutschland sagt auf Wiedersehen.‹ Das hat mir aus dem Herzen gesprochen. Ich konnte nämlich den Französischlehrer nicht ausstehen. Und er mich erst recht nicht. 1933 ging's dann richtig los mit den Plakaten. ›Der Führer ist unser Gewissen!‹ und ›Wer nicht für uns ist, ist gegen uns‹. Und gestern, als ich am Gericht vorbeiging, weil es den Obertrottel Friedrich Feuereisen dorthin drängte, als würden sämtliche Frankfurter Richter auf ihn warten und ihm goldene Schüsseln hinhalten, was stand auf einem Plakat an der alten Eingangstür? ›Hier wird wieder Recht gesprochen, wo die Nazis es gebrochen‹. Wer's glaubt, wird selig, hätte meine Mutter gesagt.«

»Deine Mutter«, wagte Fanny und staunte sehr, dass sie den

Satz fertig zu sprechen wagte, »sie war doch meine Großmutter, nicht wahr? Genau wie Betsy.«

»Ja, natürlich. Kannst du dich denn gar nicht mehr erinnern? Sie hat dir bei jedem Besuch eine Tüte Salmiakpastillen aus der Apotheke und ein altes Spielzeug von mir mitgebracht, und du hast ein so unglückliches Gesicht gezogen, dass ich mich jedes Mal in Grund und Boden genierte. Und ausgerechnet bei dem dreibeinigen Karnickel, das ich liebte, als wäre es lebendig, und mit dem ich noch als Neunjähriger ins Bett ging, hast du gesagt: ›Das ist ja kaputt, das kommt in die Kiste.‹ Mein Gott, war Mutter gekränkt. Sie war so sparsam, dass uns die Dienstmädchen der Reihe nach weggelaufen sind und ich meinem Banknachbarn die Schulbrote geklaut habe, weil meine immer nur mit Butter bestrichen waren. Trotzdem war sie eine fabelhafte Frau, mutig, stark, hilfsbereit und eine Gerechtigkeitsfanatikerin. Betsy hat mir in dem ersten Brief, der mich in Nürnberg erreichte, geschrieben, dass sie bis zuletzt mit meiner Mutter in Theresienstadt zusammen war. Im selben Haus. Es tut mir gut zu wissen, dass sie nicht allein war, als sie starb. Ach, wahrscheinlich ist dein Vater ein sentimentaler alter Esel, aber ich finde, du bist ihr ähnlich. Nur bist du viel hübscher, als sie war. Verzeih mir, Mama! Aber du hast immer gesagt, ich darf nicht lügen. Ach Fanny, weißt du, was Gottes schlimmste Strafe ist? Selbst wenn er uns den letzten Kanten Brot und das letzte Stück Hoffnung nimmt, er lässt uns unsere Erinnerungen.«

»Ich weiß. Ich weiß auch zu viel. Zu viel von früher, meine ich. Was meinst du, wie ich die Mädchen in meiner Klasse beneide. Die reden immer nur von der Zukunft, von ihrer Konfirmation, von den weißen Kniestrümpfen, die sie aus Zuckersäcken stricken, dass sie ihre Zöpfe abschneiden wollen und mit sechzehn in die Tanzstunde gehen werden. Ich glaube, die haben den Krieg und die Bomben total vergessen. Und sie reden so selbstverständlich von ihren Müttern wie ich von meinem Taschentuch.«

Sie spürten beide im gleichen Augenblick, dass Schmerz der Tribut für Überleben war. Trotzdem lächelten sie einander zu, denn sie waren ohne Furcht. Obwohl sie es noch nicht wussten, war dies der Moment, da Vater und Tochter endgültig zueinander fanden. »Wenn wir Philemon und Baucis wären, würden wir jetzt zu einem Baum zusammenwachsen«, sagte Fritz.

»Woher kennst du denn so viele Leute? Ich denke, du hast auch versteckt leben müssen und konntest nur bei Dunkelheit auf die Straße?«

»Von wem magst du deinen Humor haben? Von deinen Eltern bestimmt nicht.«

»Großmutter sagt, von meinem Onkel Erwin. Hast du Erwin gekannt?«

»Natürlich! Es war Sympathie auf den ersten Blick. Mehr als das. Wenn ich noch einen Wunsch bei Gott frei hätte, jetzt wo ich dich wiederhabe, würde ich mir wünschen, dass ich Erwin in diesem Leben noch einmal sehe. Hoffentlich kalkuliert der Allmächtige ein, dass es rationell wäre, das Tempo seiner Wunder ein klein wenig zu beschleunigen. Jedenfalls, was Friedrich Feuereisen betrifft. Der ist nämlich schon sechsundvierzig.«

»Ist das viel oder wenig bei einem Mann?«.

»Sechsundvierzig ist eine winzige Einheit von Zeit, wenn du an Methusalem denkst und in welchen Alter Abraham seinen Sohn gezeugt hat, aber sechsundvierzig ist ein gewaltiger Brocken, wenn du dir klarmachst, dass ich ganz von vorn anfangen muss.«

»Ich glaub, du hast auch Humor«, sagte Fanny.
Sie trug ein blau-weiß kariertes Kleid mit einem schwingenden Rock, eng anliegendem Oberteil, rosa leuchtenden Perlmuttknöpfen und Spitzen um den Kragen. Zur Maienkönigin fehlten ihr nur eine Blumenkrone und das Selbstbewusstsein derer, die nicht im Schatten aufgewachsen sind. Anna hatte das Kleid aus einem Bettbezug von vorkriegsmäßiger Qualität genäht, die Knöpfe und die Brüsseler Spitze stammten noch aus der Posamenterie Sternberg in der Hasengasse und hatten den Krieg in Erwartung modisch guter Zeiten in einer Teedose verbracht. Das Modell hatte Anna in einer amerikanischen Frauenillustrierten gefunden, die Hans aus dem Verlag mitgebracht hatte, weil das Blatt sich hauptsächlich mit Mode für Backfische beschäftigte – in der Welt der unbegrenzten Möglichkeiten wurden sie Teenager oder Bobbysoxer genannt, trugen weiße Söckchen und sahen trotz Lippenstift und Rouge immer noch aus wie in den Dreißigerjahren der Kinderstar Shirley Temple mit den Ringellocken und den Grübchen.
Fräulein Feuereisen aus Frankfurt am Main hatte ebenfalls Grübchen, wenn sie lachte. Nur hatte das vor ihrem Vater keiner bemerkt. War Fanny in guter Stimmung oder verwandelte sie gar die Freude der Unbeschwerten in das Kind, das sie nicht hatte sein dürfen, funkelten die Sterne in den schönen Katzenaugen, die Fritz acht verzweifelte Jahre in seinen Albträumen hatte lodern sehen.
»Ich hab nie gedacht, dass Beten sich lohnt«, erklärte die Philosophin im neuen Kleid.
»Beten hält die Welt zusammen. Man muss nur glauben können.«
Arm in Arm spazierten Vater und Tochter um den Teich im Zoo und freuten sich an einem Entenpaar, das seine Ge-

meinsamkeit genoss und nichts von Bezugsscheinen für Kleider oder von Brotmarken wusste. »Ich hab nur gebetet, weil Hans immer sagt, man soll keine Gelegenheit auslassen, um sich im Himmel in Erinnerung zu bringen. Dabei betet er selbst nie. Er sagt, ein Katholik mit nur einem Bein braucht nicht zu beten, weil er sich ja nicht hinknien kann.«

»Das nennen die Juristen einen Dispens. Dein Ziehvater ist ein kluger Mann, Fanny.«

»Ist er. Klug, gerecht und geduldig. Ich habe ihn nie wütend gesehen. Nicht mit Anna und nicht mit uns Kindern. Man kann wunderbar mit ihm lachen, selbst dann, wenn's nichts zu lachen gibt. Er sagt immer, er sei froh, dass er nur sein Bein hat hergeben müssen und nicht sein Lachen. Ich habe Hans schon als Kind bewundert, aber mein Ziehvater ist er nicht. Nicht mehr. Ich habe nämlich wieder einen richtigen Vater, Herr Feuereisen. Bitte merken Sie sich das. Pardon, Herr Doktor Feuereisen. Großmutter sagt, den Doktor darf man nie weglassen. Für seinen Doktor hat der Herr Doktor was leisten müssen, sagt sie.«

In dem Augenblick, da sich der Himmel schwarz färbte, hörte Fritz Adelheids tiefe Stimme. Er sah auch ihr Gesicht und dass ihr Haar dicht und blond war. Entsetzt schloss er die Augen, doch zur Flucht war es zu spät. Schon beugte sich die Königin der Nacht über ihn und fragte: »Wer ist Salo?« Ihre Hände dufteten nach Rosen, ihr schwarzer Seidenmantel klaffte über der nackten Brust, das Orchester spielte die Ouvertüre zur »Zauberflöte«. Sein Herz stolperte, und er taumelte. Trotzdem kehrte er aus dem Land der Versuchung mit erhobenem Kopf zurück.

»Sie dürfen mich ruhig duzen, gnädiges Fräulein«, sagte er. Der so lang vermisste, für immer verloren gewähnte Geschmack von Scherz gab ihm Sicherheit. Er begriff, dass die

Götter dem verzeihen, der sich zu seinen Verfehlungen bekennt. Seine Stimme war jugendleicht, das Gewissen ohne Blessuren, die Stirn trocken. Er steckte das Taschentuch weg. »Übrigens«, erzählte er, »hat Ihr Vater heute eidesstattlich im Himmel bekundet, dass er sich nie mehr freiwillig von seinem Kind trennen wird, Fräulein Fanny. Sünden und Unterlassungen, selbst wenn sie aus Dummheit oder Unkenntnis begangen werden, verzeiht uns Gott nur ein Mal im Leben. Wiederholungstäter können nicht damit rechnen, dass die Strafe zur Bewährung ausgesetzt wird. Verzeih, offenbar hab ich in Holland das Denken verlernt! Bestimmt weißt du nicht, was ein Wiederholungstäter ist. Mich wundert's selbst, dass ich das Wort noch kenne. Nach tausend Jahren.«
»Hauptsache, ich weiß, dass mein Vater nicht dumm ist – kein bisschen. Und gesündigt hast du auch nicht. Als ich zu begreifen anfing, was mit uns geschah, hab ich irgendwie gefühlt, dass du nicht anders gekonnt hast, als allein nach Holland zu gehen. Doch selbst wenn ich das Anna oder Hans hätte sagen wollen, wären mir die Worte im Hals stecken geblieben. Bestimmt weißt du nicht, wie das ist, wenn man sich nicht richtig ausdrücken kann und wie ein Schaf dasteht und dumm vor sich hinglotzt.«
»Wenn ich etwas weiß, dann, dass auf die Zunge kein Verlass ist. Und das weiß ich nicht aus meiner großen Zeit, als ich Anwalt sein durfte und mit »Herr Doktor« angeredet wurde und Gustel jede Woche meine Robe gebügelt hat. Im Krieg konnte es in meinem sogenannten Gastland nämlich den Kopf kosten, auf der Straße den Mund aufzumachen. Jedes Kind und vor allem jede stinkende Ratte, die auf den Sieg der Deutschen setzte, hätte mich bei den Behörden als Juden melden können. Hosen runter, brauchte in meinem

Fall keiner zu sagen. Man hat beim ersten Wort gemerkt, dass ich kein Holländer, sondern ein erbärmlicher Flüchtling war. Friedrich Feuereisen war zum Abschuss freigegeben. Ab nach Westerbork! Westerbork war ein Sammellager, die Vorhalle zur Hölle. Von Westerbork aus wurden die Juden Hollands in die KZs deportiert.«

»Das wusst ich nicht. Sonst hätte ich viel mehr gebetet. Ich habe immer gedacht, bei den Feinden Deutschlands seien die Juden sicher gewesen.«

»Vogel sicher ist leicht zu fangen. Das hat meine Mutter immer gesagt. Ich hab erst kapiert, was das bedeutet, als ich in Amsterdam jeden Schritt, den ich tun wollte, drei Mal im Voraus berechnen musste. Auch nach dem Krieg tut mir meine Muttersprache Bärendienste. Für die Holländer bleibe ich ein Moffe, ein verachtenswerter Deutscher. Kein Volk ist in Holland unbeliebter als die Deutschen, während sämtliche Holländer, die mir heute über den Weg laufen, gestern Widerstandskämpfer gewesen sind und persönlich dafür gesorgt haben, dass Hitler den Krieg verloren hat. Schwamm drüber, pflegte unser Mathematiklehrer zu sagen, und schwupp zerfiel der Satz des Pythagoras zu Kreideschlamm und Hirnstaub. Warum lachst du, Fanny? So ist das, wenn man einen Vater hat, dem das Herz voll ist und dem der Mund überläuft. Der verliert erst das Empfinden für das Maß der Dinge und dann den Verstand. Die meisten Männer, die in einen solchen Zustand geraten, landen in einem schwarzen Anzug und heiraten. Das werde ich ebenfalls tun. Guck nicht so erschrocken, Schneewittchen. Du bekommst keine böse Stiefmutter, die dir deine Schönheit neidet und dir mit vergifteten Äpfeln nach dem Leben trachtet. Ich heirate die Zukunft.«

»Hurra, ich streue Blumen und trage rote Lackschuhe! Ach,

mir geht's ja so gut! Selbst wenn ich hundert Jahre alt werde, diesen Tag vergesse ich nie.«
»Ich auch nicht. Allerdings bin ich jetzt schon hundert Jahre. Ich habe mich selbst überlebt. Das ist die neue jüdische Krankheit. Man steht an seinem eigenen Grab. Weißt du, wo ich zuvor allerdings noch hin möchte? Am besten sofort. In die Rothschildallee, in das Haus deines Großvaters. Es wurde von einem derzeit namentlich noch nicht bekannten Schurken an sich gebracht. Bestimmt fleht der jeden Tag Gott an, dass niemand der Familie Sternberg überlebt hat und dass es nirgendwo irgendwelche Nachkommen gibt, die Erbansprüche stellen.«
»Anna würde sagen, es geht auf keine Kuhhaut, was dir alles einfällt.«
»Ich kann noch besser. Hör zu! Dr. Friedrich Feuereisen, ehemals Rechtsanwalt in der Biebergasse zu Frankfurt und amtlich bestellter Notar, erklärt hiermit an Eides statt, dass er binnen vier Wochen herausfinden wird, wer dieser braune Usurpator war. Wir fangen gleich heute mit den fälligen Recherchen an. Du und ich und der liebe Gott mit seinen berühmten langsam mahlenden Mühlen. Nur, wenn ich mich richtig erinnere, ist es ein ganz schönes Stück zu laufen. Von hier bis zur Rothschildallee, meine ich.«
»So weit ist es nicht, vom Zoo aus schon gar nicht. Nur die Wittelsbacherallee hoch, die Berger Straße kreuzen und dann die Höhenstraße entlang. Wir waren schon mal da, Großmutter und ich. Sie war furchtbar aufgeregt. Es war kurz nachdem sie zu uns gekommen ist.«
»Ich weiß, sie hat mir ausführlich von eurem Besuch berichtet. Es regt sie heute noch auf, von der Begegnung mit dem Gespenst aus der Vergangenheit zu sprechen. Theo heißt der Bursche, nicht wahr?«

»Ja, Theo.«
»Obwohl unsere Betsy ja sonst einen messerscharfen Verstand hat, versagt der komplett in Bezug auf die Rothschildallee. Sie ist der Meinung, sie habe alle Ansprüche auf ihr Haus verwirkt. In ihrem Kopf hat sich festgesetzt, der Diebstahl der Nazis an jüdischem Eigentum sei verjährt und auch in einem Rechtsstaat nicht rückgängig zu machen. Gräm dich nicht, Fanny, wenn du kein Wort von dem verstehst, was dein Vater hier probeweise vor sich hinbabbelt. Mir haben die Nazis nur den Beruf genommen, die Berufskrankheit haben sie mir hingegen gelassen. Immer nur im Fachjargon reden, es könnte dich ja einer verstehen.«
»Ich hab schon verstanden, dass du was vorhast.«
»Sieh mal einer an. Vielleicht stellt sich doch noch heraus, dass es sich gelohnt hat, Jura zu studieren. Als ich in der Untertertia bei einem Täuschungsversuch erwischt wurde, wollte ich Großwildjäger in Afrika werden.«
»Und was hat deine Mutter gesagt?«
»Sie war eine Seele von Mensch. Ein jüdisches Kind schießt nicht mit dem Gewehr, hat sie gesagt, und dann stellte sie meinen Lieblingspudding auf den Tisch. Schokolade mit Vanillesoße, die Soße im silbernen Schälchen der Großmutter. Mein Gott, ich kann ja wieder an meine Mutter denken und von ihr reden, ohne dass mein Körper brennt und ich mir Vorwürfe mache, dass ich sie im Stich gelassen habe, als ich nach Holland ging. Das hab ich dir zu verdanken, Fanny, nur dir. Kannst du verstehen, was das für mich bedeutet?«
»Und ob ich das kann!«
Sie brauchten nur eine Viertelstunde bis zur Rothschildallee. Fanny war es gewohnt, in einer Stadt, in der es nicht genug Trambahnen gab, weite Strecken zu Fuß zu gehen,

und Fritz drängte es zur Tat. »Ich hätte nie gedacht, dass ich das noch kann. Du bringst mir Glück, Fanny.«
»Du mir auch.«
»Do ut des, sagen wir Lateiner.«
»Was heißt das?«
»Sag ich dir zu Hause.«
»Wo ist bei dir zu Hause?«
»Nie sollst du mich befragen.«
Das Haus Nummer 9 wirkte trotz der Kriegsschäden gepflegt. Der dritte und vierte Stock fehlten. Der Hof war gefegt, an fast allen Fenstern hingen Gardinen, jemand hatte selbst die am schmiedeeisernen Zaun befestigte Hausnummer geputzt und die Kratzspuren an den Hausbriefkästen im Hof mit Bleistift übermalt. Wieder angebracht war das alte Schild »Betteln und Hausieren verboten«. Das einstige Rosenrondell im Vorgarten war mit Kartoffeln bepflanzt, unter dem standhaften Fliederbaum, der die Bomben auf das Haus überlebt hatte, wuchsen Kresse, Schnittlauch, Petersilie und drei Salatköpfe. Spaten, Rechen und ein kleines hölzernes Kinderauto mit blauen Rädern lagen unter dem Balkon vom Parterre.
»Die Petersilie werde ich euch ganz schnell verhageln«, drohte Fritz.
Er fasste Fanny so fest am Ellenbogen, dass sie aufschrie. Einen kurzen Moment trieb sie die Unsicherheit aus den Tagen der Angst in die alte Not, doch sie lächelte und sagte: »Das ist gut.« Beide rannten im gleichen Augenblick los. Hand in Hand und schwer atmend standen sie vor der Haustür, blass und gespannt.
»Das ist der Name, ich weiß es genau«, erkannte Fanny, sie fuhr mit dem Finger über das Schild, auf dem Berghammer stand.

»Wohl dem Vater, dem Gott eine kluge Tochter gibt.« Fritz nahm den Finger erst von der Schelle, als er den Haustürsummer hörte, schob die Tür mit der Schulter auf und sagte befriedigt: »Los! Die Herrschaften lassen bitten.«
Eine verängstigte Frauenstimme rief: »Wer ist da?« ins Treppenhaus und meldete in Richtung Wohnung: »Es ist ein Mann. Ein Mann mit einem jungen Mädchen.«
»Donnerwetter, muss die sich weit übers Treppengeländer gebeugt haben.«
In der Wohnung im ersten Stock zeterte eine weinerliche Mädchenstimme: »Das ist mein Brot, Dieter. Ich sag's der Mutti, wenn du's mir wegnimmst.«
Der augenscheinlich zu Raub und Körperverletzung entschlossene Dieter drohte: »Wenn du dein Maul aufmachst, du miese Petze, schlag ich dir alle Zähne aus.«
»Eine feine Familie!«, sagte Fritz. »So eine wollt ich schon immer kennenlernen.«
Theo Berghammer, das Haar akkurat gescheitelt und mit Wasser an den Kopf gepresst, in einer braunen Jacke, die ihm der Hungerzeit entsprechend zwei Nummern zu groß war, und mit einer weiß gepunkteten dunkelblauen Krawatte, erweckte den Eindruck eines Mannes mit Übersicht. Er kommandierte seine streitenden Kinder mit einem barschen Wort, das weder Fritz noch Fanny verstanden, in die Küche, machte eine Bewegung, die auch seiner Frau den Abgang befahl, und bat seine Besucher in einen Raum mit zwei Sesseln, Sofa und einem Couchtisch, auf dem ein Aschenbecher und eine Vase mit weißen Papierrosen standen. Fritz sah den Stuck an der Decke und begriff, dass Fanny und er im ehemaligen Esszimmer der Familie Sternberg standen. In dem furchtbaren Moment, da ihn der Schmerz verbrannte, sah er die weißen Kerzen in dem

Sabbatleuchter und Johann Isidor den Mohnzopf mit einem langen silbernen Messer anschneiden. Der zweijährige Salo im weißen Rüschenhemd saß auf Victorias Schoß. Sie trug ein mokkafarbenes Seidenkleid mit einem tiefen Ausschnitt und einer dreireihigen Perlenkette. »Dein Kleid ist zu tief ausgeschnitten, Vicky, das ist einfach zu viel des Guten.« – »Wetten, dass Herr Doktor Feuereisen der einzige Mann in ganz Deutschland ist, der an meinem Dekolleté Anstoß nimmt?«

Obgleich Theo nur bei der kurzen Begegnung an der Haustür Fanny gesehen hatte, wusste er sie einzuordnen – und geriet prompt auf die falsche Spur. »Erwin?«, fragte er, als er Fritz seine Rechte entgegenstreckte. Er wunderte sich, dass er keinen einzigen Zug in Erwins Gesicht erkannte. »Mein Gott«, seufzte er, »ich weiß gar nicht, was ich sagen soll.«

»Am besten nichts, Herr Berghammer. Nichts zu sagen hat sich in Deutschland seit jeher bewährt. Feuereisen heiß ich. Rechtsanwalt Dr. Friedrich Feuereisen. Jedenfalls bis zum deutschen Schicksalsjahr 1933.«

Noch während er sprach, kulminierte die Vergangenheit zu einem Berg von Zorn. Er sah sich in seiner Kanzlei den Brief lesen, der seine berufliche Vernichtung bedeutete. »Ich bin Victorias Mann«, sagte Fritz. Seine Stimme war überdeutlich. »Ich weiß nicht, ob Sie sich noch an Victoria erinnern.«

»Aber natürlich erinnere ich mich. Wir sind doch zusammen aufgewachsen, Ihre Frau Gattin und ich. Ist sie noch, ich meine, hat sie …«

»Sie hat nicht, und sie ist nicht mehr, Herr Berghammer.«

»Das tut mir leid, Herr Doktor Feuereisen. Nehmen Sie mein aufrichtiges Beileid entgegen. Ihr Bruder Otto war mein Freund, mein bester Freund.«

»Otto ist 1914 gefallen. Aber nicht doch! Ich verstehe Sie sehr gut. Tote Juden waren in Deutschland immer gelitten.« Fritz wurde übel, als er das sagte. Die Vorstellung peinigte ihn, er würde fortan seine Muttersprache missbrauchen, um an die Schuld seines Vaterlands zu erinnern. Galt denn Gottes Wort »Mein ist die Rache« nicht mehr? Seit wann hatten die Opfer das Recht zur Selbstjustiz?
»Ich hab auch Clara gut gekannt«, wagte es Theo.
»Besonders gut, sagte mir ihre Mutter. Ich vermute, Sie bekennen sich anno 1946 auch zu Claudette. Sie wird zwar im Juni achtundzwanzig und ist nicht mehr auf väterliche Obhut angewiesen, aber bestimmt ist in Deutschland heute eine jüdische Tochter von Vorteil. Entschuldigung, der letzte Satz hat sich wohl ein wenig verselbstständigt.«
Fritz sah, dass Theo bleich war und dass seine Hände zitterten. »Wir wollen es kurz machen, Herr Berghammer«, sagte er. »Ich bin nicht hergekommen, um von der Vergangenheit zu reden. Mir geht es um die Zukunft. Ich gehe davon aus, dass Sie derzeit im Besitz dieses Hauses sind. Falls Sie den Unterschied kennen sollten, wird Ihnen aufgefallen sein, dass ich nicht von Eigentum gesprochen habe.«
»Nein«, sagte Theo. »Ich meine, ja. Nur weiß ich nicht, was Sie von mir wollen, Herr Doktor Feuereisen. Ich bin in diese Wohnung rechtmäßig vom Wohnungsamt eingewiesen worden. Das Haus gehört Herrn Baldur Ehrlich. Sein Vater Pius Ehrlich war einmal der Kompagnon vom verehrten Herrn Sternberg. Vielleicht haben Sie den Namen schon mal gehört.«
»Hab ich, nach 1933 immer öfter. Sollten Sie Herrn Baldur sprechen, wäre es ein Akt der Nächstenliebe, ihn darauf vorzubereiten, dass er von mir hören wird. Sehr bald.«

10
ABSCHIED UND NEUANFANG
Januar bis April 1947

Im Januar 1947 bescheinigte ein Hamburger Entnazifizierungsgericht dem deutschen Boxidol Max Schmeling sein einwandfreies politisches Verhalten in der Nazizeit. Der Weltmeister im Schwergewicht der Jahre 1930 und 1931 erhielt von der amerikanischen Militärregierung eine Boxerlaubnis für die amerikanische Zone. Ebenfalls zu Jahresbeginn wurde in den drei Westzonen der deutschen Bevölkerung erstmals der von den Alliierten in den ehemaligen Konzentrationslagern Buchenwald, Dachau und Bergen-Belsen gedrehte Film »Todesmühlen« vorgeführt. Im Ruhrgebiet sollte ein neues Punktesystem die Bergarbeiter mit höheren Lebensmittelrationen versorgen. Zu den monatlichen Sonderzuteilungen zählten siebenhundertfünfzig Gramm Speck, zwei Flaschen Schnaps und hundert Zigaretten. Mit diesen Maßnahmen hoffte man, die dringend benötigten Arbeitskräfte zur Steigerung der für Deutschland lebenswichtigen Kohleförderung anzuwerben. »Bergarbeiter müsste man sein!« wurde der Seufzer des Hungerwinters. Dennoch streikten die Arbeiter in fast allen größeren Städten Nordrhein-Westfalens. Massenkundgebungen waren an der Tagesordnung. In der britischen Besatzungszone lag selbst für Arbeiter die Ration bei knapp über tausend Kalorien pro Tag. Das Plakat mit der Forderung »Wir wollen keine Kalorien, wir wollen Brot« gab die Stimmung im ganzen Land wieder. Allerorten wurden die Umerziehungsbemühungen der Sieger verspottet; der deutsche Michel machte die Demokratie als Wurzel allen Übels aus. Bis nach Deutschland sprach sich herum, dass Winston Churchill, seit zwei Jahren der britische Oppositionsführer, im Unterhaus gesagt hatte: »Demokratie ist die schlechteste Regierungsform.«

Der neue Frankfurter Oberbürgermeister, der Bonner Walter Kolb, den bei seiner Berufung kaum einer kannte und der sich sehr rasch allergrößter Beliebtheit bei den Bürgern erfreute, ließ sich mit dem Spaten in der Hand auf den Ruinen eines Trümmerhauses fotografieren. Er wollte die Bevölkerung zur Hilfe bei der Enttrümmerung der Stadt anspornen – und riss sie mit seiner Begeisterung mit. Schüler und Lehrer schaufelten gemeinsam ihre Schulen frei, Beamte, Polizisten, Ärzte und Krankenschwestern griffen zur Schippe. In Overalls und Arbeiterkluft, in Militärhosen und Militärjacken, die fürs Zivilleben umgearbeitet worden waren, selbst im Reitzeug der satten Jahre, in Metzgerjacke und Bäckerhose machten sich die hungrigen Bürger daran, den Römerberg freizuschaufeln. Es fand sich ein Bund mit riesigen Schlüsseln. Sie gehörten zu den Römerportalen; man vermutete, dass der Rathauspförtner sie bei seiner Flucht vor dem Feuersturm verloren hatte. Er war in der Höllennacht vom März 1944 umgekommen, die der Altstadt den Tod brachte.

Der Oberbürgermeister persönlich gab bekannt, dass im Frühjahr mit dem Wiederaufbau der zerstörten Paulskirche begonnen werden sollte. Diesmal fand er wenig Zustimmung. In den Schlangen vor den Lebensmittelgeschäften, Metzgereien und Bäckereien fassten sich die hungernden und frierenden Menschen an den Kopf. In der Trümmerwüste Frankfurt fehlte es an Krankenhäusern, Schulen, Altersheimen und Wärmestuben. Vor allem an Wohnungen. Kriegswaisen waren erbärmlich untergebracht, Kriegswitwen hockten mit ihren Kindern in den Kellern eingestürzter Häuser und kochten auf offenem Feuer. Heimkehrer aus der Kriegsgefangenschaft, Ausgebombte und jene Frankfurter, die im Krieg auf die Dörfer evakuiert und dort wie ungeliebte Verwandte oder aufdringliche Bettler behandelt worden waren und die endlich wieder nach Hause wollten, standen vor dem Nichts.

»Die Aufnahme im Himmel erfolgt ohne Zuzugsgenehmigung«, schmierte ein Zyniker an die Mauer eines zerstörten Geschäfts auf der Zeil. Nur mit Zuzugsgenehmigung durfte der Mensch in Frankfurt wohnen. Selbst Kinder, die in einem hessischen Dorf zur Welt gekommen waren, weil ihre Mütter dorthin geflüchtet waren, brauchten die Genehmigung. Um das erbärmliche Stück Papier wurde noch erbitterter gekämpft als um Brotmarken, Bezugsscheine für den täglichen Bedarf und um die heiß begehrten Persilscheine, die die politisch weiße Weste bescheinigen sollten. Zu den größten Widersprüchen der Zeit gehörte, dass weder die Sorge um das tägliche Brot noch die eiskalten Wohnungen Deutschlands Frauen davon abhielten, in den Spiegel zu schauen. Mochten die Eisblumen an den Fensterscheiben blühen, und mussten sie die Mittagssuppe aus Kartoffelschalen kochen und beim Fischhändler stundenlang anstehen, um ein Viertelpfund Heringsersatz oder zwei Fischköpfe nach Hause zu bringen, es wurden seidenweiche Träume aus vergessener Zeit wach. Deutschlands Frauen interessierten sich wieder für Mode. Sie trennten alte Kleider auf und nähten aus ihnen Röcke mit Falten und

Blusen mit Volants, und für ihre Töchter schneiderten sie Tanzstundenkleider aus umgefärbten weißen Stores und aus dem eigenen Brautkleid. Großmutters Hüte wurden zur Putzmacherin getragen, und die zauberte aus ihnen Friedensgebilde mit Schleier, Federn und bunten Hutnadeln – so die Kundin in Naturalien bezahlte. Wer die Hutmacherin gar mit einem Paar Nylonstrümpfe entlohnen konnte, brauchte weder Nähgarn, Nadeln noch die üblichen vier Briketts mitzubringen.
Der Münchner Modeschöpfer Heinz Schulze-Reichenbeck entwarf einen praktischen Mantel mit Kapuze, der leicht aus einer Decke nachzuschneidern war. Betsy bekam Annas erstes Modell. »Den letzten Mantel«, erinnerte sie sich, »habe ich mir noch im Kaufhaus Wronker gekauft. Sandfarben mit einem dunkelbraunem Samtkragen und mit riesengroßen Perlmuttknöpfen. Erwin ist mitgekommen, um mich zu beraten, weil ich mich nie so recht an die Mode der Saison getraut habe. Er hat gesagt, ich sehe aus wie Lilian Harvey. Nur drei Mal so groß und breit und nicht blond und viel sympathischer. Wir haben Tränen gelacht, die Verkäuferin war total eingeschnappt. Zu Hause habe ich den Mantel angezogen und bin vor Johann Isidor auf und ab paradiert wie ein Zirkuspferd, und als er endlich die Zeitung aus der Hand gelegt und mich angeschaut hat, hat er gesagt: ›Irgendwie siehst du heute anders aus als sonst. Ist dir nicht gut, oder warum läufst du dauernd im Zimmer auf und ab?‹ Da war ich es, die total eingeschnappt war.«
»Ich kann mich genau erinnern. Vicky hat die Szene zig Mal nachgespielt, wenn du nicht da warst, und Clara und ich haben jedes Mal auf dem Boden gelegen vor Lachen.«
»Weißt du auch noch, dass du den Mantel für Alice kleiner gemacht hast, als wir erfahren haben, dass es in Südafrika

auch Winter gibt. Ach Anna, selbst wenn Gott uns alles nimmt, unser Gedächtnis lässt er uns. Das nennt man Strafverschärfung, hat Fritz erst neulich gesagt, als wir darüber sprachen.« Schneiderin und Mantelträgerin umarmten sich vor dem kalten Ofen.

»Immer müsst ihr weinen«, beschwerte sich Sophie, »ich finde es doof, wenn Erwachsene weinen.«

»Nicht doof, Sophie, traurig.«

»Ist das nicht dasselbe?«

Schuhe mit Holzabsätzen galten als chic, ein Karoschal aus Amerika, der wie ein Cape zu tragen war, war der Traum von Jung und Alt, CARE-Baumwollpakete mit zehn Meter Kleiderstoff und mit Strickwolle in allen Farben waren der Volltreffer in der Alltagslotterie. Im Kino war die Wochenschau ebenso wichtig wie der Hauptfilm und zeigte die »New-Look-Mode« des französischen Modeschöpfers Christian Dior. Seine großzügig geschnittenen, weiten Röcke reichten den Frauen fast bis zu den Fesseln. Weil es in Deutschland nur auf dem Schwarzmarkt Stoff zu kaufen gab, verlängerten die Frauen ihre Röcke und Kleider mit Blenden von Kleidungsstücken, die sie aus der Mottenkiste holten. Sogar Sophie wurde zweifarbig herausgeputzt. Ihr dunkelblaues Sonntagskleid wurde mit Mamas gelber Kaffeedecke verlängert. Der Stoff reichte noch für eine Haarschleife. Fanny bekam ein Kopftuch mit passendem Schal.

Für Fannys Geburtstag im März begann Anna mit der Arbeit an einem Rock aus dem karierten Schottenplaid, das bei Clara auf der Couch gelegen hatte. Abgesetzt wurde die rot-grüne Kreation mit dem schwarzen Filzstoff, der im Krieg zur Verdunklung der Fenster benutzt worden war. Der Karorock beflügelte Betsy so, dass auch ihr ein Geschenk zu Fannys sechzehntem Geburtstag einfiel. Nach

zwei vergeblichen Besuchen in der Tauschzentrale auf der Zeil gelang es ihr beim dritten Mal, zwei Bücher des schottischen Schriftstellers Walter Scott zu ergattern. Für seine weltberühmten Klassiker »Ivanhoe« und »Rob Roy« trennte sie sich von den Lederhandschuhen, die ihr am Tag der Befreiung aus Theresienstadt ausgehändigt worden waren.
»Du weinst ja schon wieder«, stellte Sophie fest, als sie Betsy im »Ivanhoe« lesen sah.
Hans fand auf dem Männerklo der Druckerei die erste Ausgabe des Nachrichtenmagazins »Der Spiegel«. Er packte die Trophäe so vorsichtig in die Aktentasche, als hätte er rohe Eier nach Hause zu schaffen. Die neue Wochenzeitschrift erschien in einer Auflage von fünfzehntausend Stück, sie hatte zweiundzwanzig Seiten und fiel durch ihre respektlose Sprache und die vielen Fotos auf. Hans las sogar beim Abendessen. Er merkte noch nicht einmal, dass es falsche Fleischwurst aus Gerstengrütze und Kartoffeln gab. Zu den Themen der ersten Ausgabe gehörten die Wahlen in Hessen, die Diskussion über den Abtreibungsparagrafen 218, die Situation auf dem Schwarzmarkt und die Lage der deutschen Kriegsgefangenen. In der Familie Dietz nahm das Lesevergnügen allerdings ein abruptes Ende. Der kleine Erwin nutzte die gemeinsame Abwesenheit von seiner Mutter, Betsy und Fanny und eine Ruhepause seines nach der Arbeit erschöpften Vaters, um sämtliche Bilder aus dem »Spiegel« zu schneiden und mit Annas selbst hergestelltem Leim sowohl die Bilder als auch den Text in seinem Struwwelpeter-Buch zu überkleben.
»Früher wurden unartige Kinder mit Puddingentzug bestraft und ins Bett gesteckt«, wütete seine Mutter. »Aber den letzten Pudding in diesem Haus hat es vor einem Jahr gegeben, und Erwin ins Kinderzimmer zu schicken wäre

Mord. Dort ist es so kalt, dass selbst die Stubenfliegen erfrieren.«
Um ihren Mann über den Verlust des »Spiegel« hinwegzutrösten, tauschte sie mit der Nachbarin zur Linken fünfzig Tabletten Sacharin gegen die Illustrierte »Heute« ein. Auf der Titelseite brachte die Ausgabe ein Foto von vier frierenden Berliner Trümmerfrauen in Mantel, Schal und Kopftuch, die ihre klammen Hände an einem Feuer wärmten, das auf dem Bürgersteig auf einem Haufen Steine brannte. Sophie schaute das Bild immer wieder an. Das Feuer malte sie mit einem Rotstift aus, und die Trümmerfrauen kolorierte sie mit blauer Tinte. Dann fasste sie einen Entschluss, den sie lange nicht vergessen würde.
Ihr wurden in der Apotheke, in der sie sich nur aufhielt, um ihre Hände an einem kleinen Kanonenofen in der Ecke aufzutauen, die Handschuhe gestohlen. Statt den Dieb zu verteufeln, der die momentane Unachtsamkeit eines fünfjährigen Mädchens gewissenlos ausgenutzt hatte, machte Anna seinem Opfer schwere Vorwürfe. Zwei Tage später, morgens um neun, ging Sophie ans Werk; vom benachbarten Trümmergrundstück schleppte sie die größten Steinbrocken heran, die sie tragen konnte, und baute mit Freundin Lena die Berliner Feuerstelle nach. Ihr Meisterstück füllte sie mit den Zeitungen und dem Holz, die ihre Mutter für die allergrößten Notfälle im Keller versteckt hielt. Als Brandbeschleuniger verwendete die findige Ofensetzerin das gesamte Feuerzeugbenzin, das ihr Vater erst am Vortag gegen drei »Lucky Strike« und drei Feuersteine eingetauscht hatte.
Die Flammen loderten sofort in die Höhe. Lena schrie: »Die Russen kommen«, presste die Hände an die Ohren und versteckte sich, leise vor sich hinjammernd, hinter

einer kahlen Kastanie. Auf der Flucht verlor sie ihre Mütze. Im Nachbarhaus schlug die Frau des Briefträgers, eine allzeit besorgte Mutter von drei Kindern, die gerade ihr Bettzeug zum Lüften ins Fenster gelegt hatte, entsetzt ihre Hände vors Gesicht, holte Federbetten und Kissen zurück in die Sicherheit ihrer Wohnung und schloss das Fenster mit einem Knall. Ein Mann mit Gehstock und langjähriger Erfahrung im Wegsehen eilte mit kräftigen Schritten, die ganz im Widerspruch zu seiner schwächlichen Erscheinung standen, seinem Ziel in der Königswarterstraße entgegen. Dass es trotz dieser Umstände nicht zu einer Tragödie kam, war einem beherzten achtzehnjährigen Buchhändlerlehrling zu verdanken. Sein Chef hatte ihn an diesem Morgen ins Amerikahaus geschickt, um einen Artikel von Erich Kästner aus der »Neuen Zeitung« abzuschreiben. Dank seiner Ausbildung zum Flakhelfer im letzten Kriegsjahr gelang es dem reaktionsschnellen jungen Mann, der schreckensstarren Sophie den bereits schwelenden Mantel vom Körper zu reißen. Sophie warf er zu Boden, rollte sie dort einige Mal hin und her, als wäre sie ein Teppich, und prüfte danach mit der Sorgfalt, die ihm jahrelang eingebläut worden war, ob sie körperlichen Schaden genommen hatte. Sophie schrie gellend. Als ihre Stimme versagte, blieb sie wimmernd und frierend auf der Straße liegen. Ihr Lebensretter, sowohl von seinem im Ersten Weltkrieg mit dem Eisernen Kreuz ausgezeichneten Turnlehrer als auch in der Hitlerjugend zur deutschen Männerhärte erzogen, half ihr zwar beim Aufstehen, verpasste ihr dann aber, aus pädagogischen Gründen, wie er nicht anzumerken vergaß, eine schallende Ohrfeige. »Das wird«, brüllte der vor Zorn bebende Rettungsengel, »dich lehren, nicht noch einmal mit dem Feuer zu spielen, du missratenes kleines Frauenzimmer.«

Der Mantel hatte lediglich Brandspuren am linken Ärmel und am Kragen. Auch war er nur leicht verschmutzt und somit absolut noch zu gebrauchen. »Da hast du noch mal Schwein gehabt«, befand der Mann der Tat. Er hatte eine Schwester in Sophies Alter, der er sehr zugetan war, und eine Mutter, die er ebenfalls liebte und die sich seit Oktober vergebens beim Versorgungsamt abmühte, einen Bezugsschein für einen Kindermantel zu bekommen. »Ich bin nicht der heilige Martin«, herrschte der Belesene die schluchzende Sophie an. Ihren Mantel behielt er als Dankeslohn ein. Ebenso Lenas rote Mütze, die immer noch auf der Straße lag und für die ihr Großvater zu Weihnachten seine gesamte Zigarettenration hergegeben hatte.
Die Konfiszierung ihres Eigentums war für Sophie ein gewaltiger Schock; noch mehr Kummer bereitete es ihr, dass ihre Freundin im Augenblick der Gefahr vom Schauplatz des Geschehens geflohen war und sich danach den ganzen Tag nicht mehr sehen ließ. Es war Sophies erste Begegnung mit dem gebrochenen Wort und dem Verhalten von Freunden in der Not. Die Mädchen hatte einander zu Weihnachten lebenslange Treue und gegenseitige Hilfe in jeder Lebenslage geschworen. Lena durfte an den grünen Bonbons partizipieren, die Onkel Fritz immer in seinen Taschen hatte. Geteilt wurden zudem die wunderbaren Donuts und die Erdnussbutter, die Washi jedes Mal mit großer Geste aus dem Jeep zauberte, wenn er Fritz nach seinen nahrhaften Besuchen in der Thüringer Straße für die Rückfahrt nach Nürnberg abholte.
»Lena hat aufgehört, meine Freundin zu sein«, fällte Sophie am Tag ihrer Rettung das Urteil. »Sie ist eine ganz gemeine Sau, eine böse Hundesau.«
»Sie ist ein Mensch«, stellte ihr Vater klar. »Mit Menschen

muss man viel Geduld haben. So wie ich mit meiner Tochter Sophie. Die bringt unser ganzes Leben durcheinander, aber wir lieben sie trotzdem. Am besten wir lassen sie erst im Juni wieder auf die Straße. Oder entzündet das Fräuleinchen dann ein Johannisfeuer an der Hauptwache? Vielleicht gräbt sie auch aus den Trümmern der Oper einen Blindgänger aus.«

»Ein Blindgänger«, entschied Sophie, die das Wort zum ersten Mal hörte.

»Wenigstens sorgt unsere Sophie dafür, dass ich nicht dazu komme, meine Hände in den Schoß zu legen«, sagte Anna. »Die Nähmaschine steht ja nicht mehr still.«

»Wenn du nicht so geschickt wärst«, bewunderte sie Betsy, »würde uns keine Nähmaschine der Welt was nützen. Du warst schon als junges Mädchen die einzige meiner Töchter, die auf die Idee kam, ihre Hände zum Arbeiten zu benutzen und nicht als Ständer für teuere Ringe. Mir tut es noch nicht einmal leid, dass ich das damals ausgesprochen habe, aber die gute Josepha war ganz entsetzt.«

»Und ich hatte Angst, die anderen würden eifersüchtig werden. Besonders Vicky. Wir waren doch in einem Alter.«

»Was Eifersucht betrifft, stand keine von meinen Töchtern der anderen nach. All drei waren sie Naturtalente.«

Der lange, dunkelblau eingefärbte Uniformmantel von Hans wurde zur dreiviertellangen Männerjacke umgearbeitet. Der abgeschnittene Teil gab einen Kapuzenmantel für Sophie her. Das Kind war so glücklich, dass Anna auch ihren einzigen noch existierenden Vorkriegspullover auftrennte, um Sophie neue Handschuhe mit passendem Schal zu stricken. »Den hellblauen Pulli«, erzählte sie, als sie die Maschen anschlug, »hat noch Hans' Zimmerwirtin in Offenbach gestrickt. Ich hab ihn nur an besonderen Tagen getragen. An dem Abend, als Hans aus Polen zurückkam, zog ich ihn an. Die schönen Knöpfe stammen noch aus der Posamenterie.«

»Die Knöpfe kannst du ja behalten«, tröstete die praktische Tochter. »Eine Mütze hat keine Knöpfe. Und ein Schal auch nicht.«

»Es ist Zeit, dass du in die Schule kommst«, sagte ihr Vater. »Du brauchst einen, der dir sagt, wo's langgeht.«

»Die Schulen sind geschlossen«, erinnerte ihn Fanny. »Wegen der Kälte und weil es keine Kohlen gibt, um sie zu heizen. Zuletzt haben wir in Mantel und Handschuhen dagesessen und uns in Decken gehüllt, um über das Klima in der Sahara zu sprechen. Es tut mir leid, Fräulein Doktor Glaubrecht, ich kann nicht zur Tafel kommen und Ihnen zeigen, wie der Äquator verläuft; meine Füße sind soeben erfroren. Ich kann mich immer noch grün und blau ärgern, dass mir dieser schöne Satz nicht eingefallen ist, sondern Lore Hannewald, die immer alles weiß und also jederzeit zur Tafel gehen kann, ohne sich zu blamieren.«

Die Eiseskälte würgte ganz Mitteleuropa. Meteorologen registrierten den kältesten Winter seit dem Jahr 1893. Schneestürme legten England lahm und wüteten ebenso heftig in Frankreich, in den österreichischen Alpentälern wurden dreißig Grad minus gemessen. In Deutschland froren die Wasserstraßen zu, sämtliche Kohlelieferungen blieben aus. Neben den Schulen mussten die meisten öffentlichen Einrichtungen geschlossen werden. Behörden hatten, wenn überhaupt, nur noch stundenweise geöffnet. Die Bevölkerung hungerte noch mehr als im ersten Nachkriegswinter, Menschen erfroren auf den Straßen und in ihren eiskalten, dunklen Wohnungen, sie wurden mit Erfrierungen und Hungerödemen in überfüllte Krankenhäuser gebracht,

lagen auf den Gängen und waren zu schwach, um die Hand nach dem Leben auszustrecken.
Für Kriegswaisen, Kriegsversehrte, Heimkehrer und Flüchtlinge wurden Kleidung, Schuhe, Hausrat und Bettzeug gesammelt, die Spenden noch in den Sammelstellen gestohlen und auf dem Schwarzmarkt verhökert. Es gab Ärzte und Zahnärzte, die sich in Naturalien bezahlen ließen, Apotheker, die ihre Medikamente nur gegen Kohle und Zigaretten abgeben wollten, Rossschlachter, die Pferdeäpfel gegen Tischwäsche und Silberbesteck tauschten, und es gab immer noch Leute, die der Vergangenheit nachjammerten und die alle wissen ließen: »Das hat es beim Adolf nicht gegeben.«
Die Stacheldrahtzäune in den Sperrgebieten, in denen die amerikanischen Truppen mit ihren Familien wohnten, wurden noch höher gezogen als unmittelbar nach dem Krieg. Kohle- und Stromdiebstähle waren an der Tagesordnung. Die Kirchenoberen beschäftigten sich persönlich mit der verzweifelten Lage. Der evangelische Bischof von Berlin-Brandenburg, Otto Dibelius, bat den Alliierten Kontrollrat um Heizmaterial für die leidende deutsche Bevölkerung. Joseph Kardinal Frings hatte in seiner Silvesterpredigt in Bezug auf die schlechte Versorgungslage und die Plünderung der Kohlenzüge gesagt: »Wir leben in Zeiten, da in der Not auch der Einzelne das wird nehmen dürfen, was er zur Erhaltung seines Lebens und seiner Gesundheit notwendig hat, wenn er es auf andere Weise, durch seine Arbeit oder durch Bitten, nicht erlangen kann.« Selten wurde ein Bischofswort mit so viel Inbrunst zitiert. »Fringsen« wurde die allgemeine Umschreibung für die Erlösung aus täglicher Not durch Mundraub und Diebstahl.
»Ich hab«, sagte Adelheid von Hochfeld und nickte wohlge-

fällig in Richtung ihres gluckernden Kachelofens, »gestern ein bisschen gefringst. Mit dem Sohn des Apothekers. Die jungen Leute kommen ja ganz anders an die Züge und Lastwagen ran als unsereiner. Jung zu Jung, Alt zu Alt, jeder sich an Seinesgleichen halt, das Lieblingswort meiner Großmutter, hat ausgedient. Und was den Apotheker Straubinger betrifft, da schuldet mir die ganze Familie Dank.«

»Wer nicht, Frau von Hochfeld?«

»Hermann Straubinger, ein Jugendfreund von meinem Mann, war nämlich nicht nur Parteimitglied der ersten Stunde. Er tat sich bei jeder Gelegenheit mit seiner Vaterlandsliebe und seiner Führertreue dicke. Noch als Nürnberg brannte, hat er seinen Kunden vorgejammert, wie schrecklich es ihm wäre, dass er sich wegen seines angeborenen Herzfehlers nicht bei der Verteidigung der Heimat totschießen lassen dürfe. Selbstredend sah Oberbonze Straubinger nach dem Krieg seine sämtlichen Felle davonschwimmen. Um ein Haar wäre er seinem Führer in den Tod gefolgt, aber er fand keinen Strick.«

»Seit wann erzählen Sie moralische Geschichten, Frau von Hochfeld?«

»Das sind keine moralischen Geschichten, Herr Doktor, das sind Geschichten aus einem Land, das in Konkurs gegangen ist. Hauptsächlich weil mir Frau Straubinger leidtat, die in ihrer Ehe nie den Mund hatte aufmachen dürfen und die Leuten in Not schon mal half, wenn ihr Mann es nicht mitbekam, habe ich ihn mit meinem Friseur bekannt gemacht. Der wiederum hatte bei den Nazis seinen Mund zu weit aufgerissen und Goebbels des Teufels liebsten Krüppel genannt. Dafür hat er drei Jahre Zuchthaus kassiert und hatte fortan ein gebrochenes Verhältnis zur deutschen Justiz. Dennoch hat er Apotheker Straubinger auf meinen Rat hin einen Persilschein verschafft, in dem zu lesen war, Herr S. hätte im Krieg unter Gefahr für Leib und Leben politisch und rassisch Verfolgte mit lebensnotwendigen Medikamenten versorgt. Heute ist es nämlich mein Friseur, der dringend Medikamente braucht. Er hat einen lungenkranken Sohn und eine sieche Mutter, und er selbst hat aus dem Zuchthaus ein chronisches Magenleiden mitgebracht. Er kann sich Charakterfestigkeit nicht mehr leisten. Sie sehen, heute sind die Deutschen alle Brüder. Die Not und das Fringsen machen's möglich.«

»Ich bleibe lieber Einzelkind«, sagte Fritz, »jedenfalls bis zu dem Tag, da man sich seine Brüder aussuchen kann. Außerdem bin ich der Auffassung, dass ein deutscher Richter weder Dieb noch Hehler sein sollte. Wenn ich mich richtig erinnere, dürfte selbst Mundraub gegen die Berufsehre sein.«

»Ich hab schon verstanden, doch ich werde mich für den Rest meines Lebens wurmen, dass Sie sich überhaupt erinnert haben, dass es in Deutschland Richter gibt. Nein, das nehme ich auf der Stelle zurück. Mit großem Bedauern. Im Ernst, Herr Doktor Feuereisen, ich freue mich von ganzem Herzen mit Ihnen, dass Sie die Besuche bei Ihrer Familie genutzt haben, um wieder der zu werden, der Sie waren und der Sie zu sein verdienen.«

»Das haben Sie wunderbar umständlich ausgedrückt, gnädige Frau, aber auch wunderbar feinfühlig. Haben Sie etwa das Schreiben schon gelesen, das Sie mir heute früh mit dem Ausdruck vollkommener Gleichgültigkeit überbrachten?«

»Natürlich nicht«, sagte Frau von Hochfeld. »Ich bin nie eine gewesen, die fremde Post über Dampf aufmacht. Neugier treibt den Vogel in die Schlinge, hat unsere Köchin im-

mer gesagt und den Deckel auf den Topf geknallt, wenn wir Kinder sehen wollten, was es zum Mittagessen geben sollte. Aber ich habe den sechsten Sinn. Den gibt es immer noch ohne Bezugsschein. Und um Ihr Herz trommeln zu hören, muss ich nicht Medizin studiert haben.«
»Also?«
»Um mir vorzustellen, was ein Briefumschlag mit dem Frankfurter Oberlandesgericht als Absender bedeutet, brauche ich allerhöchstens eine durchschnittliche Portion Intelligenz und eine Prise der Beobachtungsgabe, die man uns Frauen nachsagt. Sie sind nämlich leichenblass, Monsieur, und Ihre Augenlider flattern. Zeigen Sie endlich her. Nein, lesen Sie vor. Ich merke doch, dass Sie das wollen. Recht haben Sie. ›Nur der feige Mann lässt lesen‹, hat mein Mann immer gesagt.«
»Darf ich Sie warnen? Einem Laien erscheint alles Chinesisch, was Juristen sagen und schreiben und tun.«
»Lesen Sie trotzdem. Meine Lieblingsvettern waren Rechtsanwälte. Sie sind beide in Russland vermisst. Ehe sie eingezogen wurden, hatten wir jeden Freitagabend unseren Jour fixe und machten der Welt den Prozess. Ich bin also Chinesisch gewohnt.«
Es wurde Fritz schwer, seine Bewegung nicht zu zeigen. Als er den Brief auseinanderfaltete, den er in den letzten zwei Stunden so oft gelesen hatte, dass jedes Wort in ihm eingebrannt war, fiel ihm auf, wie sehr seine Hände zitterten. Beim Lesen war seine Stimme jedoch so fest und betont distanziert wie in den Tagen, da er Notar in der Frankfurter Biebergasse gewesen war und seinen Mandanten das Protokollierte hatte vorlesen müssen. »Ich bestelle Sie vorbehaltlich jederzeitigen Widerrufs alsbald und bis auf Weiteres unter Berufung in das Beamtenverhältnis zum

Hilfsrichter und erteile Ihnen gleichzeitig einen Dienstleistungsauftrag bei dem Landgericht in Frankfurt (Main). Für die Dauer der Bestellung sind Sie Beamter auf Widerruf und führen die Verwendungsbezeichnung ›beauftragter Richter‹. Ich bitte Sie, den Dienst alsbald anzutreten und sich bei dem Herrn Landgerichtspräsidenten in Frankfurt (Main) zur Vereidigung zu melden. Der Unterzeichnende ist im Auftrag des Präsidenten des Oberlandesgerichts befugt worden, Ihnen mitzuteilen, dass die Beschaffung einer Dreizimmerwohnung für Sie und Ihre Tochter bereits in Angriff genommen worden ist. «

Sie suchten beide nach dem Wort, um ihr Lebensschiff auf Kurs zu halten, doch sie fanden es nicht. Schon steuerten sie Küsten an, die Welten weit voneinander entfernt waren. Fritz schob den Store am großen Fenster zur Seite. Er presste seine Stirn gegen die kalte Fensterscheibe, atmete tief ein und spürte den Rausch, der Siegern die Sicht nimmt. In diesem Moment von Staunen und Jubel gab es für ihn nur noch Zukunft. Die Vergangenheit zerschellte wie das Glas, das bei jüdischen Hochzeiten zu Boden geworfen wird. Fritz sah sich als Bräutigam im Frack und mit schwarzen Lackschuhen unter dem Baldachin stehen. Er zerstampfte die Scherben und glaubte an das Glück ohne Ende. Vicky im weißen Hochzeitskleid war schön wie Helena, um deretwillen der Trojanische Krieg entbrannt war. Seine Mutter, die ihr Leben lang eine weinende Brautmutter als eine sentimentale jiddische Mamme verspottet hatte, tupfte ihre Augen trocken. Dieses eine Mal jedoch verschonte der Schmerz den, der nach hinten blickte. Doktor Friedrich Feuereisen, beauftragter Richter in Frankfurt am Main, für den der Präsident am Frankfurter Oberlandesgericht persönlich eine Wohnung zu suchen gedachte,

schaute in den Himmel der Verheißung und lächelte der Gegenwart zu.
Es belastete ihn nicht, dass es Adelheid von Hochfeld war, die als Erste von der Wende in seinem Leben erfuhr. Es tangierte nicht sein Gefühl für Anstand und Redlichkeit, dass er mit ihr von seiner Zukunft sprach. Fritz nahm sich nicht mehr ins Kreuzverhör, er bereute keine Sünde, und er tat nicht Buße. In Adelheids Armen hatte er trainiert, sich nicht an den bitteren Pointen zu stoßen, die das Leben setzte.
»Jetzt kommt die Abschlussprüfung«, murmelte er. Ihm fiel nicht auf, dass er gesprochen hatte, er merkte nicht, dass er die Bilder zu den Akten legte, die lange nicht vergilben würden.
Sie presste ihre Hände so fest aneinander, dass die Knöchel weiß unter der Haut leuchteten. »Was«, fragte sie, »heißt denn in Ihrem speziellen Fall bis auf Widerruf? Das klingt so vorübergehend.«
Dic Spur von Hoffnung in ihrcr Stimme erreichte nur seine Ohren. Er tat es Odysseus gleich und ließ sich an den Mast binden. Für den, der den Weg kannte, den er gehen wollte, zählten allein Aufbruch und Neubeginn. Es war also kein Zufall gewesen, dass er vor vier Wochen in der »Neuen Zeitung« das Gedicht »Stufen« von Hermann Hesse gefunden und – dem Beispiel seiner Jugend die Treue haltend – auswendig gelernt hatte. »Es muss das Herz bei jedem Lebensrufe bereit zum Abschied sein und Neubeginne. Um sich in Tapferkeit und ohne Trauern in andere, neue Bindungen zu geben.«
Fritz Feuereisen war bereit. Kehrte er auch nicht nach Hause zurück, so doch in die Stadt seiner Geburt. Er war dabei, ein neues Kapitel aufzublättern. Kein Flüchtling würde er mehr sein, nicht ein Moffe in Amsterdam, dem

man die Wurzeln abgeschlagen hatte und der mit gesenktem Kopf und in einer Sprache, die ihm steinschwer auf der Zunge lag, weil sie nicht die seine war, um Arbeit und Obdach bat.

Nie mehr würde Fritz es zulassen, dass ihn der Abschied von einer Frau schmerzte, dass ihre Illusionen ihn davon abhielten, das zu tun, was er für richtig hielt. Er hatte gelernt, vor der Wehmut zu fliehen, ehe aus ihr Trauer und Verzweiflung wurden, und er wusste, wie ein Mann, der nur seine Tochter noch lieben konnte, sich vor der Liebe zu schützen hatte. Es wurde Fritz leicht, die anzuschauen, die gehofft hatte, das Leben hätte ein Einsehen mit denen, die liebten. »Ich bin nicht mehr richtig vertraut mit den Finessen vom Beamtendeutsch«, sagte er und konnte gar wie ein Mann lächeln, für den Schmerz nur ein Leiden des Körpers ist. »Doch ich nehme an und setze mit Bestimmtheit voraus, dass ›bis auf Widerruf‹ der gängige Ausdruck bei der Einstellung eines Richters ist. Man hat sehr schnell auf meine Bewerbung reagiert.«

»Unglaublich schnell. Das hätte ich nie für möglich gehalten.«

»Ich schon gar nicht. Ich war ja erst im September beim Oberlandesgericht, aber die deutsche Justiz sucht, wie man mir ganz offen sagte, händeringend nach politisch unbelasteten Richtern. Aus nachvollziehbaren Gründen kann sie nicht aus dem Vollen schöpfen. Meine Anstellung dürfte also nur widerrufen werden, wenn ich silberne Löffel klaue oder wenn ein neuer Hitler kommt, um der Welt zu beweisen, dass Geschichte sich wiederholt.«

»Ich möchte zu gern wissen, wo Sie Ihren Humor hernehmen!«

»Ich lass ihn täglich frisch vom Galgen der hiesigen Henker

abschneiden. Nur weil die Henker in Nürnberg nicht im Verborgenen werkeln müssen, bin ich Dolmetscher in einem Kriegsverbrecherprozess geworden. Sie müssen bedenken, dass Galgenhumor für einen Juden, der das Leben überleben will, wichtiger ist als Muttermilch. Von unserem Humor spricht die Welt mit sehr viel mehr Respekt als von unseren Toten. Selbst die übelsten Antisemiten erzählen mit Wonne jüdische Witze. Sagen wir lieber, Witze über Juden. Das hab ich schon als kleiner Junge mitbekommen und gehasst.«

»Um Himmels willen, ich wollte Sie nicht kränken.«

»Haben Sie nicht. Kein bisschen. Mir ist nur gerade alles hochgekommen, was ich seit Jahren mit viel Mühe hinunterschlucke. Auch unsere Empfindlichkeit ist ein Erbe der Nazizeit. Und dieses erbarmungslose Gedächtnis, das zu jeder Zeit über einen herfällt wie ein Adler über seine Beute. Selbst wenn man an einer Rose riecht oder einem ein bunter Kinderball vor die Füße rollt, oder ein junges Mädchen einen wissen lässt, dass man ein Mann ist, knüppeln die Erinnerungen auf uns ein. Kommen Sie, gnädige Frau, hören Sie nicht hin, verschließen Sie Ihr Herz. Begleiten Sie mich lieber zur Post. Im Glück ist der Mensch nicht gern allein. Außerdem verirre ich mich immer noch in den politisch belasteten Trümmern von Nürnberg.«

»Was tut ein Mann mit Ihren Zukunftsaussichten auf der Post?«

»Ich will ein Telegramm an meine Tochter aufgeben. Hoffentlich bekommt sie nie heraus, dass sie nicht die Erste war, die von unserem neuen Leben erfahren hat. Bisher weiß Fanny nicht einmal, dass mein Vertrag hier in Nürnberg am fünfzehnten März ausläuft. Ich hab nicht den Mut gehabt, ihr das zu sagen. Ich weiß, dass sie große Angst hat,

ich könnte nach Holland zurückgehen. Aber wir haben beide nicht gewagt, vom Teufel zu sprechen.«
»Na, wenigstens weiß ich jetzt, ab wann mir eine neue Einquartierung ins Haus steht. Wollen Sie nicht lieber mit Fanny telefonieren?«
»Wollen will ich schon, aber können kann ich nicht. Hans Dietz hat immer noch kein Telefon. Sein vierter Antrag ist vor zwei Wochen abgelehnt worden. Bei der zuständigen Behörde hat auch der Hinweis auf seine greise jüdische Schwiegermutter und ihr jüdisches Enkelkind nichts genutzt, obgleich immer wieder und von allen möglichen Leuten versichert wird, dass politisch und rassisch Verfolgte von allen Ämtern bevorzugt behandelt werden. Hoffentlich ist die Zusage der Justiz, mir eine Wohnung zu besorgen, nicht auch nur ein Lippenbekenntnis und Teil der großen germanischen Gewissensberuhigung. Es wäre schwierig, bei Anna wohnen zu müssen. Die Wohnung ist ja jetzt schon zu klein.«
Als die Stromsperre einsetzte, tranken sie im Licht einer kaum abgebrannten Kommunionskerze, die Frau von Hochfeld gegen zwei Seidenkrawatten ihres Mannes eingetauscht hatte, einen Rotwein von der Loire. Der Wein, Jahrgang 1938, stammte aus dem immer noch gut gefüllten Keller von Apotheker Straubinger. Sein Neffe, ein Unteroffizier, der ursprünglich Theologie hatte studieren wollen, hatte in Paris einmarschieren dürfen und die gesamte Familie mit Cognac, erstklassigen Weinen, Käse und Stoffen versorgt. Seine Mutter und beide Schwestern hatten Pelzmäntel aus dem jüdischen Viertel bekommen; das Madonnenbild aus einer Dorfkirche hatte er für den siebzigsten Geburtstag seines Großvaters besorgt. Die anrührende Madonna entzückte selbst den Teil der Familie, der schon 1933

aus der Kirche ausgetreten war. »Ein Prachtkerl, der Sepp Straubinger«, erinnerte sich Frau von Hochfeld, wobei sie die Weinflasche streichelte. »Dass so einer fallen musste und so viele, die es nicht verdient haben, durchgekommen sind.«

»Seit wann fordern Sie bei Gott ein Mitspracherecht?«

Der Wein hatte die Zeit schlecht überstanden. Er war dickflüssig wie Öl und hatte Kork, doch Fritz, der nie ein Weinkenner gewesen war und von Rotwein schon als junger Mann Sodbrennen bekommen hatte, lobte das »Bouquet« und seufzte zwei Mal hintereinander genießerisch »Ah«. Beim zweiten »Ah« schweiften seine Gedanken zu weit ab. Er dachte an die Beschneidung seines Sohns und dass der Mohel Rotwein auf einen Wattebausch getupft hatte, um das schreiende Kind zu beruhigen. Frau von Hochfeld fiel auf, dass Doktor Feuereisen feuchte Augen hatte, doch nahm sie am Graben den falschen Weg. Sie hob ihr Glas und lächelte ihm jungmädchenscheu zu.

Zu Mitternacht stand sie im schwarzen Seidenmantel an seinem Bett – wie in der Nacht, als die Geschichte, die nicht hätte sein dürfen und die doch gewesen war, begonnen hatte. Abermals klaffte der bestickte Seidenmantel über der wohlgeformten Brust, wieder dufteten ihre Hände nach der Rosenseife aus dem PX. Ab da lief das Stück jedoch völlig anders ab als zur Premiere. In der Wiederholungsvorstellung beschäftigte Fritz in erster Linie der Umstand, dass er als deutscher Beamter in Frankfurt nicht würde im PX einkaufen können. Auch gab es nicht mehr das Orchester, das die Ouvertüre zur »Zauberflöte« spielte, und schon gar nicht verlangte es ihn nach der Königin der Nacht. Als Adelheid bewusst wurde, dass bei ihr Wunsch, Traum und Wirklichkeit durcheinandergeraten waren, wurde sie ver-

legen. Sie deutete ein Kopfschütteln an und meinte, sie hätte ein Fenster rütteln hören.
»Es war nur der Wind«, ging Fritz auf sie ein.
»Der Wind, der Wind, das himmlische Kind«, versuchte sie zu scherzen. Er aber hatte die deutschen Märchen zu gründlich aus seinem Gedächtnis gelöscht, um weiter mithalten zu können. Sie blies die Kerze aus und nahm sich vor, bis es wieder Kerzen in den Läden zu kaufen gab, die Kommunionskerze für feierliche Familienanlässe zu schonen.
Die Zeit, die Fritz in Nürnberg blieb, konnte er umso besser nutzen, weil ihn weder Abschiedstrauer noch die Unruhe des Aufbruchs belasteten. Mit Washi, dem pfiffigen Meister der Improvisation, kaufte »Frizzie« zum letzten Mal im Paradies der Sieger ein – Kaffee, Butter, Corned Beef, Zucker und Mehl, Seife, Waschpulver, Stoffe, Nähgarn und Strickwolle. Er packte Blusen und Kleider für Fanny, Anna und Betsy ein, zwei Oberhemden und einen Pullover für Hans, Schuhe, Spielzeug für die Kinder und drei große Ostereier mit grinsenden Hasen, die so hässlich waren, dass er sich genierte. »Geschmack muss man lernen«, hörte er Vicky sagen, und zu seinem Kummer hörte er sich erwidern: »Nicht nur Geschmack, meine Liebe. Sich nicht für den Nabel der Welt zu halten ist auch erlernbar.« Für sich kaufte er so viel Schreibpapier und Briefumschläge, dass die Kassiererin misstrauisch wurde und ihren Vorgesetzten rief, dazu Büroklammern, Locher, Leim und eine Papierschere. Washi wurde mit dem ersten Füllfederhalter seines Lebens und einem Notizbuch in rotem Leder beschenkt und nach Frankfurt eingeladen. »Wann immer du kommst, kommt ein Freund«, sagte Fritz.
»Der Freund von einem lebendigen Richter!«, lachte Washi. »Das glaubt mir zu Hause noch nicht mal der Hund.«

Er trug »Frizzie« mit Namen und Adresse in sein neues Notizbuch ein und versprach, ihn mit seinem Koffer und den vielen Geschenken nach Frankfurt zu fahren. »Ich habe für alle Fälle die Donuts und Erdnussbutter für deine Kinder schon gekauft«, sagte er. »Und meiner neuen Veronika zwei Paar Nylons, Nagellack und einen Satz Lockenwickler, damit sie wie ein richtiges Fräulein aussehen kann.«

»Was ist denn mit der alten Veronika passiert?«

»Sie hat einen Offizier gefunden.«

Frau von Hochfeld wurde nicht nach Frankfurt eingeladen, doch hatte Fritz das Bedürfnis, ihrem Schmerz wenigstens auf die zeitgemäße Art den Stachel zu nehmen. Er kaufte ihr Bohnenkaffee, Butter, eine Stange Chesterfield, damit sie sich weitere Wünsche erfüllen konnte, und ein Fläschchen »Chanel Nr. 5«, das ihr Tränen in die Augen trieb. In dem Abschiedspaket waren auch die Rosenseife, die sie mit einem zärtlichen Ausdruck an ihr Gesicht hielt, und ein feuerroter Lippenstift. Die Vorstellung, die angesehene Witwe des Generalmajors von Hochfeld, die zu Lebzeiten ihres Mannes die Nazi-Forderung »Die deutsche Frau schminkt sich nicht« treulich befolgt hatte, würde sich je mit feuerrot geschminkten Lippen auf die Straße trauen, rührte sie sehr.

»Schade«, war ihr Abschiedswort.

Da saß Fritz schon im Jeep. Er sah weder, dass sie sehr blass geworden war noch dass sie ihre Augen bereits auf der Straße trocken reiben musste. Washi hatte nämlich nach den zwei großen Paketen Matze gefragt, die Fritz im PX gekauft hatte, und er musste seinen gesamten englischen Wortschatz bemühen, um Washi zu erklären, weshalb die Juden auf der Flucht von Ägypten nicht mehr die Zeit gehabt hatten, ordentliches Brot zu backen. »Die Hefe ist nicht aufgegangen. Wir denken jedes Jahr daran. Immer zu Pessach.

Ihr nennt es Passah. Das fällt mit Ostern zusammen.«
Als sie in Würzburg den Main auf einer notdürftig wiederhergestellten Brücke überquerten, kam Washi auf das Thema zurück. »Ich habe in der Sonntagsschule gelernt, dass der Todesengel die Juden immer verschont«, erinnerte er sich.
»Nur ein einziges Mal, mein Freund. Bei der Erlösung aus der ägyptischen Knechtschaft. Das ist ziemlich lange her. Ansonsten werden wir vom Todesengel bevorzugt bedient.«
Am Dienstag, den 1. April, kehrte Doktor Friedrich Feuereisen, siebenundvierzig Jahre alt, früh ergraut, früh bekümmert, doch nicht geängstigt und nicht gebeugt, nach zehn Jahren Emigration nach Frankfurt am Main zurück. Es war die Stadt seiner Geburt, die er nie hatte vergessen können und in der die Juden noch bei Hitlers Machtergreifung gewähnt hatten, die Stadt würde sich an die Verdienste ihrer jüdischen Bürger um das Wohl Frankfurts erinnern und nicht zulassen, dass ihnen ein Leid geschehe.
»Wann fährst du wieder weg?«, fragte Sophie, als sie den ersten grünen Bonbon aus seiner Jackentasche grub.
»Gar nicht, mein Fräulein.«
»Das ist gut. Das hab ich mir gewünscht.«
In den Jahren der Todesangst und erst recht, als der Tod von Victoria, Salo und seiner Mutter im Konzentrationslager Gewissheit wurde, hatte Fritz an Gott zweifeln wollen. Jedoch war es ihm nicht gelungen. Die Ehrfurcht vor dem, was er im Elternhaus gelernt hatte, die Tradition und das Gedächtnis an die Toten, gaben ihn nicht frei. An seinem ersten Freitag in Frankfurt zog er sich für die Synagoge an.
»Betsy hat mir gesagt, dass sie im Baumweg ist«, berichtete er Fanny.
»Da war vor Hitler ein jüdischer Kindergarten. Ich wollte

immer, dass ihr hingeht, aber es kam nicht dazu. Jetzt gehe ich halt hin. Bei uns war es üblich, Gott zu danken, wenn er einem Gutes erwies.
Ich will ihm für meine Richterstelle danken, und dass ich endlich mit meiner Tochter unter einem Dach wohnen darf.«
»Ich komme mit«, entschied Fanny. »Ich danke ihm auch für deine Richterstelle und dass wir zusammen sind. Oder meinst du, Gott mag keine Leute, die nachplappern, was kluge Leute sagen, und in seinem Haus mit einer neuen Bluse angeben?«
»Dich mag er auf alle Fälle. Und mich wohl auch. Das hat er bewiesen, auch wenn er sich für meinen Geschmack ein bisschen viel Zeit gelassen hat.«
Unmittelbar nach dem Segensspruch für den Wein ließ ihm der, den er nicht zu verlassen vermochte, die Botschaft vom Neubeginn des Lebens zukommen. In der Synagoge stand Fritz neben einem Mann in seinem Alter, der ihn sehr freundlich grüßte und bald ins Erzählen kam. Er hatte Auschwitz überlebt, seine Frau und seine drei Kinder waren in Bergen-Belsen ermordet worden. Von seinem Schicksal – auch vom Tod seiner beiden Brüder und der Mutter – berichtete der Mann mit ruhiger Stimme und in einem sachlichen Ton, der Fritz tief bewegte. Während er sprach, schaute sein Nachbar immer wieder zu den Frauen hin, die auf der anderen Seite der kleinen Betstube saßen. »Meine Frau«, sagte er, »kann nicht mehr mit den anderen aufstehen. Sie ist im sechsten Monat, und das Stehen fällt ihr schwer.«
Er wartete einen Moment, denn er wusste, was Fritz dachte und dass er auch Zeit brauchte, um nicht zu zeigen, was er dachte. »Ich rede von meiner zweiten Frau«, fuhr er fort.

»Die da neben dem jungen Mädchen in der gestreiften Bluse. Meine Frau ist auch im Lager gewesen. In Ravensburg. Wir haben im Juni 1945 in einem Zwischenlager in Zeilsheim geheiratet. Da haben sie uns hingebracht. Im März 1946 ist unser Sohn geboren.«

»Dass Sie das gewagt haben! Ich könnte das nicht.«

»Der Allmächtige hat gewagt. Ich wollte ihm nicht dazwischenreden.«

Am 15. April, einem Dienstag mit schon sommerlicher Wärme, wurde Doktor Friedrich Feuereisen als beauftragter Richter vereidigt. Es war allerdings den Frankfurter Justizbehörden nicht möglich gewesen, was sie in einem persönlichen Gespräch beeindruckend bedauerten, dem aus der Emigration zurückgekehrten Richter die zugesagte Dreizimmerwohnung zu beschaffen. Der Beamte, der ihm dies mitzuteilen hatte, sagte vergrämt und mit bedeutungsvollem Flüstern, dies sei typisch für die Zeit. »Wer nichts zu schmieren hat, den beißen die Hunde. Das werden Sie auch noch erleben, Herr Doktor Feuereisen. Deutschland ist nicht mehr, was es war.«

Der Vertrauensselige begleitete Fritz zum Grundbuchamt, auf dem er überprüfen wollte, ob das Haus Rothschildallee 9 tatsächlich Herrn Baldur Ehrlich gehörte. Dem neu vereidigten Richter, von dem am Gericht sich die Leute schon seit Tagen zuraunten, er sei ein Jude, bot er eine Tasse Muckefuck aus seiner Thermosflasche an. Fritz revanchierte sich mit einer Chesterfield aus dem PX in Nürnberg. »Das ist ein Glückstag für mich, Herr Doktor«, sagte er.

»Für mich auch«, erwiderte Fritz.

11
Es kann nicht sein
März bis Juni 1948

Am Mittwoch, dem 24. März, waren der Himmel wolkenlos und die Luft sommermild. »Osterwetter in Friedensqualität«, weissagte Hans nach seiner zweiten Tasse Muckefuck und der halben Zigarette, die er vom Vortag aufgespart hatte. »Ihr könnt die Mäntel einmotten. Und die Angst gleich dazu, dass uns einer die Kohlen aus dem Keller klaut. Glaubt einem alten Mann. Auf mein fehlendes Bein und die Narben in der Schulter ist immer Verlass. Ganz anders als auf den Schwätzer im Radio. Neulich hat der eine Bevölkerungszunahme statt einer Bewölkungszunahme angesagt und sich noch am nächsten Tag über sich selbst totgelacht. Und jetzt ängstigt er die Leute mit Nachtfrösten, Erkältungen und erfrorenen Kirschblüten.«
Hans hatte seinen freien Tag genau geplant. Er wollte seinen fünften Antrag auf die Zuteilung eines Telefons stellen – diesmal mit Hinweis auf den Umstand, dass zu seinem Hausstand nunmehr ein Landgerichtsrat gehöre, dem ein Telefon zustehe. Nachmittags war Hans mit dem Kollegen Feldmeier aus der Maschinensetzerei verabredet. Er konnte ihn nicht ausstehen. In seinen Augen war Feldmeier ein Konjunkturritter und ein ganz falscher Hund, doch die Zeiten waren so, dass selbst geradlinige Leute wie Hans sich falsche Hunde warmhalten und Konjunkturrittern schmei-

cheln mussten. Mittels nahrhafter Zuwendungen an die zuständigen Leute hatte es Feldmeier geschafft, trotz seiner Vergangenheit als ein Parteimitglied der ersten Stunde und als Volkssturmführer mit ungebrochener Kriegsbegeisterung von der Spruchkammer als politisch unbelastet eingestuft zu werden.

An Feldmeier schätzte Hans lediglich dessen großen Schrebergarten am Huthpark. In dem hätschelte der Mann mit der gewendeten Vergangenheit seit 1945 keine Rosen mehr; er baute ausschließlich Nutzgemüse an und hatte mit seinen Kartoffeln, Kohl und Zwiebeln ebenso große Zuchterfolge wie mit der Begradigung seiner Biografie. Der viel beneidete Schollenbesitzer mit den vielen neuen Freunden hatte Hans im Austausch für ein Pfund Weißmehl, das Hans unter immensen Schwierigkeiten beschafft hatte und das Frau Feldmeier unbedingt für ihre Osterbäckerei haben wollte, sechs Eier und ein großes Paket Kräuter für die Frankfurter Grüne Soße zugesagt.

»Mit einer Extraportion Petersilie«, hatte Feldmeier versprochen, »Petersilie ist tausend Mal besser als Sauerampfer. Hat schon meine Großmutter gesagt.«

»Seine Großmutter muss aus dem Kongo stammen«, schimpfte Anna. »Was die Leute heutzutage alles behaupten. Zu viel Petersilie macht die Grüne Soße bitter. Jedenfalls früher war das so, als es noch Petersilie gab.«

»Die letzte Grüne Soße habe ich in der Rothschildallee gegessen«, träumte sich Betsy zurück. »In unserem letzten Frühling dort. Die Vorhänge haben wir schon nicht mehr gewaschen und die Schränke nicht mehr frisch ausgelegt; Clara, Erwin und Claudette waren bereits fort, aber Grüne Soße und das Bürgermeisterstück vom Metzger in der Freßgass hat's noch gegeben. Das haben wir immer am

Gründonnerstag gegessen. Und nur dann. Was das Bürgermeisterstück betraf, hat Josepha nicht mit sich handeln lassen. Mein Gott, es geht schon wieder los mit den verdammten Erinnerungen.«
»Halt den Daumen, dass Feldmeier, der miese Kotzbrocken mit dem schlechten Gedächtnis, sich heute an das erinnert, was er gestern gesagt hat. Sonst gibt's bei uns am Gründonnerstag, genau wie letztes Jahr und die vier Jahre zuvor, Grüne-Soße-Ersatz aus Löwenzahn und Brennnesseln. Mit Eipulverersatz. Guck nicht wie ein geprügelter Hund, Anna. Alle, die hier sitzen, können mit erhobener Hand bezeugen, dass du den Krieg nicht angefangen hast.«
»Ich auch«, freute sich Sophie.
Das Thermometer mit der Aufschrift »Property of the US Army« zeigte um acht Uhr morgens bereits sechzig Grad Fahrenheit. Justizwachtmeister Baumann hatte Fritz das Thermometer mit der Fahrenheit-Skala geschenkt, die weder Fritz noch Hans umrechnen konnten. Baumann unterhielt sich so gern mit dem neu bestellten Richter, weil er mit ihm über Holland sprechen konnte, was er besonders gern tat. Anfang des Krieges war Baumann in Rotterdam eingesetzt gewesen. Er hatte die Zeit sehr genossen – vor allem den guten Käse aus Alkmaar und eine üppige Fleischverkäuferin, wie er nie zu erwähnen vergaß. »Glauben Sie mir, Herr Rat«, erzählte Baumann, wenn er genug Zeit für seinen Rückblick hatte, »so schlecht angesehen, wie heute behauptet wird, war der deutsche Soldat nicht. Wahrhaftig nicht.«
Nicht nur Spatzen und Blaumeisen, auch Kinder und Optimisten waren hochgestimmt. Zum ersten Mal im Jahr durften die Buben kurze Hosen tragen. Auf der Straße kickten sie verbeulte Konservendosen in Tore, die sie mit ihren Ja-

cken markierten. Hatten sie die Dosen platt getreten oder waren sie von grantigen alten Frauen, die um ihre Hausmauern und Fenster fürchteten, vertrieben worden, spielten sie auf den Trümmern Hamsterer und Polizei. An den Zweigen, mit denen sie aufeinander einschlugen, wuchs das erste Frühlingsgrün.
Die Mädchen führten Puppen aus, die noch genug Garderobe aus guter Zeit und fein Gestricktes aus Wollresten hatten, um auf Spaziergängen Staat zu machen. Für die Ostervasen ihrer Mütter pflückten artige kleine Töchter die hübschen gelben Blumen, die besonders gut in Ruinen gediehen. Sophie erklärte Kameradin Lena, weshalb künftig keine grünen Bonbons mehr in der Jackentasche vom spendablen Onkel Fritz zu erwarten wären. »Er ist«, erläuterte das kluge Kind, »jetzt ein Richter. Er darf nur noch schreiben und aus dem Fenster gucken. Und böse Leute verhauen.«
»Du hast immer Glück«, seufzte Lena, »immer.«
»Ich bin ja auch kein Flüchtling.«
Am Morgen hatten die Zeitungen gemeldet, der Wiederaufbau des stadtbekannten Hotels »Frankfurter Hof« schreite im erwarteten Umfang voran, der beliebte Schauspieler Hans Söhnker hätte sich zur Premiere von »Film ohne Titel« in Frankfurt angesagt, und das Wort »Trizone« komme immer mehr in Gebrauch – der wirtschaftliche Zusammenschluss der amerikanischen, britischen und französischen Besatzungszonen wurde als Trizone bezeichnet. Obwohl die Aussprache des Wortes ihr Schwierigkeiten machte, sang Sophie schon seit Februar den Schlager »Wir sind die Einwohner von Trizonesien«. Er wurde im Radio ebenso oft gespielt wie »Die Capri-Fischer« und »Du bist die Rose vom Wörthersee«.

Als die nahe Kirchturmuhr elf schlug, fand Sophie einen weißen Puppenschuh auf der Straße. Sie beschloss, ihn der Besitzerin, die sie gut kannte und in der ganzen Straße als ein feiges Mamakind diffamierte, nur im Austausch gegen deren rote Zopfspangen zurückzugeben; den aparten Haarschmuck hatte Sophie seit Weihnachten im begehrlichen Blick. Genau eine Stunde später holte Anna eine Mitteilung der städtischen Paketpost aus dem Hausbriefkasten, die sie, wie alle amtlichen Schreiben, im ersten Moment in Panik versetzte.

Gerichtet war die Benachrichtigungskarte an Frau Betsy Sternberg. Der wurde mitgeteilt, dass auf dem Zollamt am Dom ein Paket aus dem Ausland für sie lagere. Es müsse dort persönlich und »unter Vorlegung der amtlichen Kennkarte abgeholt werden und wird nach einer Aufbewahrungszeit von zehn Tagen unverzüglich an den Absender zurückgesandt«.

Das Zollamt war nur morgens geöffnet. Die Empfängerin, die bis dahin noch nie eine Sendung aus dem Ausland erhalten hatte und die noch nicht einmal wusste, dass es in Frankfurt ein Zollamt gab, konnte sich also nicht umgehend auf den Weg machen. Unbehagen und eine Unruhe, die sie da bereits als einen körperlichen Schmerz empfand, setzten ihr so zu, als müsste sie Entscheidungen von lebenswichtiger Bedeutung treffen. »Ich würde die beiden Seifenstücke hergeben, die mir Fritz noch im PX besorgt hat, und das ganze Aspirin, das ich noch habe«, sagte Betsy, als sie beim Mittagessen den steinharten Brei aus Maisgrieß und Zwiebeln mit Messer und Gabel attackierte, »wenn ich schon heute auf das verfluchte Zollamt gehen könnte. Ich weiß wirklich nicht, wie ich diese Ungeduld bis morgen aushalten soll.«

»Tut Ungeduld weh?«, fragte Sophie. Sie hatte in den quittegelben Grießberg einen Tunnel gegraben und war dabei, die mit gerösteten Kartoffelschalen tiefbraun eingefärbte Mehltunke durch ihr Meisterwerk zu leiten.

»Noch schlimmer als Ungeduld ist es, wenn man nicht richtig aufpasst und plötzlich rückwärts läuft«, erklärte ihr Betsy. »Wenn man dann hinfällt, tut das ganz schlimm weh.«

Sie sah Victoria im rosa Kleid und mit einer großen weißen Schleife im Haar in Baden-Baden an der festlich gedeckten Mittagstafel im Hotel zum Hirsch sitzen. Die Sechsjährige ließ die feine Hollandaise über einen Hügel aus aufgeschichteten Möhren fließen. »Vicky, lass das! Auf der Stelle! Mit Essen wird nicht gespielt. Wenn du dich nicht ordentlich benehmen kannst, gehst du ohne Mittagessen auf dein Zimmer. Und sitz endlich gerade.« Weshalb hatte man die Kinder früher immer an fremden Tischen erzogen und wie Rekruten gegängelt? Warum war es so wichtig gewesen, dass sie stocksteif dasaßen und schweigend kauten?

»Du isst ja gar nichts«, stellte Sophie fest.

»Du auch nicht, Fräulein Naseweis«, sagte ihre Mutter. »Du spielst nur herum. Merk dir, mit Essen wird nicht gespielt. Und sitz gerade. Mit einem Buckel kriegst du nie einen Mann.«

»Ich will keinen Mann. Ich heirate Washi. Er fährt mit mir nach Amerika, und ich darf den ganzen Tag Donuts essen.«

»Du fängst ja früh an«, sagte Anna.

»Mit was?«

Für Betsy wurde es eine lange Nacht. Wenn sie schlief, wurde sie barfuß in überfüllte Züge gestoßen oder sie klammerte sich an ein Floß in einem blutroten Meer und flehte Präsident Roosevelt an, Claudettes Hund nicht aus dem Rettungsboot zu werfen. Lag sie wach, grübelte sie, wie

Claudettes Hund geheißen hatte und was aus ihm geworden war. Jede Stunde wurde es ihr schwerer, die Hoffnung niederzuringen, das Paket könnte von Clara und Erwin sein oder aus Südafrika kommen. Es war noch keine vier Wochen her, dass ein nach Durban an Alice adressierter Brief mit dem Vermerk »Unknown« nach Frankfurt zurückgekehrt war – so wie die Briefe, die Betsy davor nach Pretoria und Johannesburg geschickt hatte.

Im Nachhinein entpuppten sich die kurzen Öffnungszeiten des Zollamts jedoch als Glücksfall. Fritz hatte bereits am Gründonnerstag dienstfrei und sagte, er würde Betsy in die Stadt begleiten. »Falls das Paket so groß ist, dass du's nicht allein nach Hause tragen kannst.«

»Glaubst du noch an den Weihnachtsmann, oder findest du mich zu klapperig, um mich allein aus dem Haus zu lassen?«

»Um Himmels willen, so was denke ich noch nicht mal im Traum. Unter uns: Ich will dir seit drei Tagen was Wichtiges erzählen, was derzeit nur für deine Ohren bestimmt ist, aber in diesem Bienenstock erwisch ich dich nie allein. Trotzdem warte ich jetzt mit der Sache, bis wir das Paket in Händen haben. Erst gepfiffen, dann gesungen, habe ich von meiner Mutter gelernt.«

»Und ich habe von meinem Vater gelernt, wer zögert, hat das Spiel verloren, ehe es beginnt.«

Das Zollamt war trotz Frühlingswärme und Sonnenschein kalt und dunkel. Die ungestrichenen Wände schienen zu dampfen. Durch die vielen Menschen, die auf ihre Pakete warteten, wirkte der große Raum kleiner, als er war. Es roch nach feuchten Mänteln und nach Schuhen, die nie gelüftet wurden. Auf einem der beiden an der Querwand angebrachten Schilder stand »Rauchen streng verboten!«, auf dem zweiten wurden die Wartenden aufgefordert: »Erst

Nummern von Schalter II holen, dann warten bis zum Aufruf. Kriegsversehrte der Stufe I mit Ausweis und Frauen ab dem 8. Schwangerschaftsmonat haben sich am Sonderschalter zu melden.«

»Hauptsache, wir vermeiden das Wort bitte«, murmelte Fritz.

Vis-à-vis den Abfertigungsschaltern waren vier abgenutzte Stühle aufgestellt; sie waren alle besetzt. Auf dem einen saß eine junge Frau mit grellblond gefärbtem Haar, in dem ein auffälliger silberfarbiger Kamm steckte. Der Kaugummi, den sie, wie die jungen amerikanischen Soldaten in den Jeeps, in Abständen aus dem Mund zog, ihre feinen Nylonstrümpfe, der feuerrote Lippenstift, ihre langen violett lackierten Nägel und ein zu enger grellgrüner Pullover, der über ihrer großen Brust spannte, wiesen sie als eine jener entschlossenen Fräuleins aus, die von deutschen Frauen über dreißig, denen nicht die gleichen Möglichkeiten zum wirtschaftlichen Aufstieg gegeben waren, und moralstarken alten Männern als »Amiliebchen« bezeichnet wurden. Fritz sagte sehr bestimmt und, wie ihm bereits beim Sprechen auffiel, ohne eine Spur seiner üblichen Verbindlichkeit, die junge Frau solle sofort ihren Sitzplatz seiner Mutter überlassen. Er presste das befehlende »sofort« scharf aus seiner Kehle und deutete auf ein Schild mit der Aufschrift »Nehmt Rücksicht auf Alte, Kranke, Kriegsversehrte und Kinder«. Als er die Engstirnigkeit und Intoleranz, die er an anderen verachtete, an sich selbst diagnostizierte, war er bestürzt. Auch die Frau erschrak; sie stellte ihre Kaubewegungen ein und schaute sich um wie jemand, der nach dem Beistand von Gleichgesinnten sucht. Dann stand sie verdrossen auf.

»Danke für die Mutter«, flüsterte Betsy und setzte sich.

»Das sind die Notlügen, die Gott gutheißt. Schwiegermütter sind in diesem Land ja nie besonders angesehen gewesen«, sagte Fritz. »Ich habe mal in einem botanischen Garten einen Riesenkaktus gesehen. Der sah aus wie ein Hocker, hatte hundsgemeine Stacheln und wurde als Schwiegermuttersessel bezeichnet. Das hat mich richtig abgestoßen. Warte mal einen Moment. Dein Schwiegersohn hat schon wieder einen Einfall.«
»Mein Sohn«, lächelte Betsy.
Fritz verhandelte, was sie noch mehr verblüffte als die Vertreibung der jungen Frau von ihrem Stuhl, ebenso energisch und im herrischen Ton mit dem Beamten, der für den Sonderschalter zuständig war. Der Mann hatte eine Feldflasche vor sich stehen und einen zusammenklappbaren Metallbecher; er war dabei, mit einer großen Büroschere Löcher in einen breiten braunen Gürtel zu stanzen. Zu Betsys Erstaunen stellte sich Fritz dem Beamten als »Landgerichtsrat Dr. Feuereisen zur besonderen Verwendung« vor. Er erklärte, immer noch in der schnarrenden Diktion eines Vorgesetzten, der Widerspruch wittert, seine Mutter wäre »körperlich außerstande, sich der in Ihrem Amt üblichen Verweildauer zu unterziehen, ohne körperlichen Schaden zu nehmen. Seit dem Konzentrationslager hat sie schwersste Angstattacken mit nachhaltigen Folgen, wenn sie sich in ihr unbekannten, geschlossenen Räumen aufzuhalten hat.« Er schämte sich, als er das sagte, auch weil er das Wort Konzentrationslager überdeutlich betont hatte, denn er verachtete Leute, die aus ihrem Schicksal Kapital zu schlagen versuchten. Besorgt schaute er zu Betsy und hoffte, sie hätte ihn nicht gehört; ihm war klar, dass sie ebenso dachte wie er. Sie sprach nie mit einem Fremden über Theresienstadt. Wenn die Frauen in den Schlangen vor den Bäckereien und

beim Metzger von ihrem Leid im Krieg erzählten, von den Bombennächten, den gefallenen und vermissten Ehemännern und den Flüchtlingstrecks aus dem Osten, blieb sie stumm. Den Ausweis der Verfolgten, der ihr Vorteile auf Ämtern und in den Warteschlagen hätte bringen können, benutzte sie nie.
Der Beamte legte Schere und Gürtel aus der Hand. Er schaute sich um wie zuvor die Frau, die Fritz um ihren Sitzplatz gebracht hatte, er nagte an der Unterlippe, machte eine Bewegung in Richtung einer offen stehenden Tür und rief nach einem Herrn Kammer, der sich allerdings nicht zeigte. Schließlich glättete er mit beiden Händen sein Haar und stand auf. Im zeitüblich devoten Ton der Schuldbewussten sicherte der Erschrockene Fritz zu: »Selbstverständlich, Herr Rat. Ich kümmere mich persönlich um die Angelegenheit. Persönlich.« Er vergrub die Schere unter einem umfangreichen Aktenstück und ging mit großen Schritten, aber gesenktem Kopf auf das Zimmer zu, aus dem Herr Kammer nicht auf seinen Ruf reagiert hatte. Nach nur drei Minuten kehrte er zu seinem Schalter zurück – nun mit erhobenem Kopf, lächelnd, zufrieden und mit einem in hellgrünes Packpapier gewickelten Paket. Es war so groß, dass er beide Hände brauchte, um es zu halten.
»Unmögliches wird sofort erledigt, Herr Rat«, sagte der Beamte. Aus dem Lächeln wurde das knappe Triumphlachen der Sieger. »Wunder dauern etwas länger. Doch bei Kohlmanns Karl dauern sie nie lange. Der hat eine Nase für das Machbare.«
»Betsy«, rief Fritz. Seine Stimme überschlug sich wie die eines jungen Mädchens im Kreis von kichernden Freundinnen. Schweiß tropfte von seiner Stirn, ihm wurde schwindlig, die Hände suchten Halt und fanden keinen, doch seine

Stimme war wieder fest. Abermals rief er nach Betsy – diesmal so laut, dass die Wände, die um ihn kreisten, wie die Mauern von Jericho einzustürzen drohten. Er duckte sich, machte die Augen zu und wartete auf die Trompeten, aber als die erste erklang, wurde ihm bewusst, dass es die Trommelschläge seines Herzens waren, die er hörte.
Die Briefmarken auf dem Paket leuchteten wie Fackeln in der Nacht – grellbunte Marken waren es, die er noch nie gesehen hatte, obwohl er als Junge Briefmarken aus Afrika gesammelt hatte. Sie tanzten auf dem grünen Packpapier, machten Salti und sprangen ihn an wie die nackten Buschkrieger den Feind in den Abenteuerbüchern seiner Kindheit. »Südafrika«, wollte Fritz Betsy zurufen, doch er konnte das Wort nicht aussprechen. Es steckte in seiner Kehle wie ein mit Nadeln gespickter Kloß; seine Knie knickten ein, die Augen füllten sich mit Tränen. »Betsy«, brüllte er und fasste sich an den Hals.
Er sah, dass sie aufstand. Auch er konnte sich wieder bewegen, konnte sehen, hören, fühlen, denken, danken, jubeln. Erlöst ging er auf die zu, die ihm geblieben war. Er nahm Betsy in den Arm, spürte ihren Atem auf seinem Gesicht, und einen Herzschlag lang, den er nie mehr vergaß, glaubte er, sie wäre tatsächlich seine Mutter.
Sie standen nebeneinander und starrten das Paket mit den flammenden Marken und den vielen Stempeln an, sie versuchten zu sprechen und konnten nur flüstern, denn sie trauten sich nicht zu glauben, was sie sahen. Der Mann hinter dem Paketschalter, der von Wundern sprach, als wäre es am Menschen, sie zu vollbringen, räusperte sich. Fritz hielt Betsy sein Taschentuch hin, schluckte das Salz seiner Tränen hinunter und sagte im Ton derer, die zu trösten gelernt haben: »Es ist alles gut. Alice hat uns gefunden.«

»Mein Gott, die Schrift«, staunte Betsy. »Sie hat sich kein bisschen verändert. Sie kippt immer noch nach links. Johann Isidor hat sich immer geärgert. Meine jüngste Tochter schielt beim Schreiben, hat er geschimpft, und dann hat ihn Erwin beruhigt und gesagt, das macht doch nichts, Vater. Bei einem Mädchen, das so aussieht wie Alice, kommt es nicht auf die Schrift an. Es ist noch nicht mal wichtig, dass sie schreiben kann.«

»Bestätigen Sie den Erhalt der Sendung bitte hier, Herr Rat«, sagte der Beamte. »Sie brauchen das Paket nicht hier zu öffnen. Wir machen nur Stichproben. Stichproben bei den richtigen Leuten«, zwinkerte er in Richtung Betsy. »Und für Leute, bei denen Stichproben nötig sind, habe ich das richtige Händchen. Kohlmanns Karl war schon beim Barras für seinen siebten Sinn berühmt.«

»Mein Gott, wie konnte ich nur so blöd sein«, flüsterte Betsy vor der Tür vom Zollamt, »so spatzenhirnblöd, würde Fanny sagen. Wie kann eine Mutter vergessen, wie die eigene Tochter heißt? Nein, da gibt es keine Entschuldigung, mein Lieber, noch nicht mal eine Erklärung. Andere Leute waren auch in Theresienstadt und haben nicht vergessen, wie ihre Kinder heißen. Ich hab meine sämtlichen Briefe an Alice Zucker in Pretoria adressiert. Das war die letzte Adresse, die ich von ihr hatte. Ich habe einfach nicht mehr gewusst, dass ihr Mann Zuckerman heißt. Leon Zuckerman.«

»Hast du ihn denn je kennengelernt?«

»Ich hab ihn ein einziges Mal gesehen. In der Synagoge. Von der Frauenempore aus. Ich glaub, ich hab damals noch nicht gewusst, dass er mein Schwiegersohn wird. Er ist ja allein ausgewandert, Alice ist ihm nachgereist, und sie haben erst drüben geheiratet. Wir haben damals noch nicht einmal begriffen, dass das für sie die Rettung war. Unverheiratete Frauen haben damals schon kein Visum mehr bekommen. Leons Mutter habe ich später oft besucht. Alice bat mich in jedem Brief darum. Ich war noch eine Woche vor ihrer Deportation bei ihr. Der Mann war schon gestorben. Sie hatte vier Kinder, aber sie hat nur von Leon gesprochen und war ganz sicher, dass sie ihn wiedersehen würde. Mir hat es das Herz gebrochen, sie so reden zu hören.«

Sie machten sich auf den Weg nach Hause und sahen, dass die Gänseblümchen in den Grünanlagen, die am Tag zuvor noch märzklein gewesen waren, nun in den Himmel wuchsen und die Wolken anlächelten. Die Amseln, denen die Menschen nachsagen, sie würden das schwarze Witwenkleid tragen und von frühem Leid singen, sahen alle satt und zufrieden aus und so, als glaubten sie an das große Glück. Es drängte Betsy, und es drängte Fritz, einander festzuhalten, wie es Liebende tun, die im Moment der Erfüllung die Ewigkeit entdecken. Da für das Paket aus Südafrika jedoch zwei Männerhände und viel Kraft nötig waren, fanden nur ihre Augen zueinander.

»Alice«, sagte Fritz, »ist in meinen Erinnerungen nie erwachsen geworden, obwohl sie schon sechzehn war, als ich das erste Mal in die Rothschildallee kam. Sie war wunderschön. Ich sehe sie noch heute. Sie hatte eine Gießkanne in der Hand und ein grünes Kleid an, das genau zu ihren Augen passte. Ich hatte furchtbar sündige Gedanken und habe mich schrecklich geschämt.«

»Sie war«, erinnerte sich Betsy, »das typische Nesthäkchen, von allen verwöhnt und sich ihrer Schönheit schon als Dreijährige bewusst, ein richtiges kleines Biest, aber sie hat immer gern gegeben. Sie konnte es nicht haben, wenn eine ihrer Schwestern oder Claudette traurig waren. Woher sie

wohl Annas Adresse hat, und wie hat sie erfahren, dass ich lebe?«
»Vom lieben Gott.«
»Ich glaub, du meinst das wirklich.«
»Wenn er nicht heute bewiesen hat, dass er uns persönlich kennt, wann dann?«
Der Weg war beschwerlich, das Paket aus Kapstadt steinschwer, die unruhige Nacht, die Anspannung auf dem Zollamt und nun der Herzjubel zehrten an den Kräften. Wann immer sie eine Bank fanden, die noch eine Sitzfläche bot, machten sie Pause; auf der oberen Zeil entdeckte Fritz ein angekohltes Brett, das ein findiger Menschenfreund über große, gleich hohe Steine aus einem Trümmerhaus gelegt hatte.
»Mich wundert's, dass ich überhaupt noch imstande bin, mich auf dieser Prachtbank niederzulassen«, freute sich Betsy. » Die meisten Frauen in meinem Alter können sich weder bücken noch nach oben strecken und haben geschwollene Füße.«
»Mich wundert gar nichts an dir«, sagte Fritz.
»Ich wundere mich jeden Tag, dass ich noch lebe. Und wenn ich einen schlechten Tag habe, schüttle ich den Kopf und frage den lieben Gott: Musste das sein? «
»Es musste. Frag Fanny, und frag ihren Vater. Und Anna erzählt mir immer wieder, was es für sie und Hans bedeutet, dass du zurückgekommen bist.«
Die Trambahn, nach der sie Ausschau hielten, kam kein einziges Mal. Stattdessen rasten Taxis im hohen Tempo und laut hupend an ihnen vorbei. Wider besseres Wissen winkte Fritz ihnen zu. Er deutete auf Betsy und gab sich Mühe, auch selbst wie ein Mann auszusehen, der am Ende seiner Kräfte war, doch keiner der Wagen hielt an. Es wa-

ren Taxis, die nur für Amerikaner fuhren, die viel beneideten Fahrer wurden hauptsächlich mit Benzin, Zigaretten, Kaffee oder Nylons entlohnt.

»Und wir armen Deutschen, die doch immer nur getan haben, was uns befohlen wurde, laufen unsere Schuhsohlen ab und holen uns Blasen«, fluchte Fritz. »Wenn das der Führer wüsste!«

»Lass bloß die Kinder so was nicht hören. Die sind zu klein für solche Scherze. Die plappern jeden Quatsch nach. Auf der Straße oder beim Kaufmann.«

»Fanny nicht. Mit der kann man reden wie mit einem Menschen. Sie hat Humor und Sinn für Ironie. Grips hat sie auch. Bestimmt nicht von mir.«

»Fanny habe ich auch nicht gemeint. Mir ihr konnte man immer reden. Sie war schon mit zehn Jahren erwachsen. Sonst hätte sie das alles auch nicht durchgestanden. Anna sagt, sie hat in all der Zeit keine einzige Frage gestellt und immer sofort gewusst, worum es ging. Wobei mir einfällt, du wolltest mir doch noch was erzählen. Warum nicht jetzt? Wir sitzen hier so gut. So sicher wie in Abrahams Schoß. Und so allein wie hier sind wir in unserem Taubenschlag nie.«

»Trotzdem finde ich, wir sollten lieber sehen, dass wir so schnell wie möglich nach Hause kommen und das Paket aufmachen. Ich bin sicher, Alice hat einen Brief beigelegt, und ich kann mir gut vorstellen, was in dir vorgeht. Das Einzige, was wir bisher von ihr wissen: Sie kann Knoten wie ein Seemann knüpfen und ist noch mit demselben Mann verheiratet. Leon Zuckerman. Mit einem N. Was aber der alte Fritz dir zu erzählen hat, duldet durchaus Aufschub. Wenn ich's mir genau überlege, mindestens bis morgen. Wir sollten das Schicksal nicht herausfordern, Betsy. Du weiß ja: Zu viel Glück ist Unglück.«

»Wer hat das gesagt?«
»Mein Klassenlehrer in der Quarta. Dr. Braubach mit dem Schmerbauch und der latenten Anlage zum Antisemiten. Ich hatte das beste Zeugnis in der Klasse und habe ihn gefragt, weshalb ich in Aufmerksamkeit nur ein Befriedigend hätte.«
Zu Hause angekommen, öffneten sie das Wunder aus Südafrika. Alice hatte Orangenmarmelade in Dosen, Kaffee und Tee in Kilopackungen und Sardinenbüchsen geschickt, die in Goldpapier gewickelt waren, Käse in Porzellangefäßen, Olivenöl in einer Blechkanne, frische Zitronen, die beim Auspacken so stark dufteten, als wären sie noch am Baum und unter Afrikas Sonne, getrocknete Bananen in Streifen und drei Päckchen getrocknetes Rindfleisch mit der Aufschrift »Biltong«.
»Es sieht aus«, staunte Fritz, »als hätten es die Kinder Israels mit auf die Wanderung ins gelobte Land genommen. Vielleicht haben sie deswegen nach den Fleischtöpfen Ägyptens gejammert.«
Jedes Stück war sorgfältig und liebevoll eingewickelt – der Kaffee in einem grünen Küchenhandtuch mit dem Bild eines Löwen und die drei Dosen Ananas in regenbogenbunte Kopftücher. Die Päckchen mit Puddingpulver steckten einzeln in hellblauen Couverts und die Kekse in dicken Gläsern, um die Armbänder aus winzigen Glasperlen gewickelt waren. Auf jedes der drei großen Kakaopäckchen war ein winziges, gehäkeltes Püppchen mit langen schwarzen Ohrringen gebunden, auf den Tabak Zigarettenpapier.
»Wenn ich nur ein Armband bekomme, bin ich nie mehr ungezogen«, versprach Sophie. »Nie, nie, nie mehr in meinem ganzen Leben. Ich hole jeden Tag die Kohlen aus dem Keller und hacke Holz.«

»Und deinen Bruder verdrischst du auch nicht mehr«, empfahl ihr Vater.
Fanny zupfte am Ohrring einer Häkelpuppe im gestreiften Trägerrock. »Und wenn ich ein Armband bekomme«, schwor sie, als sie Kind wurde, »lerne ich sämtliche unregelmäßigen Verben auswendig, die es in Französisch gibt.«
»Ich wünsche mir den gelben Ball, der so gut riecht«, sagte Erwin leise. Er hielt die Zitrone an seine Nase und hatte die größten Bettelaugen, die er je gehabt hatte. »Den tu ich nicht werfen, ich will ihn nur riechen. Und haben.«
»Sie war ja noch nicht einmal imstande«, schniefte Betsy, »ihr Zimmer aufzuräumen oder einen Knopf anzunähen, ihre Schulhefte sahen zum Gotterbarmen aus, und wenn sie sich über irgendetwas Gedanken machte, dann nur über ihre Frisur oder ob ich sie in einem weißen Kleid in die Schule lassen würde. Und jetzt wickelt sie Schokolade in Nylonstrümpfe und häkelt Püppchen und kann sich genau vorstellen, woran es uns fehlt. Schaut mal, roter Pfeffer und Senfpulver!«
»Und Zimt«, freute sich Anna. Sie hielt eine kleine rote Büchse mit gelber Schrift hoch.
»Nein, da steht Backpulver drauf, falls ich's richtig übersetzt habe. Ich hatte ja total vergessen, dass es so was wie Backpulver gibt.«
Unter dem Paket mit dem Biltong klebte ein großes, nicht verschlossenes Couvert. Betsy holte ein koloriertes Foto heraus. Zunächst hatte sie nur Augen für ihre Tochter. Alice trug immer noch weiße Kleider. Mit dem breiten Stoffgürtel und dem schwingenden Rock, der ihr bis zu den Fesseln reichte, entsprach es absolut dem viel bewunderten New Look von Dior in Paris. Sie sah stolz und fröhlich aus. In ihrem schulterlangen Haar steckte ein breiter roter Reif,

auf dem Arm hatte sie einen schwarz-weißen Spanielwelpen, der die Zunge heraushängen ließ. Zwischen ihr und Leon standen vier Kinder – drei Jungen und ein etwa zweijähriges, sehr hübsches, schwarzhaariges Mädchen, das beim Lachen sämtliche Zähne zeigte und so aussah wie Alice im gleichen Alter. Leon in Khakihosen, mit hochgekrempelten Hemdsärmeln und dem Käppchen auf dem Kopf, das fromme Juden sowohl im Haus als auch in der Öffentlichkeit tragen, sah erstaunlich jung und spürbar tatenfroh aus. Er wirkte wie der Bruder seiner Kinder. Auch die drei Buben trugen Käppchen; alle waren sie gleich gekleidet – kurze graue Hosen, weiße langärmelige Hemden und blau-weiß gestreifte Krawatten.

»Ich glaube, in Südafrika tragen sie Schuluniform«, fiel es Betsy ein. »Im Altersheim hat mir das mal eine Frau erzählt, deren Sohn nach Johannesburg auswandern konnte.«

Der mittlere Junge, der als Einziger der Familie ein ernstes Gesicht machte, hielt das kleine Mädchen an der Hand. Die Einvernehmlichkeit von Bruder und Schwester erinnerte Betsy an Otto, der auf allen Familienfotos Victoria genauso gehalten hatte. Ab diesem Moment ersparte ihr das Gedächtnis kein Bild. Der Kalender mit dem prophetischen Tagesspruch »Wer Funken sät, wird Flammen ernten« zeigte den 19. August 1914. Otto saß am Frühstückstisch, sein Tornister war gepackt. Er trank zwei Tassen Kaffee, doch das Karlsbader Hörnchen und die Mohnbrötchen, die Josepha schon um sieben Uhr morgens beim Bäcker auf der Berger Straße geholt hatte, rührte er nicht an. »Wenn ich zurückkomme, Josepha. Da backst du mir einen Zwetschenkuchen, der sich gewaschen hat, und der Herrscher aller Reußen isst ihn ganz allein.«

»Jeder Stoß ein Franzos«, jauchzte Victoria.

»Beim Frühstück wird heute nicht gesungen, Vicky!« Sie war sechs Jahre alt und hatte den ersten Zahn verloren, ihr Bruder war noch nicht ganz achtzehn und träumte vom Eisernen Kreuz. Er fuhr vom Ostbahnhof direkt in den Krieg. Drei Monate später fiel er an der Westfront.
»Alice«, schluckte Betsy, »ist trotz der vier Kinder so schlank und schön wie früher. Fast«, verbesserte sie. Es erschien ihr undankbar, im Moment von Gottes Gnade nicht bei der ganzen Wahrheit zu bleiben.
»Sie ist noch schöner geworden«, widersprach Anna. »Sie sieht immer noch aus wie Schneewittchen. Mein Gott, was habe ich sie bewundert.«
Der Brief lag auf dem Boden des Pakets, festgeklebt an ein weißes Porzellangefäß mit Stilton-Käse. Auf das hellgelbe Couvert hatte eines der Kinder »My darling Granny!« in Blockbuchstaben geschrieben und jeden Buchstaben in einer anderen Farbe ausgemalt, am Ausrufezeichen flatterte der Union Jack. Feuertränen brannten in Betsys Augen. Alle hatten sie ihre Buchstaben ausgemalt – Otto, Clara und Erwin, Victoria, Alice und Claudette. Nur Fanny und Salo nicht. Als die zu schreiben lernten, malten jüdische Kinder nicht mehr Buchstaben bunt an.
Auf sieben einzeilig beschriebenen Schreibmaschinenseiten versuchte Alice, zehn Jahre Leben nachzutragen. Allerdings vertat sie die erste Seite mit der minutiösen Erklärung, weshalb sie so lange gebraucht hatte, ihre Mutter zu finden. »Die Engländer sind wieder mal an allem schuld«, mutmaßte sie. »In den letzten beiden Jahren sind sämtliche Briefe, die ich nach Palästina schrieb, nicht dort angekommen, obwohl Erwin, Clara und Claudette seit vier Jahren an der gleichen Adresse in Tel Aviv wohnen. Im letzten Brief stand, dass sie uns sofort geschrieben haben, als sie er-

fuhren, dass Du, liebe Mutter, überlebt hast. Nur haben sie Deine Adresse damals noch nicht gehabt und auch nicht gewusst, dass Anna Hans geheiratet hat und jetzt Dietz heißt. Gott sei Dank ist Erwin doch noch so schlau gewesen, an die Jüdische Gemeinde in Frankfurt zu schreiben. Leon und ich sind überhaupt nicht auf die Idee gekommen, dass wieder eine existiert.
Wahrscheinlich schmort die Post der Sternberg-Geschwister in irgendeinem englischen Zensurbüro, und irgendein Offizier stopft seine Stiefel damit aus. Als Rache für das King David Hotel, das ja vor zwei Jahren ordentlich was abgekriegt hat und um ein Haar ganz in die Luft geflogen wäre. Jetzt machen die Engländer ja sämtliche Juden auf der Welt dafür verantwortlich. Übrigens wurden sie vorher gewarnt, dass es einen Anschlag geben würde, aber wo kämen wir hin, wenn Britannia auf jüdische Warnungen reagiert?
Du siehst, auch in Südafrika sind die Engländer nicht beliebt. Trotzdem gehen unsere Jungs auf eine englische Schule. Es sind nun mal die besten im Land, auch wenn die Kinder lernen, dass nur die Engländer tapfer sind und dass Buren, Inder und Neger dumm, frech, feige und faul sind. Kommt Dir das bekannt vor? Leon schäumt jedes Mal, wenn er das hört. Aber ich will mich nicht beschweren. Es ist sehr schwer, hier eine gute Schule zu finden, die halbwegs erschwinglich ist. Die Schule hier in Kapstadt gestattet unseren Söhnen, ihr koscheres Essen mitzubringen, und zwingt sie nicht, am gemeinsamen Mittagessen teilzunehmen. Auch zur Morgenandacht müssen sie nicht. Drei schulpflichtige Kinder gehen enorm ins Geld. Allein die Schuluniformen, die Sportgeräte und die Privatlehrer kosten ein Vermögen. David spielt Hockey, Aby wird nach Mei-

nung seines Musiklehrers ein zweiter Chopin und hat Klavierunterricht (wenn ich denke, was das bei mir gebracht hat, bekomme ich graue Haare), und für alle drei Jungen haben wir zusätzlich zum Religionsunterricht bei der Gemeinde einen jungen Mann aus Lodz engagiert, der drei Mal die Woche ins Haus kommt und ihnen nebst Hebräisch lesen all das beibringt, was Leon in seinem Elternhaus gelernt hat. Unsere kleine Rachel, die von ihren Brüdern leider vergöttert wird und die noch viel verwöhnter ist, als ich es in der schönsten Zeit meines Lebens war, kostet vorerst nur Nerven. Zu meinem großen Glück hat sie eine wunderbare Kinderfrau (schwarz), der nie etwas zu viel wird und die es mir möglich macht, vormittags in der Praxis eines jüdischen Augenarztes zu arbeiten und mich jeden zweiten Mittwoch mit meinen beiden Freundinnen zu treffen (beide aus Wien) und drei Stunden lang so zu tun, als hätte ich weder Pflichten noch Sorgen.

Mein Chef ist ein Schatz. Er stammt aus Augsburg und gehört zu den Menschen, die nicht behaupten, sie hätten ihre Muttersprache vergessen, was hier unter den Emigranten Brauch ist. Ich genieße es, mit ihm Deutsch zu sprechen. Leon und ich haben das auch mit den Kindern versucht, damit sie zweisprachig aufwachsen, aber es klappt nicht. Die Bengel gehorchen erst, wenn der Befehl auf Englisch kommt. Dr. Hausmann ist ganz versessen auf Aby. Seine Frau und sein Sohn, den er zum letzten Mal gesehen hat, als er so alt wie Aby war, sind nicht mehr aus Deutschland herausgekommen. Er hat durch das Rote Kreuz erfahren, dass sie in Auschwitz ungekommen sind. Nun verbringt er alle jüdischen Feiertage und die Freitagabende bei uns. Im Großen und Ganzen können wir mit unserem Leben zufrieden sein, vor allem, wenn wir bedenken, wie es ande-

ren Menschen ergangen ist, die alles in Deutschland aufgeben mussten und die in der Emigration jahrelang sehr kümmerlich gelebt haben. Viele ältere Menschen sprechen nach all den Jahren nicht richtig Englisch. Auch unsere Anfänge waren schwer. Leon hat ziemlich alles gemacht, was ein Mann hier machen kann, der nach oben will und den Gott in sehr rascher Folge mit Kindern segnet. Er hat in einer Goldmine gearbeitet, auf drei Farmen, in einem Sägewerk und zwei Autowerkstätten. Zwei Jahre lang war er Mathematiklehrer an einer Privatschule (mit Examen nehmen sie es hier nicht so genau. Hauptsache, man kann, was verlangt wird). Heute ist er Manager im feinsten Hotel von Kapstadt. Sein Chef ist heilfroh, dass er sonntags da ist. Er verzeiht ihm, dass er erstens Jude ist und zweitens am Samstag nicht arbeitet.
Ich habe in unseren Anfängen als Nanny bei englischen Familien gearbeitet. Die meisten haben ihre Kinder nach spartanischen Prinzipien erzogen, die mir heute noch auf den Magen schlagen, wenn ich daran denke. Leon und ich waren damals ständig voneinander getrennt. In meiner ersten Schwangerschaft war ich in Stellenbosch bei einem zweijährigen Mädchen, dessen Mutter es nie länger als vier Tage am Stück zu Hause gehalten hat. Sie ist mit dem Kind und mir, der es dauernd furchtbar übel war und die an jeden zweiten Baum auf der Strecke gekotzt hat, quer durch das Land gereist. Leon hat in der Zeit bei der Bahn in Pretoria gearbeitet, und ich habe jede freie Minute zum Heulen genutzt. Dagegen geht es uns heute prächtig.
Leon verdient gut. Wir wohnen in einem Haus mit sieben Zimmern und zwei Badezimmern (was hierzulande nicht so viel besagt wie in Europa) und haben ein Auto, das groß genug für uns alle ist. Der Garten ist riesig und Personal

billig. Wir könnten uns sogar eine Köchin leisten, doch ich koche lieber selbst, als einer Frau, die mich für völlig irrsinnig halten würde, beizubringen, was koscher heißt. Ich hätte den ganzen Tag Angst, dass sie Sahne ans Fleisch gießt oder die Hühnersuppe im Milchtopf kocht.
Unsere Kinder sind wirklich gut geraten. Jedenfalls bis jetzt. David ist neun und kann schon fließend Hebräisch lesen, Aby ist mit seinen siebeneinhalb Jahren der Philosoph der Familie und liest alles, was ihm in die Hände fällt. Seiner Schwester erzählt er wunderbar fantasievolle Geschichten. Der sechsjährige Rafael, genannt Ralfi, wäre ganz nach Erwins Geschmack. Er kann sich den ganzen Tag mit einem Stück Papier und Buntstiften beschäftigen. Rachel, zweieinhalb, wird eine jüdische Prinzessin, und ihr Mann wird sie mit Diamanten behängen. Südafrika ist ja das Land der Diamanten. Die Buben fragen uns oft, weshalb sie keine Großeltern haben und andere Kinder zwei Großmütter und zwei Großväter. Sie vermissen auch Tanten, Onkel und gleichaltrige Cousins. Wir haben nicht gewagt, von Dir zu sprechen, bis wir von Dir hören, und wir finden sie zu jung, um ihnen von den Konzentrationslagern zu erzählen.
Ich bin immer noch so glücklich mit Leon wie in der Zeit unserer ersten Liebe, als wir uns heimlich getroffen haben und uns auf einer Bank im Grüneburgpark küssten und von fernen Ländern träumten (was ja auch in Erfüllung ging, wenn auch anders als damals gedacht). Für eine Frau wie mich, die in einer so liberalen Familie aufgewachsen ist wie der Sternberg'schen und die nur in die Synagoge ging, um jungen Männern schöne Augen zu machen, ist es nicht immer leicht, mit einem orthodoxen Mann verheiratet zu sein. Der koschere Haushalt stört mich nicht, die strengen Sabbat- und Feiertagsgebote schon eher, und am wenigsten

kann ich mich mit der Vorstellung abfinden, dass Kinder der Segen der Ehe sind. Ein bisschen weniger Segen hätte mir genügt. Mit der letzten Schwangerschaft habe ich mich schwergetan. Gebe Gott, dass es die letzte war!
In einem halben Jahr hat Leon nämlich vier Monate am Stück Urlaub, und wenn nicht wieder ein Baby unterwegs ist, wollen wir mit sämtlichen Kindern nach Frankfurt kommen. Ja, du hast richtig gelesen! Leon sagt, wenn Gott seinen Kindern wenigstens eine Großmutter gelassen hat, dürfen wir weder die Kosten noch die Strapazen der Reise und auch nicht den Hunger in Deutschland scheuen. Durch seine Stellung im Hotel dürfte er günstig an Schiffspassagen kommen. Ich, die ich nicht beten gelernt habe, bete nun jeden Abend, dass ich nicht schwanger werde. Das ist allerdings ein Geheimnis, das zwischen Gott und mir bleiben muss. Ich bin ja erst dreiunddreißig und wage gar nicht daran zu denken, wie mein Leben verläuft, wenn der Allmächtige mich weiter segnet.
Und da wir gerade bei Geheimnissen sind: Ich kann es nicht auf mein Gewissen nehmen, Erwin nicht zu verpetzen. Mein Bruder plant nämlich, im Juni nach Frankfurt zu reisen und plötzlich vor der Tür zu stehen. Aber ich finde (entschuldige, Mutter!), dass solche Überraschungen ein Wahnsinn bei einer Sechsundsiebzigjährigen sind. Ich habe versucht, Erwin seine Schnapsidee auszureden, aber er hat ja immer seinen eigenen Kopf gehabt, und das scheint in Palästina noch schlimmer geworden zu sein. Er schrieb ganz mysteriös, später könnte Claudette nicht mehr reisen und Clara müsste bei ihr bleiben. Für mich klingt das nach Schwangerschaft, doch auf dem Gebiet bin ich vielleicht zu hellhörig. Da er nichts von einem Ehemann geschrieben hat, der zu Claudette gehört, könnte es ja sein, dass sie es

ihrer Mutter nachgetan hat. Nur ist ja heute ein uneheliches Kind nicht mehr ein ganz so großes Unglück wie 1918, aber bestimmt auch kein Kinderspiel. Erwin arbeitet bei einer amerikanischen Firma (er schreibt nie, was für eine) und scheint gut zu verdienen.
Liebe Mutter, vielleicht findest Du es seltsam, dass ich kein Wort von Vater, Vicky und dem kleine Salo geschrieben habe, doch ich kann nicht in einem Brief ausdrücken, was ich empfinde, wenn ich an sie denke. Auch fehlt es mir an Worten, um Dir zu schildern, wie sehr es mich um deinetwillen in das Land zieht, das uns unsere Liebsten und auf immer die Heimat genommen hat. Ich kann nur sagen, ich denke immerzu an Dich. Bis wir uns wiedersehen, umarmt Dich Deine Tochter Alice mit Leon, David, Aby, Ralfi und Rachel.

PS: Wenn Du mir schreibst, erwähne um Himmels willen nicht den Biltong. Der ist natürlich nicht koscher, und Leon würde mir den Kopf abreißen, wenn er wüsste, dass ich ihn geschickt habe. Aber ich wollte, dass Ihr wenigstens ein bisschen Fleisch habt.«

Als Betsy zu Ende gelesen hatte, fehlten auch in Frankfurt die Worte. Sie faltete den Brief zusammen und steckte ihn behutsam zurück in das hellgelbe Couvert, das leicht nach den Zitronen aus dem Wunderland duftete, in dem Käse in Porzellangefäße gefüllt wurde und Armbänder mit winzigen Perlen wie Glühwürmchen bei Nacht leuchteten. Sie schloss die Augen und sah einen kleinen Jungen in einem weißen Hemd, mit blau-weiß gestreifter Krawatte und mit einem schwarzen Käppchen auf dem Kopf. Er saß an einem Tisch, auf dem ein Tuschkasten und ein Blechbecher mit

Wasser für den Pinsel standen, und malte große Blockbuchstaben bunt aus – für eine Großmutter, die er nicht kannte und die in einem Land lebte, von dem er noch nie gehört hatte.
»Ihr weint ja schon wieder«, sagte Sophie. »Der Onkel Fritz weint auch. Darf ich noch ein bisschen spielen gehen?«
»David, Aby, Rachel«, murmelte Betsy. »Ich versuche gerade, mir die Namen meiner neuen Enkelkinder zu merken. Und Leon und Alice Zuckerman. Mit einem N. Nicht Zucker.«
»Du hast Ralfi vergessen«, sagte Fanny, »das ist der kleinste von den Jungen. Der, der so gerne malt.«
»Wie lässt man Gott wissen, dass ich doch froh bin, dass er mich hat überleben lassen?«
»Auf dem üblichen Instanzenweg, meine Liebe, per Gebet.«
»Und was machen wir, wenn Alice und Leon und die vier Kinder kommen oder Erwin und Clara und die vielleicht schwangere Claudette? Da wird Gott doch bestimmt sagen, Unterbringungsprobleme fallen nicht in mein Ressort.«
Unmittelbar vor Mitternacht klopfte Fritz, noch angezogen und nicht so leise, wie es der späten Stunde entsprach, an Betsys Tür. »Tut mir leid«, sagte er. »Ich habe wirklich versucht, mich wie ein erwachsener Mann zu benehmen, aber ich konnte meiner Lebtag keine Überraschung für mich behalten. Seit drei Tagen laufe ich herum und halte den Mund, jetzt schaffe ich es einfach nicht mehr. Dabei hatte ich alle Gelegenheit der Welt, auf dem Weg zurück vom Zollamt mit dir zu sprechen.«
»Um Himmels willen, setz dich und starr nicht die Wand an. Mehr als vier neue Enkelkinder und Zitronen vom Baum kann ich sowieso an einem Tag nicht verkraften.«

»Wir bekommen die Rothschildallee zurück«, platzte es aus Fritz heraus, »und die Wohnung im ersten Stock wird auch frei.« Sein Gesicht war feuerrot, noch nie hatte Betsy seine Augen so glänzen gesehen.

»Das kann doch nicht sein. Das weiß ich genau. Weg ist weg, und futsch ist futsch. Wer was zurückhaben will, der muss beweisen, dass es ihm gehört hat. Das ist in Deutschland immer so gewesen. Das sagt mir mein Verstand. Aber wir sind nicht mit dem Beweis nach Theresienstadt marschiert, dass Johann Isidor Sternberg das Haus in der Rothschildallee 9 gehört hat.«

»Nein, Betsy, das seid ihr nicht, aber Mörder und Diebe stehen in Deutschland nicht mehr unter dem Schutz des Staates. Wo es noch Erben gibt, wird jüdisches Eigentum zurückerstattet, wo nicht, geht das herrenlose Vermögen an eine Institution, die es jüdischen Menschen zukommen lassen wird. In unserem Fall hat sich der schlaue Herr Pius Ehrlich noch nicht mal die Mühe gemacht, sich ins Grundbuch eintragen zu lassen. So sicher war er, dass er zuschlagen konnte. Ihm und seinem Sohn, der bis vor drei Tagen als Eigentümer des Hauses galt, war es genug zu wissen, dass der Eigentümer der Rothschildallee 9 samt Familie deportiert und zum Mord freigegeben worden war. Dass einer von uns überleben könnte, kam Herrn Ehrlich und Sohn nicht in den Sinn.«

Fritz erwartete, er würde Betsy noch einmal die schwierigen juristischen Zusammenhänge erklären müssen. Er nahm sie in den Arm wie ein Kind, das Trost braucht. »Der braune Theo muss das Feld räumen«, flüsterte er, »es ist nur eine Frage von Wochen. Landgerichtsdirektor Dr. Fritz Feuereisen steht bereits in den Endverhandlungen mit ihm. Der Ärmste ist als politisch schwer belastet eingestuft

worden, und seine Einquartierung als Untermieter hat Vorrang beim Wohnungsamt.«
»Du machst es einem nicht leicht«, sagte Betsy, »bei Sinnen zu bleiben. Erst Alice und der fromme Schwiegersohn, der nicht wissen darf, dass meine Tochter mir Fleisch schickt. Wie heißt das Zeugs?« »Biltong.«
»Dann vier Enkelkinder, von denen ich gestern noch nichts wusste. Und jetzt das Haus. Unser Haus. Ein Stück von Johann Isidor, ein Stück von mir. Unser Heim. Das, was von der Vergangenheit blieb. Nein, ich werde nicht weinen. Ich werde gleich wie ein Schlosshund schluchzen, und man wird mich hinaustragen müssen. Keine Ahnung, wohin. Ruf Hans und Anna. Wenn einer es verdient hat, dann sie. Und hol Fanny. Sie weiß ja seit ihrer Kindheit, was ein Wunder ist.«

Werkverzeichnis Stefanie Zweig

Lesen Sie weiter

> Bonusmaterial

HEYNE <

Nirgendwo in Afrika
978-3-453-81129-4

Irgendwo in
Deutschland
978-3-453-81130-0

Nur die Liebe bleibt
978-3-453-40516-5

Und das Glück
ist anderswo
978-3-453-81126-3

Doch die Träume
blieben in Afrika
978-3-453-81122-0

Karibu heißt
willkommen
978-3-453-40734-3

Wiedersehen mit Afrika
978-3-453-40920-0

Vivian
Ein Mund voll Erde
978-3-453-40919-4

Das Haus in der
Rothschildallee
978-3-453-40617-9

Die Kinder der
Rothschildallee
978-3-453-40778-7

Heimkehr in die
Rothschildallee
978-3-453-40916-3

Neubeginn in der
Rothschildallee
978-3-453-40921-7

Der Traum vom Paradies
978-3-453-40646-9

Katze fürs Leben
978-3-453-81131-7

Leseprobe aus dem Roman »Neubeginn in der Rothschildallee«

von Stefanie Zweig

Ein Sonntag wie kein anderer

September 1948

»Unser erster Sonntag daheim«, sagte Betsy Sternberg. »Gibt's dafür ein Gebet, Fritz?«

»Bestimmt«, mutmaßte ihr Schwiegersohn. »Oder glaubst du, Moses hat sich nach vierzig Jahren Wüstenwanderung und dem ganzen Zores mit den Kindern Israels und dem Goldenen Kalb schweigend über den Honigtopf im Gelobten Land hergemacht?«

»Moses hat das Gelobte Land doch nie erreicht«, erinnerte ihn seine Tochter. »Ich war außer mir, als ich davon erfuhr.«

»Stimmt, Moses durfte sein Paradies nur aus der Ferne sehen. Aber uns hat Gott zurückgeführt«, entschied Betsy. Sie strich die blauweiß karierte Tischdecke glatt, die Anna, ihre geliebte Ziehtochter, zur Wiedereinweihung der alten Wohnung im eigenen Haus aus Küchenhandtüchern und Kissenbezügen genäht hatte. »Wenn mir einer gesagt hätte, ich würde wieder hier sitzen, mit meinem Schwiegersohn und meiner Enkeltochter Fanny über das Gelobte Land reden, echten Bohnenkaffee trinken und zum Fenster rausschauen und unseren alten Kirschbaum sehen, ich hätte kein Wort geglaubt. Betsy Sternberg schaut zu keinem Fenster mehr raus, hätte ich gesagt. Sie ist auf dem Transport in ihr zweites Leben gestorben.

Ob Orpheus auch so durcheinander war wie ich, als er aus der Unterwelt zurückkehrte? Und was hat Odysseus gesagt, als er nach zwanzig Jahren wieder vor seiner Penelope stand?«
»Wer hat von meinem Tellerchen gegessen?«, fabulierte Fanny. »Quatsch, das waren ja Schneewittchens Zwerge.«
»Bist ein ganz Braver, hat er gesagt«, lächelte Fritz. »Papi hat dir einen großen Kalbsknochen mitgebracht. Wenn sich ein Ehemann mit einem schlechten Gewissen zu seinem Hund herabbeugen kann, ist das schon die halbe Miete. Um den Hund hab' ich Odysseus immer beneidet.«
»Ihr hattet doch nie einen Hund«, wunderte sich Betsy.
»Stimmt. Aber ich hab ihm trotzdem alles erzählt, bei der kleinsten Schwindelei hat er mit dem Schwanz gewackelt.«
»Deine Fantasie möchte ich haben.«
»Ich auch. Ich habe immer gefunden, Fantasie ist der zuverlässigste Fluchthelfer. Als ich mir heute beim Rasieren im Spiegel begegnete, brauchte ich allerdings keine Fantasie. Nur ein gutes Gedächtnis für das, was mich in meinem ersten Leben bewegt hat. Ich kam mir nämlich wie Rip van Winkle vor. Der entstammt einer Kurzgeschichte des Amerikaners Washington Irving und ist ein Bauer mit schlichtem Gemüt und einem Hang zur Flasche. Zur englischen Kolonialzeit gönnt er sich in seinem heimatlichen Bergdorf eine Mütze Schlaf und wacht erst nach zwanzig Jahren wieder auf. Da ist er Bürger der Vereinigten Staaten von Amerika, hat einen ellenlangen, eisgrauen Bart und versteht die Welt nicht mehr. Sein zänkisches Weib, das ihm das Leben zur Hölle gemacht hat, ist gestorben. Alle Leute und sämtliche Hunde, die er gekannt hat, sind ebenfalls verschwunden. Der arme Tropf gerät vollkommen in Panik. Zu allem Übel sagt er auch noch ›Gott segne den König‹. Da halten ihn sämtliche Dorfbewohner für einen Verräter und beschuldigen ihn der Spionage.«

»So ging es lange in meinen Albträumen zu«, seufzte Fanny.
»Wem erzählst du das! Als ich in Holland untergetaucht war und keiner wissen durfte, dass ich jüdisch und aus Deutschland war, hatte ich immer Angst, man würde mich als Spion verhaften. Wie oft habe ich mir vorgestellt, ich liege mit hohem Fieber im Krankenhaus und rede im Delirium Deutsch, und die Krankenschwestern holen die SS. Oder ich spreche ein hebräisches Gebet. Wie ich mich kenne, bestimmt das falsche. Mutter hat sich ständig geärgert, dass ich den Segensspruch für das Brot mit dem für den Wein verwechselt habe. Noch als Achtjähriger. Und zu den hohen Feiertagen.«
Betsy strich Fritz über den Kopf. Es war eine leichte, flüchtige Geste. »Verzeihung«, sagte sie, denn sie hatte sich angewöhnt, bei ihrem Schwiegersohn Mütterlichkeit und Mitgefühl als versehentliche Berührungen zu tarnen. »Ich habe auch dauernd das Gefühl, dass ich in die falsche Zeit geraten bin. Vorhin habe ich mir einen Moment vorgestellt, ich müsste für Tante Jettchens Papagei die Weißbrotbrocken schneiden. Die hat er sonntags immer bekommen, wenn er lange genug ›Franzbrot und Rotwein‹ krächzte. Die Kinder konnten sich nicht satt hören, und Johann Isidor hat jedes Mal gedroht: ›Das Viech kommt in die Pfanne.‹ Tantchen war zu Tode beleidigt. Nur Vicky konnte sie trösten. Sie war ja Jettchens Liebling.«
»Schade, dass ich nicht dabei war«, sagte Fanny. »Es muss schön gewesen sein, damals mit vier Kindern.«
»Fünf, als Alice kam. Na ja, sie hat nie gleichzeitig mit Otto am Tisch gesessen. Mein ältestes Kind und mein jüngstes haben einander nie gesehen.«
Betsy rieb ihre Augen am Ärmel trocken. »Schon wieder erkältet«, stellte sie fest. »Da tränen meine Augen immer. Tut so, als wäre ich gar nicht da. Schaut euch lieber gut um. Wir wissen ja, dass das Gute nicht lange währt. Lasst es euch schmecken,

ehe wir aufwachen und der liebe Gott uns Deppen nennt, weil wir wieder einmal auf unsere Träume reingefallen sind.«

»Wann?«, fragte Fanny. »Wann sind wir auf unsere Träume reingefallen?«

»Immer, Kind. Immer wieder. Bis es zu spät war. ›Von hier bringt uns keiner mehr weg‹, hat dein Großvater gesagt, als wir in dieses Haus eingezogen sind. Das war am 27. Januar 1900. Genau an Kaisers Geburtstag. Die Sonne hat gestrahlt, die Bäume waren alle weiß und der Himmel stahlblau, und ich hab gedacht, schöner kann das Leben nie mehr werden. Otto war damals noch unser einziges Kind, aber ich war bereits mit den Zwillingen schwanger. Otto war vier Jahre alt und durfte zur Feier des Einzugs zum ersten Mal seinen neuen Matrosenanzug anziehen. Er platzte vor Stolz. Selbst in der Wohnung ist er mit seiner Mütze rumgerannt. ›Gneisenau‹ stand drauf. Mein Gott, warum kann ich meine Erinnerungen nicht in einen Sack stopfen und den Sack im Main versenken? Es ist zum Heulen. Und genau das wird gleich geschehen.«

»Wir fallen nie mehr auf nichts rein«, beruhigte Fanny ihre Großmutter. Sie klopfte mit dem Kaffeelöffel gegen die Tasse. »Versprochen. Nie mehr auf nichts.«

»Das, meine Tochter, war eine doppelte Verneinung. In diesem Fall bedeutet sie, dass wir immer noch bereit sind, auf alles reinzufallen. Lass dir dein Schulgeld wiedergeben, Fräuleinchen. Das hätten wir früher gesagt. Da musste man für Bildung nämlich bezahlen – und nicht zu knapp. Lernt ihr denn gar nichts mehr in der Schule?«

»Doch! Dass Bismarck ein ganz bedeutender Mann war, der heute von den Leuten schrecklich verkannt wird. Wenn das gute Fräulein Dr. Bernau uns das erklärt, wird sie allerdings mäuschenleise. Mich wundert's, dass sie beim Sprechen nicht die Hand vor den Mund hält. Deutlich wird die Bernauerin erst, wenn sie gegen das Schminken wettert. Mädchen aus gutem Hause schminken sich nicht, müsst ihr wissen, und Seidenstrümpfe brauchen sie erst recht nicht.«

»Das haben wir schon gehabt. ›Die deutsche Frau schminkt sich nicht‹, hieß es bei den Nazis. Hat sich übrigens kaum eine dran gehalten.«

»Meine ungeliebte Klassenlehrerin kann sich eben nicht von der guten alten Zeit trennen. Eine vor den vier Waltrauds in der Klasse hat mir erzählt, dass Fräulein Bernau bei den Nazis eine ganz Fanatische gewesen sei. Sie kam nie ohne ihr Parteiabzeichen in die Schule, selbst im Luftschutzkeller hat sie noch auf dem Hitlergruß bestanden. Und man brauchte nur zu sagen: ›Ich musste was für den BDM erledigen und konnte meine Hausaufgaben nicht machen‹, und schon hat Führers treueste Jungfer gütig genickt. Für Dr. Ilsetrude Bernau war der BDM wichtiger als Bildung. So wird mir jedenfalls immer wieder berichtet. Ich glaube, Madam weiß das alles selbst nicht mehr. Sie hat auf der ganzen Linie auf Toleranz umgeschaltet.«

»Und wie macht sich das bemerkbar? Behauptet sie etwa, Juden und Radfahrer seien auch Menschen?«

»So weit geht sie dann doch nicht«, kicherte Fanny. »Aber sie hält große Stücke auf Onkel Toms Hütte und hat in ihrer Jugend wohl für Josephine Baker geschwärmt. In jeder Deutschstunde fleht sie uns förmlich an, ins Theater zu gehen. Im Börsensaal spielen sie gerade den Nathan. Es ist hochaktuell, wie Lessing ausgedrückt hat, was wir heute alle fühlen«, ahmte Fanny ihre Lehrerin nach. »›Das muss jeden von uns zur Menschlichkeit anspornen‹. Schnief! Schnief! Heil! Aus reinem Daffke habe ich ihr nicht erzählt, dass ich bereits zweimal im Theater war. Schon wegen Otto Rouvel, der den Nathan so spielt, dass es mir wirklich ans Herz geht.«

»Außerdem hast du dich in den jungen Tempelherrn verliebt. Gib's nur zu, Tochter.«

»Weiß Gott nicht. Doch der ganze Saal bricht in schallendes Gelächter aus, wenn er sagt: ›Ich habe Fleisch wohl lange nicht gegessen: Allein was tut's? Die Datteln sind ja reif.‹ Das ist wirklich zum Schießen. Ich weiß noch genau, wie wir für die Fleischmarken Datteln bekamen und Hans und Anna so getan haben, als hätten sie ihr Leben lang darauf gewartet, eine Dattel zu kosten.«

»Noch mehr verwundert mich, dass du den Text auswendig kennst. Wie kommt's? Ich dachte, alles, was mit der Schule zu tun hat, hängt meiner Tochter zum Hals raus.«

»Meterweit. Doch der Nathan ist die große Ausnahme. Selbst die Schule kann ihn mir nicht verleiden. Kennst du denn die Ringparabel?«

»Ja«, sagte Fritz. »Die Botschaft hörte ich schon früh, allein mir ging der Glaube flöten.«

Er erschrak, als er merkte, dass seine Hände zitterten. Für einen Moment, der ihm eine Ewigkeit war, kniff er die Augen zu, doch das Leben war ohne Erbarmen und zog den Vorhang auf. Fannys Mutter hatte davon geträumt, die Recha zu spielen. Beim ersten Rendezvous hatte sie Fritz davon erzählt. Sie hatten im Café Rumpelmayer am Fenster gesessen und sich vorgenommen, zusammen ins Schumann-Theater zu gehen und im Sommer sonntags im Wiesbadener Kurhaus Ananastörtchen zu essen. Fritz hatte französisches Käsegebäck und Rosé vom Kaiserstuhl bestellt und Victoria so getan, als kenne sie sich mit Weinen aus und würde für ihr Leben gern backen. Er sah ihr burgunderrotes, tief ausgeschnittenes Kleid mit den großen weißen Perlmuttknöpfen. Auf dem Revers glänzte eine goldene Schmetterlingsbrosche mit Rubinen und Smaragden auf den Flügeln. »Sie werden

die schönste Tochter, die Nathan je gehabt hat, Fräulein Victoria«, hörte sich Fritz sagen.
»Ist was mit dir?«, fragte Betsy.
»Was soll mit mir sein?«
»Mit Menschen, die Gegenfragen stellen, ist meistens was. Besonders, wenn sie von einem Moment zum anderen so blass werden wie du eben.«
»Fanny, mich dünkt, deine Großmutter sieht zu viel.«
»Viel«, sagte Fanny, »aber nicht zu viel.«
Der Tageskalender, geschickt und liebevoll von ihr aus Papierresten gebastelt und für jeden Tag mit Zeichnungen, Zitaten aus der Literatur, Sprichwörtern und Weisheiten aus dem Alten Testament versehen, zeigte den 26. September. Für den Tag zuvor hatte Fanny das Lessingwort »Kein Mensch muss müssen« gewählt. Sie hielt ihrem Vater das abgerissene Kalenderblatt hin. »Hat er extra für uns geschrieben«, sagte sie. »Habe ich gleich bemerkt, als ich's zum ersten Mal las.«
»Nebbich«, widersprach Fritz. »Meister Lessing hätte besser mit mir geredet, ehe er mit seinem Nathan begann. Jeder Mensch muss müssen.«
Die Sonne tauchte den Wintergarten in jenes herbstgoldene Licht, an das sich Betsy selbst in der Hölle von Theresienstadt hatte erinnern müssen. Die großen Fenster des kleinen Raums hatten die Bomben, die die beiden oberen Stockwerke des Hauses zerstört hatten, ohne einen Sprung überstanden. Auch der Kirschbaum im Hinterhof hatte die Feuersbrunst überlebt.
»Eine Rose blüht auch, wenn niemand zuschaut«, sinnierte Betsy. »Und ein Baum schert sich nicht um die Zeit, in der er lebt. Unserer schon gar nicht.«
Auf der mit Efeu bewachsenen Mauer, die das Haus Rothschildallee 9 von den Häusern in der Martin-Luther-Straße trennte, hockten Amseln und Blaumeisen. Tauben saßen auf

Schornsteinen, die furchtlosen auf den Wäschegestellen vor den Küchenfenstern. Laut zwitscherten die Spatzen.

»›Die Vögel singen auch für die Juden‹, hat Johann Isidor gesagt. Das war an einem der letzten Tage in dieser Wohnung. Ich sehe noch, wie er in der Küche stand, in den Kirschbaum starrte und den Kopf schüttelte.«

»Um bei den Kirschen zu bleiben«, sagte Fritz. Sein Lächeln war ohne Fröhlichkeit. »Ich wette, ein gewisser Theo Berghammer erzählt jetzt überall und jedem, dass mit den Juden nicht gut Kirschen essen ist.«

»Hauptsache«, fand Betsy, »es gelingt uns irgendwann, nicht mehr an ihn zu denken. Wenn es bei uns Kirschauflauf gab, war er nicht wegzuschlagen. Josepha hat sich immer grün geärgert und gesagt, der Bub soll sich daheim satt essen.«

Theo Berghammer, im Haus Rothschildallee 9 aufgewachsen, war in der Zeit der großen Illusion Otto Sternbergs einziger Freund gewesen. Otto war als Achtzehnjähriger im Ersten Weltkrieg gefallen, Theo unmittelbar darauf schwer verwundet worden. Die Hoffnungen, die ihm auf Wohlstand und Achtung geblieben waren, setzte er ab 1933 in die Nazis – und musste das bitter büßen. Im August 1948 hatte nämlich Landgerichtsrat Dr. Friedrich Feuereisen nach zähen Verhandlungen mit einem Richter, dessen Rechtsempfinden seinem Berufsstand keine Ehre machte, sowohl die Wohnung im ersten Stock als auch das Haus Rothschildallee 9 endgültig für seine Schwiegermutter Betsy Sternberg zurückerkämpft. Trotz Theos wiederholten Eingaben und einem Versuch, den zuständigen Beamten auf dem Wohnungsamt mit einem silbernen Fischbesteck für zwölf Personen zu bestechen, das er 1940 bei der Ersteigerung von geraubtem jüdischem Vermögen ergattert hatte, musste die Familie Berghammer die Wohnung im ersten Stock räumen. Es war die, in der Sternbergs achtunddreißig Jahre gewohnt hatten und die sie binnen einer Frist von vierundzwanzig Stunden hatten räumen müssen. Zwei Tage darauf wurde das verdiente Parteimitglied Theo Berghammer dort eingewiesen.

Nach Deutschlands Niederlage, die er auch als seine persönliche empfand, verließ Theo endgültig die Fortune der Konjunkturritter. Er hatte fest damit gerechnet, nie wieder einem Mitglied der Familie Sternberg zu begegnen. Seine nach dem Einmarsch der Amerikaner verängstigte Frau pflegte er mit der immer gleichen Hoffnung zu beruhigen:

»Die, die nicht rausgekommen sind, können gar nicht anders als tot sein. Und Erwin, Clara und die Tochter, die sich nach Palästina verkrümelt haben, sind viel zu weit ab vom Schuss, um sich mit dem Haus und unserer Wohnung zu beschäftigen.«

»Nächstes Jahr«, träumte sich Betsy zurück in ihre alte Hausfrauenvergangenheit, »wecke ich die Sauerkirschen im August ein. Josepha hat immer gesagt: ›Mitte August, oder das Vogelpack schlägt zu.‹ Einmal hat ihr Erwin sogar eine Vogelscheuche gebaut mit einem Tiroler Hut und einem Besen in der Hand, aber die Vögel haben sich nicht stören lassen. Josepha war außer sich. Wenn ich mich bloß erinnern könnte, wie viele Zimtstangen sie pro Glas genommen hat.«

»Wer weiß«, sagte Fritz, »ob es bis dahin wieder Zimtstangen gibt. Von Einweckgläsern und Gummiringen gar nicht zu reden. Wenn ich du wäre, würde ich lieber auf Rhabarber setzen. Der braucht keinen Zimt. Der hat immer gleich scheußlich geschmeckt.«

»Du bist ein ganz ungläubiger Thomas«, schimpfte Betsy.

Lesen Sie weiter in:
»Neubeginn in der Rothschildallee«
von Stefanie Zweig